W9-CRA-778

Ullstein Buch Nr. 3538
im Verlag Ullstein GmbH,
Frankfurt/M – Berlin – Wien

Ungekürzte Ausgabe

Umschlagentwurf:
Hansbernd Lindemann
Umschlagfoto: ZEFA
Alle Rechte vorbehalten
Lizenzausgabe mit Genehmigung des
Paul Zsolnay Verlags,
Wien – Hamburg
© Paul Zsolnay Verlag Gesellschaft mbH,
Wien – Hamburg 1976
Printed in Germany 1978
Gesamtherstellung:
Ebner, Ulm
ISBN 3 548 03538 8

CIP-Kurztitelaufnahme
der Deutschen Bibliothek

Muhr, Adelbert
Der Sohn des Stromes: Roman/
Adelbert Muhr. – Ungekürzte Ausg. –
Frankfurt/M, Berlin, Wien:
Ullstein, 1978.
([Ullstein-Bücher] Ullstein-Buch;
Nr. 3538)
ISBN 3-548-03538-8

Adelbert Muhr

Der Sohn des Stromes

Roman

ein Ullstein Buch

INHALT

ERSTER TEIL

1

Das entkommene Standschiff

Ein Blick genügte ihm, um das Mädchen, mit dem er Kott überraschte, einzuschätzen. Hübsch und sehr gewöhnlich, um nicht zu sagen ordinär wie alle Weiblichkeit, die man in Kotts Gesellschaft traf, war sie nicht ohne Reiz. Frajo hatte sich sogleich zurückgezogen, aber der halb beschämte, halb freche Ausdruck ihres stumpfnasigen Gesichts mit den Sommersprossen und ihr Griff nach dem Strumpfband hafteten in seinem Gedächtnis deutlicher, als er es eben in dem von Rauchschwaden erfüllten Raum gesehen hatte.

„Bleib da, Frajo! Die Hafen-Fanny wird nichts gegen eine Ablösung haben." Kott kicherte, zog ihn durch den Türspalt wieder herein, warf sein meliertes Lockenhaar zurück und zündete sich eine Zigarette an. Das Zündholz sprang brennend weg, Frajo trat rasch darauf und sagte:

„Ich wollte mit deinem Motorboot hinüber. Na, ich sehe, nichts damit!"

Frajo war zum Fenster getreten und sah auf die Donau. Zu mehr als doppelter Breite angeschwollen, stürmte der Strom dahin. Kotts Fährhaus stand auf Piloten, um die das gelbgrüne Wasser quirlte; Frajo hatte auf schwankenden Brettern, die als Notsteg über Böcke gelegt worden waren, herankommen können. Feucht wehte es durch den dünnen Fußboden herauf und mischte sich mit den menschlichen Ausdünstungen und dem Zigarettenrauch. Sah man auf das dahinschießende Wasser, war es, als bewegte sich das hölzerne Fährhaus wie ein Schiff gegen den Strom.

Plötzlich wandte sich Frajo um und rief:

„Wo ist das Standschiff von drüben?"

„Weg! Das Hochwasser hat es weggerissen. Vor drei Tagen war's über Nacht da. Drum können wir ja nicht hinüberfahren."

„Wo ist's denn jetzt?"

„Steckt weit unten im Erlengebüsch."

„Und?" sagte Frajo.

Während das Mädchen am Strumpf nestelte, sagte Kott: „Meine Frau ist mit dem Motorboot hinunter. Mit unserem Mechaniker und einem Fischer, schon am Vormittag. Sie hat es sich nicht nehmen lassen. Übrigens fällt das Wasser seit heute früh."

„Das wird eine lange Arbeit sein", sagte Frajo abwesend.

„Um so besser für uns, nicht wahr?" meinte Kott zur Hafen-Fanny und blies den Rauch heftig von sich.

„Ich hab's eilig, heimzukommen, was wird da los sein?" sagte Frajo.

Er lauschte dem Rauschen des Stromes. Am anderen Ufer stand die Kilometertafel zur Hälfte im Wasser, die Stämme des jungen Auwaldes waren verschwunden, die Baumkronen glichen Büschen. Der Himmel wehte wie das Wasser dahin, und die Luft sauste. Er sah sich gezwungen, den Blick zu senken, er mußte die schmalen Notstege im Auge behalten, um nicht ins Wasser zu stürzen, sie bogen sich unter den Tritten durch. So erreichten sie den Straßendamm. Ein paar rohgekalkte Häuschen drückten sich an den Damm, Ziegen weideten zwischen Disteln; Wien löste sich gleich einem ungarischen Dorf auf.

Das durchdringende Tuten eines Dampfers ließ beide aufhorchen. Es klang wie ein drohender Zuruf oder das Röhren eines Wildes. Stromab erblickten sie einen breithüftigen Raddampfer, der sich mit seinem Anhang unter niedergedrückten Rauchwolken mühsam heraufschaufelte.

„Das ist der Ungar!" rief Kott. „Der will mir sicher signalisieren, wie es meinen Leuten unten geht!" Er nickte Frajo zu und eilte über die Bretter in sein Fährhaus zurück.

Frajo, froh, wieder allein zu sein, begann, vom feuchten Wind umweht, langsam die Straße stromab zu gehen. Der Rucksack schnitt in seine Schultern ein.

Keine guten Zeichen! sagte er sich. Vielleicht mußte er lange marschieren, bevor er einen Fischer fand, der sich erbötig machen würde, ihn mit der Zille überzusetzen, ein Wagnis bei dem reißenden Hochwasser. Ob wohl das Elternhaus schon unter Wasser stand?

Frajo blieb nichts anderes übrig, als die Straße zu verlassen, auch sie war überschwemmt. Er mußte landeinwärts ausweichen. Feiner Nebel lag über der tiefen Au, niemand war zu sehen, nur hie und da ein lautlos streichender Vogel. Auf dem schmalen Pfad lagen abgebrochene Zweige, die sich wie schwarzglänzende Schlangen krümmten, wenn man auf sie trat. Was er früher kaum beachtet hatte, fiel ihm nun auf: die vielen Warnungstafeln, dann zwei Marterln mit Inschriften: „Hier verunglückte Herr . . ." und „Hier an dieser Stelle starb eines qualvollen Todes im 34. Lebensjahr . . ."

Er umging den Friedhof der Namenlosen und kam auf die Straße durch Mannswörth. Vor ihm ging der Hirte mitten auf der Straße und schickte sich an, eine riesige Peitsche zu schwingen. Er schwang sie, den dicken

Ledergriff umfassend, kunstvoll wie ein Lasso, das weit und blitzschnell fliegen soll. Dreimal schwang er die Peitsche über dem Kopf im Kreis, sie entfaltete sich über die ganze Breite der Dorfstraße. Hinter ihm öffneten sich die Tore der Gehöfte, Kühe kamen hervor und trotteten ihm nach. So ging es durch das ganze Dorf. Als der Hirte das Vieh in langer Prozession vollzählig versammelt hatte, wickelte er sich die Peitschen-schnur um den Hals; der schwere Griff hing auf die Brust hinab.

Frajo erfaßte das alles genau, ohne sich dessen richtig bewußt zu werden. Keine guten Zeichen, wiederholte er bei sich.

2

Unverhoffte Überfahrt

Der Wind hatte nachgelassen. Frajo war nun auf einem Fahrweg, der auf eine hölzerne Brücke zubog und in die Auwälder tauchte. Doch Frajo mußte wieder ans Stromufer gelangen, zu Schramm, dem Fischer, der sich eigensinnig als einziger auf diesem Ufer festgesetzt hatte. Dort war es allerdings nie überschwemmt gewesen. Das Dorf blieb zurück, das Schnat-tern der Gänseherden verlor sich. Am Waldrand blickte er sich nach dem Kirchturm um, dann nahm ihn das Gehölz mit einer stockenden Wärme auf.

Nichts rührte sich. Kein Vogel sang. Der Seitenpfad, den Frajo einschlug, schlängelte sich durch das Dickicht, man konnte nur wenige Schritte weit sehen. Obwohl die Donau noch fern war, fühlte er sie mit allen Poren, er roch sie, er schmeckte sie, er bildete sich ein, ihr Rauschen zu hören, das ihm seit der Geburt in den Ohren lag, ja vorher schon, als er noch im Mutterleib gewesen. Mit dem Gehen hatte er gleichzeitig das Schwimmen gelernt; manche behaupteten, er hätte eher schwimmen als gehen können; sicher war, daß er sich im Wasser zu Hause fühlte wie auf dem Land. Auch daß er so gut reiten konnte, obwohl er dazu immer weniger Gelegenheit hatte, hing mit dem Wasser zusammen — dank den Pferdeschiffzügen, die früher zahlreich stromauf gezogen waren; er war schon als kleines Kind auf ungesattelten Pferderücken geritten, unter den Rufen der An-treiber, während hinten das Schiffsseil surrte.

Er hatte das Hochwasser vergessen, die Gefahren, denen auch sein El-ternhaus ausgesetzt war, er schritt lebhaft aus. Wie lange, wußte er nicht. Plötzlich sah er einen Mann vor sich gehen. Er erschrak fast. Woher war er aufgetaucht? Er ging da vor ihm, als wäre es immer schon so gewesen. Sosehr sich Frajo gefreut hatte, in dem einsamen Auwald einen Menschen zu treffen, einen ihm bekannten Fischer, so unheimlich kam ihm die Erscheinung vor.

Ja, es war eine Erscheinung. Es lag nicht an der Überraschung allein, vielmehr an der Selbstverständlichkeit, mit der die hünenhafte Erscheinung ihm sozusagen den Weg bahnte, ohne sich umzusehen, ohne seiner überhaupt zu achten, obwohl sie um seine Gegenwart wissen mußte. Ja, das war das Merkwürdige: Frajo glaubte allmählich zu fühlen, daß der Mann, der da vorne unbekümmert ausschritt, für ihn da war, für ihn allein, ein Führer oder Verführer, dem er folgen mußte.

Der Mann hatte lange nackte Beine. Vom grünen Dickicht verdeckt, von schnellenden Zweigen umblitzt und verdunkelt, erschien er wie ein Licht- und Schattenspiel des heißen Waldes. Mit einer Hand schien er irgend etwas zu tragen, es war nicht zu unterscheiden, was es eigentlich war.

Frajo entschloß sich, ihn anzurufen. Keine Antwort. Frajo rief ihn noch einmal an. Keine Antwort. Mit sicheren Schritten ging der Mann vor ihm weiter. Ein Gefühl des Geborgenseins überkam Frajo, als er nun mit einemmal wirklich die Donau roch, ein Wehen in der auffrischenden Luft.

Das wäre was für Vater! fiel ihm ein. Für den bibelfesten Vater, der zu den Protestanten übergetreten war, gerne im Buch der Bücher, wie er die Bibel nannte, las und oft zitierte: „Und sie folgten ihm nach." War er, an solchen Empfindungen gemessen, wirklich mehr der Sohn seines Vaters, als er wahrhaben wollte?

Der Wald endete, der Mann trat auf die Wiese hinaus. Frajo sah ihn eine schwarze Holzkiste tragen, wie sie die Flößer verwenden, und spürte plötzlich seinen Rucksack im Kreuz, schwer von Büchern, die er in Wien eingekauft hatte. Wie zur Entlastung rief er den Mann an, zum drittenmal.

Der blieb endlich stehen und wandte sich um. Frajo ging auf ihn zu und sah, daß es ein Bursche war, schlank, mit gewaltigen Schultern. Sein blondes Haar wehte im leichten Wind. Frajos Gestalt wirkte neben ihm erstaunlich zart.

„Wie komme ich hinüber?" fragte Frajo, obwohl er wußte, daß sie in unmittelbarer Nähe von Schramms Hütte waren.

Der Bursche betrachtete ihn aufmerksam. Er hatte blaue Augen und hellflaumige, dichte Brauen, deren buschige Vorwölbungen sein etwas flaches Gesicht formten. Er antwortete freundlich:

„In meiner Zille."

„Sie haben eine Zille? Und sind Fischer?"

Der Bursche sagte nichts. Schweigend begann er wieder vorauszugehen, und Frajo folgte ihm. Er sah, wie seine mächtige Hand den kleinen Griff des schwarzglänzenden Holzkoffers umspannte; ein leichter Geruch nach

Fischen und Lackfarbe, der ihm nachhing, mischte sich mit dem Duft der nassen Wiese, deren hohe Gräser und steilaufgereckte Blumen sie streiften. Die triefenden Pflanzen reichten ihnen bis über die Knie, Frajo fühlte den Stoff seiner Hose schwer an den Beinen kleben wie einen kalten Wickel. Frisch leuchtete die Wiese in ihrem sprühenden Dampf, aber der Himmel blieb grau.

Aus einem Erlengebüsch zog der Bursche eine Zille hervor, sie war von Wind und Wetter gebleicht. Mit einer einzigen weit ausholenden Armbewegung schwang er seine Kiste, die Frajo kaum vom Erdboden zu heben vermocht hätte, leicht in die Mitte der Zille hinein. Und dann stiegen beide ein und ruderten im Gleichtakt, die Zille kämpfte gegen die Strömung an.

Die Auwälder verschoben sich. Frajo konnte sein Elternhaus noch nicht erblicken, es lag hinter der Strombiegung. Er sah auf die muskulösen Arme des Burschen, der vor ihm saß. Von seinen blondbehaarten Beinen sickerte Blut: Mückenstiche.

Immer lauter und brausender atmete die Wasserbrust ein, hob sich und hob sie mit, in stetem Wechsel kam sie voll auf sie zu und glitt hohl unter ihnen weg, von zahllosen Zweigen bedeckt.

„Das ist ein Hochwasser!" sagte Frajo anerkennend und sah zu, wie sie die treibenden Zweige lautlos durchfurchten.

„Wenn die Maschine nicht mehr kann, mit der Zille geht's immer", sagte der Bursche. „Wir brauchen keinen Motor, keine Schraube, kein Öl. Ein Arm und ein Stück Holz!"

Endlich waren sie an der ruhigeren Flanke der Stromschlange. Der Haarwald der treibenden Zweige, schwarz auf der gelben Wasserbrust, lag hinter ihnen. Der Bursche setzte mit seiner Arbeit aus und wischte sich den Schweiß ab. Er sagte: „Da strömt es nicht mehr so stark. Gleich sind Sie zu Haus."

„Sie wissen, wer ich bin?" sagte Frajo überrascht.

„Freilich. Frajo, der junge Endlicher."

„Aber ich kenne Sie nicht . . . Ich bin seit einem Vierteljahrhundert hier daheim, so alt ich bin, und habe Sie nie gesehn."

„Ich bin da", sagte der Bursche einfach und setzte hinzu: „Wenn's sein muß."

So schlicht seine Rede war, so sonderbar erschien sie Frajo. Er hätte gerne weitergeforscht, aber ihr Gespräch wurde unterbrochen. Unter der Zille knirschte es; ein Ruck, sie stießen auf eine Sandbank. Durch die Wasserbrust schimmerte die weiße Rippe der Sandbank, sie stiegen darauf, nachdem sie sich ihrer Schuhe entledigt hatten. Sie sahen jedoch, daß das Wasser die Verbindung der Sandbank mit dem Ufer überflutet hatte, und so mußten sie die Zille mit vereinten Kräften über die Sandbank schieben.

Wieder im Wasser, zog der Bursche die Zille mit dem Koffer und den beiden Paar Schuhen hinter sich her, und dann nahm er Frajo einfach auf den Rücken. Es geschah schnell und selbstverständlich wie alles, was er tat. Bevor Frajo es recht fassen konnte, hing er am Rücken des Burschen, und an seinem Rücken hing der Rucksack. Schon näherten sie sich im untiefen Wasser dem von Grün überwucherten Ufer.

Das Wasser schwoll um des Burschen mächtige Füße, er sank tiefer ein, seine langen Beine verschwanden im Wasser, es ging ihm bis über die Knie, unbeirrt strebte er dem Land entgegen. In gewichtsloser Geborgenheit ruhte Frajo, das Kinn auf dem blondleuchtenden Scheitel seines Trägers, und was ihm zuerst befremdend, ja beschämend erschienen war, empfand er jetzt angenehm.

„Wie der heilige Christophorus", sagte Frajo, als er am Ufer abgesetzt wurde. Wohlig grub er sich mit seinen nackten Sohlen in die Erde.

„Alles eher als ein Heiliger", sagte der Bursche ruhig und machte die Zille an einem Pflock fest. Er nahm seinen Koffer heraus, die Schuhe, befestigte sie am Koffergriff.

Sie sahen einander kurz in die Augen. Es war Frajo, als sähe er ein anteilnehmendes Lächeln darin, und das verwirrte ihn, so unmerklich es auch sein mochte, derart, daß er wieder traurig wurde, voll jener unbestimmten Ahnung, die ihn heute schon einmal überkommen hatte. Unwillkürlich senkte er den Blick und starrte auf die Wellen. Er sah einen Baumstamm treiben, der glich einer aufgeschwemmten Wasserleiche.

„Mut, Mut!" hörte er von ferne des Burschen Stimme.

Frajo blickte auf. Der Bursche war schon unterwegs, stromaufwärts durch die Wiese, leicht die schwarze Flößerkiste tragend. Er wollte ihm etwas nachrufen, aber seine Kehle war zusammengepreßt. Lange sah er ihm nach, hilflos und dankbar. Immer kleiner wurde die Gestalt in den Strahlen der untergehenden Sonne. Wie Wellen schlug das Gras um seine Beine.

3

Die Bergung

Allein, fühlte sich Frajo verlassen und trostlos. Wäre der Bursche mit der Zille nicht so unverhofft aufgetaucht, hätte er auch hier den Strom nicht übersetzen können.

Er ging stromab. Gleich dem Wasser waren die Wälder von einem leisen, mächtigen Sausen erfüllt. Dann begann er zu laufen. Atemlos kam er bei der Biegung an, er erblickte, etwa zwei Steinwürfe weit, das Vaterhaus. Er blieb stehen und verschnaufte.

Nur die dem Strom zugekehrte Vorderseite des Hauses war vom Wasser beleckt. An die Stufen, die vom Haupttor zum Ufer führten, schlugen Wellen; ein dunkler Streifen, in Hüfthöhe um das Gebäude ziehend, verriet, daß das Wasser vor kurzem noch höher gestanden und offenbar in den Hausflur eingedrungen war. Dort hatte man wohl mit der Zille ein und aus fahren können. Auch wer das Haus nicht kannte, hätte das Haus für einen gediegenen Bau halten müssen, der einem Elementarereignis wohl zu trotzen vermochte. Rechteckig im Grund- und Aufriß, einstöckig, gelb gestrichen — kaisergelb nannte es der alte Endlicher-Wirt —, mit grünen Fensterläden, die zur Waldeinsamkeit ringsum paßten, so ruhte es da, warm in das feuchte, regenbogenfarbene Licht getaucht. Aus dem Küchenschornstein stieg Rauch. Das Haus wirkte um so mehr, als es, außer dem kleinen Agentiegebäude der Donauschiffahrt, den einzigen steinfesten Bau in der Stromlandschaft darstellte; alles andere war Bretterwerk, die hölzernen Hütten der Fischer in einer lockeren Reihe am Ufer.

Soweit schien im Örthel, wie der volkstümliche Name der Fischersiedlung lautete, alles in Ordnung zu sein. Und doch stimmte etwas nicht. Nicht allein, daß kein Mensch zu sehen war — Frajos getrübte Augen vermißten vor allem die Zillen. Vor keiner der Fischerhütten schaukelte das Selbstverständlichste, die Zille, nicht einmal vor der Agentie der Dampfschiffahrt, wo sonst immer eine vorschriftsmäßig an dem Ponton hängen mußte. Auch an dem Vaterhaus hätte, und gerade unter solch außerordentlichen Umständen, mindestens eine Zille verheftet sein müssen — sie hatten ja sechs.

Er legte die Hand an die Augen und suchte den Strom ab. Unter einem schrägen Zug von Kormoranen erspähte er weit unten am jenseitigen Ufer, lächerlich winzig, Kotts Motorboot, dahinter das entkommene Standschiff. Hellgrau hoben sie sich von dem Auwald ab. Allmählich unterschied er auch einzelne Zillen. Sie waren auf einem Haufen beisammen. Er zog eine Grimasse. Mußten sie alle Frau Kott zu Hilfe kommen? Oder Schramm? Jedenfalls schien man geschäftig zu hantieren, und Vater half zweifellos mit.

Mir kann's recht sein! meinte Frajo und näherte sich, einen Bogen durch den Silberpappelhain landeinwärts ziehend, dem Vaterhaus von der Rückseite. Die alten Schuppen, der Geflügelstall, der Taubenschlag, der Ziehbrunnen unter dem alten Nußbaum, der Gemüse- und Obstgarten lagen erhöht, unberührt vom Hochwasser. Ängstlich hockte das Hühnervolk beisammen. Der Pfau und auch Alfa, die schwarze Dobermannhündin, der verwöhnte Gasthaushund, waren nicht zu sehen.

Er fand das hintere Tor angelehnt. Als er den durchgehenden Flur betrat, entwischte der magere, halbverhungerte Hund des Stegmanns schuldbewußt ins Freie. Schlammreste bedeckten die großen Steinfliesen, Letten vom Hochwasser. Gleich links war die Küchentür, er öffnete sie, es roch nach Angebranntem. Die Küche war leer. Nur ein paar Katzen balgten sich. Riesige Töpfe brodelten auf dem Herdfeuer. Zischend lief einer über. Er zog ihn von der Flamme; er bemerkte, daß andere Töpfe ebenfalls übergelaufen waren. Der große Kochlöffel lag auf den Bodenkacheln. Er starrte auf die eingravierte Umrahmung der Kacheln. Sie war immer so schön hellblau gewesen, ging es ihm durch den Kopf, jetzt war sie mit lehmgelben Letten verkrustet.

Wo blieb die Mutter? Und Mizzi, die Magd? Schien es nicht, als wäre die Küche in überstürzter Eile verlassen worden?

Er öffnete die Tür zur Schank. Auch das Schankzimmer war leer. „Frajo, bist wieder da", zirpte es und wiederholte eintönig: „Frajo, bist wieder da, Frajo, bist wieder da." Es war der Wellensittich. Aufgeregt hüpfte er in seinem Käfig hin und her.

Frajo wurde ärgerlich, er riß die Tür zum Flur auf und die gegenüberliegende zum Extrazimmer: das gleiche trostlose Bild. Sandsäcke waren auf den Bänken längs der Wand aufgestapelt. Schmutzig hing eine Zeitung da, schwarz vor Nässe, eine schlaffe Trauerfahne. Er erinnerte sich, die Schlagzeile vor mehreren Tagen gelesen zu haben, so alt war sie.

„Mutter!" rief er, eilte durch das sogenannte Nobelzimmer in den Flur hinaus und in die Speisekammer. Hier herrschte wüste Unordnung. Offenbar hatte man die Vorräte in kopfloser Hast von den unteren in die oberen Fächer geräumt; Konservendosen waren auf Eier geworfen worden, die nun, ausgeronnen, ein klebriges Gemenge bildeten; geplatzte Sandsäcke hingen in den großen Schmalztopf hinein.

Er stürmte wieder in den Flur zurück, er hatte, der Küchentür gegenüberstehend, einen Kreis durch alle ebenerdigen Räume beschrieben, er rief: „Mutter, Mutter!" und dann, da sich nichts rührte: „Betha, Betha!"

Aber auch die Schwester meldete sich nicht. Sicher war sie wieder in der Wienerstadt bei ihrem Br., wie sie ihren Bräutigam zu nennen pflegte, den eingebildeten Dr.-Ing. Zischka. Das schien ihm eine treffende Bezeichnung für jeden Bräutigam: Br., und die Leute lachten teils zustimmend, teils ablehnend, wenn er in diese Abkürzung seine Verachtung hineinlegte.

Tief atmend blieb er stehen, halb wütend, halb besorgt, dann horchte er. Unerträglich war es, daß das leise Aneinanderreiben der Zillen fehlte, das unerläßliche Geräusch seit jeher. Immer war es dagewesen, Tag und Nacht, und eben deshalb hatte man es nicht mehr gehört; fehlte es aber, ging es einem quälend ab. Nichts war zu hören als das Glucksen der Donauwellen an den Stufen des vorderen Tores. Es war geöffnet, schwacher Sonnenschein färbte das Wasser.

„Betha!" rief er nochmals, dann „Mizzi, Mizzi!" und sprang das Stiegenhaus hinauf. Mizzi mußte doch um Gottes willen da sein, wenn nicht unten, so oben in ihrer Kammer! Gleich neben der Treppe oben war die Tür, er stieß sie auf, Mizzi kniete vor ihrem Bett, sie hörte ihn nicht, sie kniete einfach da und hatte den Kopf unter der Decke vergraben. Er hörte dumpfes Wimmern. Auf und ab bewegte sich die Decke, er riß sie mit einem Griff weg und herrschte die Magd an:

„Mizzi, zum Teufel, was ist denn los?"

Entgeistert wandte sie ihm ihr pausbäckiges Gesicht zu, die Augen waren rot verschwollen.

„Hihihihihihi — hihihihihihi!" lachte es an seinem Ohr, Flügel schlugen, etwas pickte an seinem Ohrläppchen. Es war Zuze, die Lachtaube, sie hatte sich auf seiner Achsel niedergelassen, um ihn zu begrüßen. Frajo spürte, daß er noch den Rucksack umgehängt hatte, er streifte ihn ab; Zuze, die Lachtaube, flatterte lachend auf und setzte sich wieder auf seine Achsel.

„So mach doch den Mund auf, Mizzi!" schrie Frajo außer sich. Noch immer dachte er, trotz seinem Aberglauben, an nichts Arges; von Mizzi, dem ungeschickten und zimperlichen Trampel, mußte man solche Szenen gewohnt sein. Aber nun heulte sie erst recht los.

Da blieb nichts übrig, Frajo mußte direkte Fragen stellen:

„Wo ist Vater?"

Mizzi fuhr sich, noch immer kniend, über die Augen und deutete hilflos auf den Strom hinaus. Von dort hörte man einen fernen Motor rattern. Es war eine Erlösung, die Geschichte schien endlich in Fluß zu kommen.

„Der Vater ist mit dabei?"

Er umfaßte mit beiden Händen ihre Schultern: „Und Mutter?"

Keine Antwort. Schluchzen.

„Und Mutter? Mizzi, sag, wo ist Mutter?"

„Auch draußen", stammelte Mizzi.

„Auch draußen? Auf dem Wasser? Wieso denn? Ist auch sie für den verdammten Kott eingespannt worden? Das ist ja unglaublich! Keine einzige Zille ist da! Und Betha? Mizzi, sag, wo ist Betha?"

Mizzi deutete stromauf.

„Hab' ich mir gedacht. In Wien. Beim Br."

„Hihihihihi — hihihihihi", lachte die Lachtaube und machte auf seiner Achsel possierliche Verbeugungen.

„Ist schon gut, Zuze", sagte Frajo versöhnlich und streichelte sein Lieblingstier. Zuze lachte und gurrte wie verzaubert, ihre Verbeugungen wurden leidenschaftlicher und tiefer.

„Mizzi", redete Frajo der Magd zu, „ich bitte dich, Mizzi, geh in die Küche hinunter und sieh zu, daß nicht alles anbrennt. Es stinkt ja schon bis herauf! Geh, Mizzi, sei so gut!"

Mizzi wischte sich an dem Leintuch ab, sie erhob sich wankend. Er führte sie hinaus. Sie tappte die Treppe hinunter.

Frajo lief mit dem Rucksack über den Gang, der hier oben das Haus genauso querte wie unten, nur daß ihn statt der zwei Türen je ein Fenster abschloß, nach vorn und betrat sein Zimmer. Es lag über der Schank. Die alte Kuckucksuhr tickte unermüdlich, die beiden Gewichte waren in gleicher Höhe. Zwei Fenster führten auf den Strom. Um ein Fenster öffnen zu können, mußte er die Zeichenmappen, die auf dem Tisch davor aufgestapelt waren, wegräumen. Er warf sie auf den Boden, sie klappten auf, weibliche Köpfe und Akte, von Frajo in Kohle gezeichnet, kamen zum Vorschein. Ohne auf sie zu achten, öffnete er Fenster und Fensterläden, sie waren kalt und troffen, die grüne Dämmerung wich einem rosagrauen Widerscheinlicht. Er sah über den Strom hinüber, er unterschied eine Flottille, die sich, vom Motorboot gezogen, das außer den Zillen das ausgerissene Standschiff im Tau hatte, vom Ufer loslöste. Sie nahmen Kurs herüber.

Frajo holte aus dem Rucksack den Feldstecher hervor und visierte die Flottille, während das Rattern des Motorbootes immer lauter wurde.

Am Steuerrad des Motorbootes stand aufrecht eine große grellblonde Frau in einer abgeschabten Lederjacke: Frau Kott. Vor ihr beugte sich in seinem ölfleckigen blauen Zeug der Maschinist über den Motor. Im Hinterteil des Schiffes bückte sich eine Menschengruppe über irgend etwas. Er unterschied von der Seite den wegstehenden grauen Vollbart seines Vaters, der ihm halb den Rücken zuwendete. Klepar, den mageren Obmann der Fischer, erkannte er an seinem schütteren roten Haar. Eine weiße Gestalt, das war natürlich, wie immer bloß in Hemd und Unterhose, der bleiche Schramm. Und der dicke runde Rücken gehörte zu Antonitsch — der Faulpelz war also mit von der Partie, alle Achtung … Aber worüber bückten sich denn die vier, um Gottes willen? Alfa, die schwarze Dobermannhündin, sonst so satt und würdig, lief unruhig an Bord hin und her.

Frajo ließ den Feldstecher sinken. Die Mutter fehlte, die Mutter! Das heißt, sie fehlte nicht: sie mußte es sein, sie mußte jene auf dem Boden des Motorbootes liegende Person sein, um die sich die Insassen mühten. Jetzt sah er, daß Klepars Frau aus ihrer Fischerhütte, der ersten nach der Dampfschiffagentie, eilte und stromab lief, laut rufend, worauf vor einigen Hütten die anderen Frauen erschienen und aufgeregt einander zuwinkten.

Auch dort verrieten große Wasserlachen das zurückgehende Hochwasser. Es war keine Zeit zu verlieren. Mit ein paar Sätzen war Frajo unten in der Küche, dort hockte Mizzi, das Gesicht mit den roten Händen bedeckt; sie hockte vor den brutzelnden Töpfen und jammerte, ohne ihn zu bemerken; sie jammerte offenbar schon lange die gleiche Litanei in sich hinein:

„Sie ist im Wasser, sie ist im Wasser . . .“

Frajo war schon beim vorderen Tor, riß die Schuhe herunter, die Strümpfe, krempelte die Hosen hoch und watete die Stufen hinab über den Uferweg, wo er jeden Stein und jede Grube kannte, er watete, soweit es möglich war, bis das Wasser fast bis zu den Hüften reichte. Er schrie dem Motorboot aus Leibeskräften zu. Dort entstand eine Bewegung. Alfa heulte einmal auf.

Das Boot hätte ohnehin nicht landen können; eine Verbindung mit ihm war also, da es an einer Zille mangelte, nur auf diesem nassen Weg möglich. Es surrte mit gedrosseltem Motor heran, Frau Kott warf das Steuer herum, der Anker baumelte, der ganze Schleppzug wurde mit einem Schwung in das seichte Wasser gedrückt — das Standschiff lief zum zweitenmal fest.

Frajo faßte am Bord des Motorbootes hoch, hilfreiche Arme, die nach Öl rochen, ergriffen ihn und zogen ihn hinauf. Alfa sprang winselnd an ihm empor, die Hündin leckte ihm Hände und Gesicht, er sah das braune mit der Spitze abwärts gerichtete Dreieck auf ihrer Brust.

„Herr, vergib ihnen, sie wissen nicht, was sie tun“, murmelte der alte Endlicher in seinen Bart.

Schon beugte sich Frajo über die Mutter. Der bleiche Schramm, der einen durchdringenden Unterwassergeruch ausströmte, führte an ihr künstliche Atmung durch. Die nassen Kleider klebten an ihr. Über die Stirn lief eine blutig aufgequollene Schramme. Unter den sandverklebten Augen sah das Weiße hervor. Die Zunge hatte man ihr mittels eines Taschentuches an das Kinn festgebunden.

Frajo fühlte ihren Puls, er legte das Ohr an ihr Herz, mit einer Ruhe, die ihm niemand zugetraut hätte. Was spürte, was hörte er? War es ihr Puls oder das Zittern des Motors, war es ihr Herzschlag oder das Glucksen der Wellen unter dem Schiffsboden? So nahe Frajo seiner Mutter war, so fern, so unendlich fern kam er sich vor; so groß sie da vor ihm lag, so winzig erschien sie ihm, so wesenlos; es war ihm, als wäre er durch Welten von ihr getrennt, und nicht nur von ihr, von allen, wie sie da um ihn standen. Er kam sich nicht wie der Sohn, sondern wie ein fremder, eben herbeigerufener Arzt vor und war überzeugt, daß auch dieser — so scharf war er sich der Persönlichkeitsspaltung bewußt — nicht zu unterscheiden vermocht hätte, was Puls und Motor, was Herz- und Wellenschlag war.

Er schob Schramm beiseite und übernahm es selbst, die künstliche Atmung auszuführen.

„Seit fast einer Stunde machen wir Wiederbelebungsversuche." Es war eine einfache, wohlklingende Stimme, die des Mechanikers. Er hatte als einziger den Kopf oben behalten; mit einem gewissen männlichen Mitleid berichtete er kurz, daß Frau Endlicher unmittelbar vor ihrem Haus, eben an der Stelle, wo sie jetzt hielten, ins Wasser gestürzt sei. Bei dem Versuch, mit ihrer Zille an das Motorboot heranzukommen, war sie offenbar an ein unsichtbares Hindernis gestoßen, sei ins Wasser gefallen und, von der Strömung erfaßt, unter das Motorboot geraten.

„Die Magd hat es vom Haus aus mitansehen müssen", mischte sich Frau Kott mit greller Stimme ein, „und ich habe sofort —"

Sie hätten sofort, unterbrach der Mechaniker ihre Rede, die beiden Rettungsringe geworfen, Schiffshaken gereicht; schnell gegen die Strommitte abtreibend, sei Frau Endlicher nur mit schwierigen Bootswendungen zu verfolgen gewesen; erst in der anderen Stromhälfte sei es ihnen gelungen, sie zu erreichen, er habe sie an Bord gezogen —

„Weil ich ihn um die Mitte gehalten habe!" fiel Frau Kott ein.

„Warum ist meine Mutter überhaupt ins Boot?" fragte Frajo zwischen zusammengepreßten Zähnen hervor.

„Alle Männer waren mit ihren Zillen drüben, um unser Standschiff loskriegen zu helfen", sagte der Mechaniker. „Als das letzte Seil gerissen war, fuhren wir auf das Drängen Herrn Endlichers herüber, um uns bei Frau Endlicher eines auszuborgen. Sie hat es uns in der Zille bringen wollen . . ."

Er sah auf Frau Kott. Sie biß sich die Lippen, deren künstliches Rot schon ganz verschmiert war. Die Zille mit dem Seil sei dann abgetrieben, sagte der Mechaniker nach einem Schweigen, aber man habe sie noch erwischt. Ja, und Frau Endlicher atmete. Es sei nicht aussichtslos.

Der einfache Bericht des Mechanikers hatte etwas Beruhigendes. Frajo warf ihm einen dankbaren Blick zu. Seine Griffe und Bewegungen zum Zwecke der künstlichen Atmung wurden sicherer und regelmäßiger. Der Mechaniker hielt einen Taschenspiegel an Frau Endlichers Mund.

Rund um das Motorboot hatten sich die Zillen angestellt. Darin standen die Fischer und stützten sich mit den Armen an die Bordwand des Motorbootes. Stumm aneinandergereiht, sahen sie mit ihren bartstoppeligen Gesichtern wie Seeräuber aus. Herr Endlicher murmelte eintönig in seinen Bart. Der rothaarige Klepar begann mit seiner sommersprossigen Hand nervös auf die Bordwand zu klopfen.

Frajo blickte von seiner Arbeit auf. Sofort brach das trommelnde Geräusch ab. Er sagte in einem Tonfall, der keinen Widerspruch duldete:

„Wir fahren zum Arzt hinauf. Klepar, Schramm und Antonitsch steigen aus!"

Wortlos folgte man seiner Anweisung. Die Zillen machten Platz. Frau Kott versuchte zwar, an ihr Standschiff, das sie nun neuerlich im Stich lassen mußte, zu erinnern, aber der Mechaniker warf schon den Motor an. Sie mußte das Steuerrad ergreifen. Mit einem Satz schoß das Boot vorwärts. Herr Endlicher fiel der Länge nach auf seinen Bart.

Hoch zischte das Wasser um den Bug, Sprühregen wehte herein, die Zillen mit den verstörten Fischern blieben zurück. Frajo setzte unermüdlich die künstliche Atmung fort.

4

Mutter

„Gott nimmt, was er gegeben . . .", murmelte der alte Endlicher in seinen Bart. Er stierte einen Ölfleck auf den Planken des Schiffes an und fuhr in seinen Bibelsprüchen fort: „Und sie folgten ihm nach . . . Jesus, Maria und Joseph, so habt ihr meinen Ältesten zu euch genommen, Rudolf, den Kronprinzen Rudolf . . ."

„Sie folgt Rudolf nicht nach!" triumphierte Frajo. „Ihre Augen öffnen sich!" Er blickte auf, die Haare hingen ihm in die Stirn, er sah am Horizont den blauen Zug des Wienerwaldes unter dem abendleuchtenden Himmel, gelb war der Himmel wie ein Heiligenschein — und sekundenlang erschien ihm der hünenhafte Umriß des blonden Burschen, der ihn so selbstverständlich übergesetzt hatte. Dank ihm war er zur Mutter noch zurechtgekommen. Sie schlug die Augen auf, sie schien ihn zu erkennen, ihre Lippen bewegten sich, sie formten ein Wort, Frajo, seinen Namen.

„Mutter", stammelte Frajo.

Da ging ihr Atem in ein Röcheln über. Ihr Kopf fiel zur Seite. Alfa brach in ein langgezogenes Heulen aus. Entsetzt starrte Frajo den Mechaniker an. Der blickte ihm ernst in die Augen.

Frajo sah zu Herrn Endlicher hinüber. Vater! wollte er rufen, aber die Stimme versagte. Er neigte sein Gesicht der Mutter zu. Lange verharrte er so, prägte sich jeden Zug ein. Dann drückte er einen Kuß auf das Wundmal ihrer Stirn, es schmeckte nach Blut und Schweiß, es war wohl sein Schweiß, der herabgetropft war.

Das Folgende verschwand ihm zeitlebens in einer Gedächtnislücke. Er erinnerte sich erst wieder an die Szene in Kotts Fährhaus, wo er den Arm um Vaters Nacken gelegt hatte. Herrn Endlichers zerfurchtes Gesicht zuckte im Lallen unzusammenhängender Bibelworte, in denen Frajo allerdings manchmal einen Sinn zu erkennen glaubte. Im Nebenzimmer, wo die tote Mutter lag, hörte man Stimmen. Frau Kott und der Mechaniker erklärten dem Arzt, was sie wußten.

Dann kamen sie heraus, der Arzt sagte etwas von inneren Verletzungen. Er schrieb ein paar Worte auf einem Zettel. Er war ein dicker schwarzer Mann mit einem leidenden Gesicht. Dann fand er seinen Hut nicht. Er habe doch einen steifen Hut gehabt, sagte er. Kott half ihm in allen Räumen suchen. Sie habe etwas fallen hören, meinte Frau Kott spitz. Es dunkelte, sie machten Licht, sie suchten unter den Möbeln. Unter der Ottomane stöberte Frau Kott etwas auf, sichtlich nicht den Hut; sie pfiff kurz und verdächtig und steckte es zu sich. Schließlich wurde der Hut doch noch gefunden. Der Arzt kam auf Frajo zu und reichte ihm seine kurze Hand, indem er den steifen Hut in die andere nahm. Er sagte, es wäre am besten, er bliebe mit dem alten Mann heute über Nacht hier. Morgen wäre Zeit genug, die Mutter mit dem Motorboot nach Hause zu führen.

„Wir können sowieso erst morgen unser Standschiff holen", stimmte Kott zu.

„Ja, das müssen wir", bekräftigte seine Frau.

Als sich der Arzt mit dem steifen Hut auf dem Kopf im Türrahmen abzeichnete, rief Frau Kott:

„Herr Doktor, bitte, darf ich bei Ihnen telefonieren? Ich hab' zwar wenig Zeit, aber die Tochter muß verständigt werden, Betha, sie wird bei ihrem Bräutigam sein. Frajo, geben Sie mir die Nummer."

„Sie finden sie da drinnen", antwortete er, griff in seine Brusttasche und überreichte ihr ihr Notizbuch. Sie ging mit dem Arzt fort. Frajo war alles gleichgültig. Er war unsäglich müde. Sein Kopf fiel auf die knochige Achsel des Vaters. Er schlief sofort ein.

Als er erwachte, brauchte er lange, bis er zu sich kam. Unter einer kleinen Tischlampe, die eine gelbe Kreisfläche um sich breitete, sah er Kotts wirrlockigen, mit grauen Strähnen durchsetzten Schwarzkopf über ein Notizbuch gebeugt. Kott blätterte eifrig darin und kicherte in sich hinein.

Frajo rührte sich nicht. Er wußte noch immer nicht, wo er war, er glaubte zu träumen. Neben sich sah er den Vater schlafen, in einem Lehnstuhl gleich dem seinigen. Es war ein ganz fremder Lehnstuhl, ein derbes Stoffmuster. Eine Uhr tickte. Draußen war stockfinstere Nacht. Kott blätterte und kicherte. Sein Gesicht war hochrot. Zeitweise schrieb er auf einem winzigen Zettel etwas heraus.

Kott mußte Frajos Blick gespürt haben, er sah herüber und stand auf. Der Ton, den der gerückte Stuhl verursachte, lenkte Frajos Aufmerksamkeit auf ein anderes Geräusch, obgleich dieses wohl immer, wenn auch verhalten, dagewesen war: rauschendes Wasser, das eintönige Rauschen der Donauwellen.

Im Nu war ihm die Lage offenbar. Er sprang auf und trat auf etwas Weiches, es war Alfa, die zu seinen Füßen kauerte.

„Reg dich nicht auf." Kott war verlegen. „Ist ja kein Geheimnis, du weißt, Frajo, ich hab' auch kein Geheimnis vor dir."

„Geheimnis?"

„Ja. Dein Notizbuch. Du hast es meiner Frau gegeben."

Frajo erinnerte sich. Das war sein Notizbuch! Kott fuhr fort, halb beschwichtigend, halb anerkennend, indem er es ihm zurückgab:

„Nichts für ungut. Diese Namen und Adressen ... Ein gutes Dutzend Weiber, hast du nicht sogar mehr als ich? Freilich, wenn ich so viel Zeit hätt' wie du —"

5

Die Wasserprozession

Vier Tage später bewegte sich ein seltsamer Leichenzug die Donau aufwärts. Seltsam der Ort, von dem er auszog, das einsame Endlicher-Wirtshaus am Strom, seltsam der Ort, dem er zustrebte. Es war jener Friedhof, der allen Wienern nicht nur als der traurigste Friedhof, sondern als das Unheimlichste überhaupt gilt, das sie sich vorstellen können: der Friedhof der Namenlosen.

Auf dem Friedhof der Namenlosen wurden, wie schon sein Name sagt, Menschen ohne Namen begraben, Unbekannte, die man nicht agnoszieren konnte, Tote, von der Donau angetrieben, Wasserleichen, welche Tage, Wochen oder Monate mit dem Strom gezogen waren, von ihm getragen, gerollt, verändert, von ihm bald hochgehoben, bald in die Tiefe gedrückt, Unschuldige und Schuldige, Gesegnete oder Verfluchte, elend Gestorbene, Verdorbene. Ihnen war das ewige Rauschen des Stromes schon die Offenbarung der anderen Welt, der Einton jener Musik, die erst das Jenseits hören läßt, ihnen rauschte schon die Donau Verdammnis zu oder Halleluja.

Viele blieben auf dem Grunde des Stromes, eingehüllt in Schlamm; viele aber wurden an dieser abseitigen Stelle angeschwemmt, kraft der Kehre, die seit jeher die Eigenschaft besitzt, die Menschenkörper aus dem Treibgut herauszugeben. So kam es dazu, daß hier der Friedhof der Namenlosen entstehen mußte.

Auf dem Friedhof der Namenlosen begraben zu werden, war zeitlebens der Wunsch der Endlicher-Wirtin gewesen. Sobald sich eine Gelegenheit geboten, hatte ihn die lebenslustige Frau unmißverständlich geäußert, und man erfüllte ihn selbstverständlich. Übrigens schien es den vielen Leuten, die den Trauerzug bildeten, gar kein seltsamer Wunsch. Ihnen galt er für mehr oder weniger natürlich. Manche von ihnen, auch der alte Endlicher, hatten den gleichen. Sie liebten den stillen Platz am Wasser, und wer ihn längere Zeit nicht besucht hatte, benützte den Leichenzug als willkommene Gelegenheit, ein Wiedersehen mit den namenlosen Grabhügeln zu feiern.

Freilich kam auch noch etwas hinzu. Eine solche Fahrgelegenheit, wie sie sich heute bot, war noch niemand zur Verfügung gestanden. Viele drängten sich zu dieser Fahrt, sie sollten mit einer neumodischen Errungenschaft, auf einem Motorboot, das sonst nur als Fähre beide Ufer verband, eine längere, eine wirkliche Wasserreise machen, mit Musikbegleitung, ein feierliches Abenteuer.

Manche Trauergäste allerdings nahmen an dem Leichenzug einfach deshalb teil, weil sie um die beliebte Wirtin trauerten. Ihnen war es gleichgültig, ging es sogar gegen den Strich, was da alles geboten wurde. Zu diesen gehörte zweifellos Frajo. Sosehr er das Formale liebte, ja ihm opferte, wie mehr oder weniger alle Menschen, die eine Spur Musisches haben, so zuwider war ihm das Formale hier. Aber der Vater hatte darauf gedrungen und es durchgesetzt. Der Vater hatte sich mit Pfarrern besprochen, er hatte mit Bürgermeistern und Kerzlweibern verhandelt, er erwies sich Leichenbestattern, Blumenhändlern und anderen gegenüber großzügig, er hatte eine umsichtige Tätigkeit entfaltet, die nach seinem Zusammenbruch um so erstaunlicher war. Er hatte sich auch die Einladungen an Bekannte und Verwandte allein vorbehalten, was ihm Frajo, der von Verwandtschaft wenig hielt, gerne zubilligte.

Wieder fuhr eine Flottille stromaufwärts. Voran das kleine Motorboot Kotts, das ungedeckte, ihm folgte das große, das die Bergungsarbeiten durchgeführt hatte; es hatte heute viel zu ziehen. Im Tau hingen die beiden Standschiffe und einundzwanzig Fischerzillen.

Das alleinfahrende erste Motorboot lenkte Frau Kott. Obwohl es das schnellere war, durfte sie nur eine geringe Geschwindigkeit schalten, sie mußte sich nach der Zugkraft des schwerbeladenen richten, das ihr Mann steuerte. Er, der bildlich nicht im Kielwasser seiner Frau zu fahren pflegte, tat es nun in Wirklichkeit mit Genauigkeit. So groß Frau Kott war, mußte sie sich doch auf die Zehenspitzen heben, wenn sie nach hinten schaute, um den Abstand zu schätzen und zu regulieren — denn das Heck ihres Bootes füllte eine stehende Blechmusikkapelle, deren gebogene Trompeten höher ragten und greller funkelten als sie mit ihrem blonden Haarschopf. Sie verzog zwar das verschminkte Gesicht — „volle Kriegsbemalung", raunte der Kapellmeister seinen Leuten zu, und die schmunzelten –, aber sie machte ihre Sache gut. Vor ihr standen die drei Pfarrer der Ufergemeinden, umgeben von ihren Geistlichen, eingehüllt in Kirchengeruch; ganz vorne im Bug drängten sich in weißen Überwürfen die Ministranten mit Kreuz und Räucherkesseln. Die Blechmusik spielte ihre Trauermärsche mehr falsch als richtig, es hallte in gedämpftem, langgezogenem Echo über das Wasser.

Auf dem zweiten Motorboot, dessen Dach entfernt worden war, ruhte der Sarg. Das schwarze, silbergewirkte Tuch, das ihn und den Katafalk bedeckte, bebte unter den Stößen des Motors. Er mußte seine äußerste Kraft hergeben. Die Bugstange zitterte mit der schwarzen Flagge, die Heckstange zitterte mit der blaugelben Heimatflagge auf Halbmast, und die Fahrgäste zitterten mit. Oben auf dem Sarg stand ein silbernes Kreuz. Es drohte alle Augenblicke herunterzufallen. Sechs Fischer, die, zum Tragen des Sarges bestimmt, als Ehrenwache unbeweglich um ihn herumstehen sollten, hatten alle Hände voll zu tun, um das Kreuz zu „derfangen", wie sich Klepar, ihr magerer rothaariger Obmann, ärgerlich ausdrückte.

Die Leute hockten und standen aneinandergepreßt. Auf den Bänken längs der Bordwände saßen die nächsten Angehörigen: der alte Endlicher, Frajo, Betha, das hübsche Gesicht mit den großen feuchtschimmernden Augen von einem koketten schwarzen Halbschleier bedeckt, und ihr parfümierter Bräutigam, er blickte finster auf seine gepflegten Hände. Es saßen Onkel und Tanten da, die von nah und fern gekommen waren, Verwandte, die einander jahrelang nicht gesehen hatten, ja einander nicht einmal kannten; städtisch und ländlich gekleidete Gestalten, Männer mit Zylinder oder steifen Deckeln, Frauen mit teils auffallenden, teils armseligen zerdrückten Hüten. Alle trugen das Schwarz der Trauer, und den meisten sah man an, daß sie sich nur bei Hochzeiten oder Begräbnissen zu den Aufregungen einer Reise zu entschließen pflegten.

Die Verwandtschaft der Mutter war ausgedehnter als die des Vaters. Von ihrer Seite waren fünf Personen in das einsame Gasthaus am Strom gereist gekommen. Frajo kannte sie gut. Allen voran ihre Brüder Heinrich und Franz, beide mit Zylinder, der schwarze Onkel Heinrich, ein tabakriechender quecksilbriger Tausendsassa, samt seiner Tochter, der farblosen Kusine Antschi, die Frajo anschwärmte; und der kleine, schüchterne Onkel Franz, der zu allem von vornherein zustimmend nickte und, zum heimlichen Gaudium aller, die Magd Mizzi unterwürfig mit „Küß die Hand, Fräulein" anredete. Dann die Tanten Lisi und Lori; nachdem sie sich immer wieder den Hergang des Unglücks erzählen lassen und fassungslos ausgeweint hatten, erfüllte ihr Geschwätz das ganze Haus: wie gut die Verstorbene gewesen sei, wie sie so gerne, Fahrten nicht scheuend, allüberall Besuche gemacht und heitere Gedichte deklamiert habe. Von Vaters Seite waren bloß zwei Verwandte gekommen, die Frajo gar nicht kannte: seine Schwester, eine große Knochige mit Zahnlücken, die sie mit ihren mageren Händen zu verdecken suchte, was natürlich erst recht auffiel, und ihre hochgewachsene Stieftochter namens Antonia, eine rassige Blondine, die einen sehr frischen, offenbar natürlichen Feldgeruch um sich verbreitete, aber auffallend künstlich blau oder grün gefärbte Augenlider hatte. Alle diese Gäste waren, dank den ausgesandten Telegrammen, schon am Vortag angekommen, teils mit dem Dampfer, teils zu Fuß von der letzten Station der Postkutsche, und hatten untergebracht werden müssen. Die Fremdenzimmer genügten nicht; Heinrich, „mein Lieblingsonkel", wie ihn Frajo nannte, schlief bei ihm im Zimmer und rollte sich noch beim Einschlafen und schon beim Aufwachen seine Zigaretten.

Knapp vor dem Leichenbegängnis war noch ein sonderbares Paar eingetroffen: ein junges Mädchen und eine alte Frau. Frajo betrachtete nun auf dem Schiff die beiden. Die Alte hatte ein cremefarbiges Kopftuch mit langen Seidenfransen und betätigte einen Rosenkranz. Frajo war von ihrem großen Daumen fasziniert, er krümmte sich wie ein schartiger Dolch aus verschollener Zeit. Das war eine Großtante, aber welche, wußte man nicht recht; wahrscheinlich eine der vielen „ausländischen" Verwandtschaften der Mutter; man wußte auch nicht, was das junge Mädchen zu ihr war; es saß aufrecht da, in einem einfachen Kleid und ohne Hut, es sprach manchmal ein paar ungarische Worte in der Alten Ohr, und die nickte.

Des Mädchens gelbliches Gesicht hatte das Ernste einer wachsamen, hirtenhaften Ruhe, empfand Frajo, wie sie auf östlichen Steppen zu Hause ist . . . Eine stolze und tragische Freiheit ging von ihr aus. Wohl und zugleich unerklärlich weh tat es, sie anzublicken. Frajo sah sie unbefangen an, und sie wich seinem Blick nicht aus. Er nickte ihr ernst zu, und sie nickte ernst zurück, mit einer alles überschimmernden Kindlichkeit, die das Fremdartige ihres Gesichtes milderte.

„Ein fescher Kerl, was?" flüsterte Kott schielend. „Noch nie hab' ich so blauschwarzes Haar gesehen, wie Metall glänzend, und das Weiß ihrer Zähne! Wenn die in einen Apfel hineinbeißen . . . Ich hab' mit ihr schon zu kokettieren versucht, aber sie bildet sich zuviel ein . . ."

Frajo konnte ihm beim besten Willen nicht sagen, wie sie hieß, von wo sie kam. Ihre Heimat war wohl weit unten in einem ungarischen Uferdorf der Pußta. Honoratioren aus den umliegenden Orten und Wien waren auch auf diesem Boot, dem Ehrenboot, Abordnungen von Vereinen mit Schärpen und Fahnen.

„Fünfundvierzig Personen Höchstbelastung", sagte der Mechaniker, gebückt am Motor herumhantierend, zu Frajo und wischte sich den Schweiß ab, „und einundsechzig sind wir."

„Mit der Mutter?"

„Mit ihr zweiundsechzig."

„Wir machen kaum fünf Kilometer, wir liegen tief im Wasser; wenn ein Dampfer kommt, stoppt er hoffentlich ab."

Kott zog die niedrige Stirn kraus. Er hatte eine Kapitänskappe mit einem goldgestickten Anker, überhaupt mit recht viel Gold. Wenn ihn jemand mit Herr Kapitän ansprach, nickte er geschmeichelt.

Es folgten die beiden Standschiffe. Das erste war über und über mit Kränzen und Blumen beladen, das andere mit Leuten ebenso angefüllt wie das große Motorboot. Hier drückten sich die Bekannten mit vielen Kindern zusammen, die Stammgäste von Frau Endlichers guter Küche. Wehmütig gedachten sie ihrer berühmten gebackenen Donaufische. „Ob's wohl ein Freibier geben wird?" sagte ein Dicker, dem die Nackenwülste über den Gummikragen hingen. „Sicher, sicher, die Endlicher waren seit jeher splendid", beeilte sich ein anderer zu erwidern und leckte sich die Lippen. Ein dritter meinte mit tiefsinniger Betonung: „Nichts Gewisses weiß man nicht." — „Mutter, Mutter", rief eine hohe Kinderstimme, „werden wir beim Endlicher-Wirt keinen Kaiserschmarrn mehr zu essen kriegen?"

Den Beschluß bildeten die einundzwanzig Fischerzillen. Dieser Schleppzug glich dem Schweif eines Leinendrachens, wie ihn die Knaben im Herbst steigen lassen; aufs Wasser niedergegangen, zieht er nun des Schweifs lange Gewichtsleine mit den in gleichen Abständen aufgereihten Grasbüscheln, die zum Beschweren dienen, nach: jedes Grasbüschel eine Zille. In den Zillen saßen die Fischer mit ihren Frauen. Nur in der letzten Zille, dem Schlußglied der dahinschwimmenden Wasserprozession, in der allerletzten saß ein einzelner Mann. Alle kannten ihn, es war der alte Haslauer. Schon vor zwanzig Jahren war er alt gewesen, ohne alt zu wirken, der Einsiedler, der Hagestolz der Fischersiedlung. Niemand wußte, wie alt er wirklich war. Man behauptete, er wisse es selber nicht; anzunehmen war, daß er um die Achtzig sein mußte. Aufrecht saß er am Ende seiner Zille und lenkte sie unbeirrt in der Kielwasserlinie.

Sehr langsam verschoben sich die dichtstehenden Bäume der Auwälder. Die Stämme hatten Schlammringe, die den Höchststand der Flut anzeigten. Es waren die oberen Enden der Schlammstrümpfe, die das absinkende Wasser den Baumfüßen als Geschenk zurückgelassen hatte. Wer schlechte Augen hatte oder, wie Frajo es jetzt tat, die Augen zusammenkniff, konnte diese Erscheinung, die sich fahl und stets gleich hoch in das Dunkel des Waldes vertiefte, noch immer für das Hochwasser halten. Aber es war nur

sein Andenken; zu diesen vom Wasser vergessenen Strümpfen würde bald
der Wald selbst eine grüne Ausschmückung spenden, er würde sie mit
Moos besticken.

Dick wälzte sich die Donau daher, fett von ihrer Beute, die sie noch
immer auf ihrer Brust darbot: Äste, Strohsäcke, zerbrochene Möbelstücke,
ein ertrunkenes Kalb, es war aufgetrieben und blinkte wie Messing. Raben
stießen krächzend darauf nieder. Sonst rührte sich nichts in der dunstigen
Augustsonne, kein Blatt, kein Halm.

Hinten war das von Budapest heraufkommende Postschiff erschienen.
Es war verspätet, würde es vorfahren? Wenn der junge Kapitän Dienst
hatte, mußte man damit rechnen, daß der Dampfer rücksichtslos vorbei-
schaufelte. Das hätte für ihren Schleppzug böse Folgen haben können. Der
Mechaniker sah durch den Feldstecher und sagte: „Der Alte steht oben."

Nun waren sie beruhigt. Der große weiße Dampfer hielt sich pietätvoll
hinten. Auch von oben hatten sie keine Schiffsbegegnung. Zum Friedhof
der Namenlosen war es ohnehin nicht mehr weit. Vor der hölzernen, einer
Schiffsform nachgebildeten Fischerschenke beim Friedhof hatte man aus
Zillen, die mit Brettern verbunden worden waren, einen Landungsponton
improvisiert, um den Leichenzug empfangen zu können. Hunderte Menschen standen am Ufer.

Die Landungsmanöver waren schwierig. Die Boote mußten der Reihe
nach anlegen, viele hatten lange zu warten. Sie legten sich tief auf die
Seite, das Ausladen der Kränze war zeitraubend. Einige rote Schleifen waren durchs Wasser gezogen, sie hinterließen in der Donau blutrote Spuren. Als sich das Standschiff mit den vielen Kindern leerte, wäre es fast
gekentert. Ein vielstimmiges Gekreisch erfüllte die Luft. Kleine Mädchen
weinten. Von ihren Motorbooten aus, die sich bald kurz abtreibend, bald
ratternd gegenfahrend in der Strömung hielten, leiteten Kott und seine
Frau mit aufgeregten Gesichtern die Landung, so gut es ging. Sie machten
eine böse Viertelstunde durch und riefen: „Schneller, schneller, wir haben
keine Zeit!"

Endlich war man soweit. Im selben Augenblick, da die sechs Fischer
den Sarg hoben und er über ihren Köpfen schwankte, gab das Postschiff
mit seiner Dampfpfeife einen Trauersalut. Alle drehten die Köpfe nach
dem weißen Dampfer, der eben, wieder Volldampf gebend, die Landungs-
stelle passierte. Auch er hing über, alle Fahrgäste standen auf der einen
Seite und nahmen ihre Hüte ab, tief wühlte das Backbordrad im Wasser
(das andere, an Steuerbord, stellte sich Frajo vor, mußte jetzt leer durch
die Luft mahlen, was ihn sonderbar nachdenklich stimmte). In das plötzlich aufrauschende Wasserschäumen heulte die Dampfpfeife ihren langen,
traurig an- und abschwellenden Ton, der Alfa ein leises Winseln ent-

lockte. Man wurde der vergessenen Dobermannhündin gewahr. Sie war da, sie schmiegte sich an Frajos Beine.

Der bärtige Kapitän stand am Ende der Kommandobrücke und salutierte, auf den erhobenen Sarg schauend. Frajo hörte Betha aufweinen. Auch ihn überwältigte es.

6

Auf dem Friedhof der Namenlosen

„Wieder hat des Schicksals Hammer in Gottes unerforschlicher Hand unseren Ferdinand Endlicher schwer getroffen. Nicht einmal zwei Jahre sind vergangen, im vorvorigen Spätherbst war es, da ist sein ältester Sohn, der Rudolf, beim Fischfang verunglückt und nicht mehr zurückgekommen. Der Donau nasses Bett hat ihn bis heute nicht herausgegeben. Sie ist sein Grab geblieben. Und nun stehen wir am Grabe der Cäcilia Endlicher, geborenen Bacher ...“

„Der alte Pfarrer redet historisch", raunte der Dr.-Ing. halb ironisch, halb anerkennend seiner Braut zu. Betha wischte sich die Augen und prüfte ihr Gesicht im Taschenspiegel. An ihrer anderen Seite wurde sie von Frajo gestützt, neben ihm hielt sich der Vater steif aufrecht, aber sein wegstehender grauer Bart bebte. Unmittelbar um das offene Grab herum standen Onkel Heinrich, sein scharf gekerbtes Gesicht zuckte nervös, seine Tochter Antschi ließ nach wie vor Frajo nicht aus den Augen; dann der kleine Onkel Franz mit dem großen Zylinder, der silbernen Uhrkette und der Korkenzieherhose. Neben ihm die zwei Tanten, die unförmige, schwitzende Tante Lisi mit dem stets beleidigten Mund, und die magere Tante Lori mit der spitzen Nase, sie biß am Zipfel ihres Taschentuchs. Zwischen beiden sah man die hagere Zahnlückige, die Stiefmutter Antonias.

Den Kreis schloß die Geistlichkeit. Frajo sog ihren Kirchengeruch ein, er war dem Kellergeruch verwandt, auch den liebte er seit frühester Kindheit. Es war immer ein Erlebnis für ihn gewesen, mit der Mutter in den Keller hinabsteigen zu dürfen, an dessen dunklen Wänden es kristallinisch glänzte und Wasser mit feinem Getropf herabrieselte; nun hauchte es ähnlich von dem offenen Grab herauf. Wovon sprach der Pfarrer jetzt? Dreihundert Leute, den winzigen Friedhof füllend, hörten ihm mit andächtigen Mienen zu:

„Ich habe die zwanzigjährige Cäcilia Bacher mit dem achtundzwanzigjährigen Ferdinand Endlicher getraut, damals war er noch katholisch wie wir alle; ich habe ein Jahr später ihr erstes Kind, den Sohn Rudolf, getauft, denselben, den sich, im schönsten Alter von neunundzwanzig, die Donau geholt — es war, als er eines stürmischen Abends die Peitsche mitten im Strom auslegte. Herr Klepar hat es vom Ufer mitansehen müssen, alles sofort einsetzende und tagelang fortgesetzte Suchen blieb vergeblich. Mit Rudolf, dem stillen, arbeitsamen, bescheidenen Mann, dem sein Vaterhaus die Welt bedeutete, hatte das Wirtshaus seinen Nachfolger verloren. Damals ist Herr Endlicher evangelisch geworden. Ich habe Elisabeth getauft, die sich binnen kurzem in Wien als Frau Doktor-Ingenieur Zischka ein eigenes Heim gründen wird. Und ich habe schließlich das jüngste Kind, den Sohn Franz Joseph, der uns allen unter dem Namen Frajo bekannt ist, getauft. Ich muß da eine Geschichte einstreuen..."

Der Seniorpfarrer sagte das in einem vertraulichen Ton, der die Leute neugierig machte. Eine Bewegung durchlief sie, und sie drängten näher herzu. Nachdem er sein Taschentuch gezogen und sich tüchtig geschneuzt hatte, fuhr er in seiner Rede fort:

„Uns allen ist die Gottesfurcht und Bibeltreue des Endlicher-Wirtes bekannt. Ich weiß, sie ging so weit, daß er seine Söhne nach den vier Evangelisten nennen wollte: Matthäus, Markus, Lukas und Johannes. Das heißt, erstens, wenn er vier Söhne bekommen hätte, wie es sein sehnlichster Wunsch war, und zweitens, wenn diese biblische Namensgebung seine Frau zugelassen hätte..."

Ein Murmeln ging durch die Menge, es war beinahe ein Schmunzeln, einige lächelten wirklich, man hatte das resolute Wesen der Endlicher-Wirtin gekannt, schon als junge Frau hatte sie ihren Willen durchzusetzen verstanden. Ein Rohrspotter, der in den Büschen erstaunt von Zweig zu Zweig gehüpft war, fing zu keppeln an.

„Was eine Tochter betrifft", sagte der Pfarrer nach einer Pause, „so wollte er gar keine, ich plaudere damit kein Geheimnis aus; aber als sie dann da war, war er, wie alle guten Väter, überglücklich. Damit wäre ohnehin die Bibelserie unterbrochen gewesen. Seine Frau war so klug, ihren Mann bei einer anderen Furcht und Treue zu packen, die sofort nach seiner Gottesfurcht und Bibeltreue kam: bei der dynastischen. Er war als Katholik dem Habsburger Herrschergeschlecht so ergeben, daß er, von seiner jungen Frau geschickt abgelenkt, die Namen seiner Kinder der kaiserlichen Familie zu entlehnen begann. So wurde der älteste Sohn, der Kronprinz der Familie, nach dem Kronprinzen Rudolf benannt; die Tochter nach der Kaiserin Elisabeth, Betha genannt, und der jüngste schließlich nach dem Kaiser selbst: Franz Joseph."

Frajo bemerkte, daß die alte ungarische Großtante mit dem schönen gelbfransigen Kopftuch und dem schwarzen Daumen und das Ungarmädchen in dem Gedränge arg eingeklemmt wurden. Er winkte sie herbei, Onkel Franz machte sogleich Platz, fast wäre er vor lauter Nichtigkeit ins Grab gestolpert. Das Ungarmädchen stand nun halb hinter Frajo, halb hinter Betha. Sie hatte über beider Achseln freien Ausblick. Ihr Haar hatte die ölig-schwarze Farbe frischen Mohns, Frajo empfand es wie eine Erleichterung.

Der Seniorpfarrer erklärte, wie der Name Frajo entstanden sei: „Die ersten Töne, die das Kind aus der Welt draußen vernahm, waren das Wellenrauschen der Donau und die langgezogenen darüber hinhallenden Hallorufe vom anderen Ufer, wenn jemand übergesetzt werden wollte. Der ewige Grundton und eine darüberschwebende Kadenz. Das war ihm die erste Musik, und sie wird ihm hoffentlich als Lebensmusik bleiben."

Frajo stieg das Blut langsam zu Kopf. Er wußte, worauf der Pfarrer anspielte: auf den Kampf zwischen ihm und seinen Eltern, jenes Drama, das sein Vater wohl zäh fortzusetzen gewillt war; schon faßte ihn der Vater ins Auge, leidend und vorwurfsvoll — der Vater, dessen Gesichtsausdruck bei den Stellen der Rede, die ihn selber betroffen hatten, auffallend teilnahmslos geblieben war. Jahrelang hatte dieser Kampf in Frajo getobt, äußerlich unentschieden, innerlich jedoch... Nun aber, durch den tragischen Tod der Mutter, hatte sich das Schicksal gegen ihn gewendet.

„Frajo", erzählte der Pfarrer weiter, „damals schon lebhaft, phantasiebegabt und empfänglich, bildete sich in seinem kindlichen Hirn ein, die Hallorufe gälten ihm, er heiße so, man rufe ihn aus der Ferne. Hallo war er noch nicht imstande nachzusprechen: ‚Fajo' sagte er und zeigte auf sich. Möglich auch, daß er schlecht hörte, was übrigens später festgestellt wurde; jedenfalls sieht er gut, sein Adlerblick ist sprichwörtlich wie sein eigenwilliges Schnurrbärtchen... Gleichviel, man blieb bei dem Namen Fajo zuerst bloß des Witzes halber, bis später dann der kleine Franz Joseph, reifer geworden, kraft seiner kombinatorischen Gabe entdeckte, daß sich dieses Fajo, wenn man bloß ein r einschob, aus seinem wirklichen Namen Franz Joseph ableiten ließe."

Die beiden anderen Pfarrer tauschten Blicke und hüstelten. Die Rede schien ihnen zu weitschweifig. Sie wollten den alten Kollegen auf das richtige Maß zurückführen, aber er wußte auch, was er wollte, und nun ging er gerade auf sein Ziel los. Frajo fühlte sich immer tiefer erkannt:

„Frajo klang unserem Weltfreund auch abenteuerlich, exotisch, und das war ihm gerade recht. Dieser Anruf aus des anderen Ufers Ferne, gebildet aus Hallo, unterstützte sein Wesen, lockte sein Fernweh hervor, seine Untreue der Heimat gegenüber, sein zielloses Suchen... Manche werden nicht verstehen, warum ich heute und hier von alldem rede, es scheint ihnen nicht hierher zu gehören. Aber es gehört hierher. Der fünfundzwanzigjährige Frajo ist nun der einzige Endlicher, der einzige, der das Erbe seiner Väter zu bewahren, die Tradition fortzusetzen und auf der Scholle zu bleiben hat. Am noch offenen Grab seiner Mutter spreche ich zu ihm, was sie seit dem Tode Rudolfs immer wieder zu ihm gesprochen hat und was auch der Vater nicht müde wird, ihm einzuschärfen. Bleibe hier, Frajo, im Haus deiner Ahnen, führe es im Geiste deiner Eltern fort, bleibe deinem Grund und Boden treu, auf daß die Liebe der Menschen um dich sei und der Segen Gottes auf dir ruhe!"

Der alte Pfarrer hatte sich so hoch aufgereckt, als es seine kleine Gestalt zuließ, beschwörend wie ein Prophet. Man hörte das Murmeln der Donauwellen jenseits des Dammes, aber nicht einen einzigen Atemzug. In das hallende Schweigen begann eine Amsel zu flöten, alle hörten es, eine zärtliche Elegie. Während man noch von den Worten des Pfarrers gebannt war, drang der Amselgesang in aller Ohren, und alle bewahrten Schweigen, in fortgesetzter Bezauberung. Dadurch wirkte diese Rede, auf einmal mit solch überraschender Bekehrungswut gegen Frajo gerichtet, in einer Art nach, der sich der junge Mann nicht entziehen konnte. Er stand im Kreuzfeuer Hunderter Augenpaare, im Brennpunkt dieser Stunde, die doch der Mutter gewidmet war; und er, der es seit jeher verabscheute, im Mittelpunkt der Blicke zu stehen, war stolz wie ein Sieger und zugleich verlegen wie ein Kind: eine unbeschreibliche Gefühlsmischung. Sie erzeugte in seinen Ohren ein Schwindelgefühl, ein verworrenes Brausen, als wäre er, was ja nicht selten geschah, zu lange unter Wasser geblieben.

Der alte Pfarrer wandte sich mit verändertem Ton an die ungarischen Gäste und erklärte zuerst deutsch und dann ungarisch, sie, die Magyaren, könnten sich was zugute halten, denn Frajo sei ein ganz ungarisch klingender Name, eine Reverenz vor dem östlichen Nachbarn an der Donau ... Die Ungarn nahmen dieses Kompliment, noch dazu in ihrer Sprache, mit sichtlicher Begeisterung auf.

Als der Pfarrer endlich die guten Eigenschaften der Toten schilderte, bekam er keine Luft mehr. Der Höhepunkt war überschritten, eine Entspannung machte sich breit, einige gähnten. Nach ihm sprachen noch mehrere, aber nur ganz kurz, unter ihnen auch der Oberinspektor von der Dampfschiffahrt, den die Wiener Direktion entsandt hatte. Ganz zum Schluß stotterte der rothaarige Klepar, der dürre Obmann der Fischer, etwas zwischen seinen gelben Zähnen hervor. Er wurde immer verwirrter und endigte, seine winzige Stirn in verzweifelte Längsfalten ziehend: „Und nun, liebe Endlicherin, lebe wohl und bleib gesund ..."

Frajo hatte nicht recht hingehört, aber da sich Onkel Heinrich jäh abwendete und in die vorgehaltene Hand hineinprustete, merkte er, daß etwas lächerlich Unpassendes geschehen sein mußte. Schon legte jedoch der

Gesangverein los und erstickte die groteske Komik, die Blechmusik spielte, der Sarg begann sich langsam zu senken.

Herr Endlicher griff nach Frajos Hand. Immer tiefer sank der Sarg. Dann polterten die Erdschollen. Mehr als dreihundertmal mußte der weißhaarige Totengräber gebückt die kleine Schaufel mit der Erde reichen. Als letzter leerte der alte Haslauer die Schaufel, es polterte nicht mehr, lautlos fielen die Erdschollen, so dicht war der Sarg mit Erde bedeckt.

Der Friedhof der Namenlosen lag wieder verlassen da. Die Leute stürmten die Fischerschenke und ihren Garten an der Donauseite des Dammes. Man sah nichts mehr von ihnen, man hörte Gläser klirren und ein dumpfes Geräusch wie Brandung.

Frajo war allein zurückgeblieben und ging zwischen den niedrigen Grabhügeln umher. Noch immer wühlte es in ihm, die Brust schmerzte vom inneren Kampf. Die meisten Gräber waren zertreten. Fußspuren kreuz und quer, als wäre ein Heer darüber hinweggeflüchtet. Es gab allerdings nicht viel zu zertreten. Die Hügelchen wären ohnehin kaum zu erkennen gewesen. Kein Mal, kein Kreuz, keine Blumen; nichts schmückte sie als der Graswuchs der Natur. Kein Mensch pflanzte etwas, die Winde wehten den Samen hin; kein Auge eines Angehörigen weilte auf ihnen, die Sonne mußte sie wärmen; keine barmherzige Hand begoß sie, der Regen mußte ihnen genügen.

Frajo ging an der lebenden Hecke die Länge und Breite des Friedhofs ab; unwillkürlich, wie um sich auszulaufen und zu beruhigen, zählte er die Schritte: eins, zwei, drei, bis vierzig, dann bis dreißig; vierzig mal dreißig im Geviert, vierzig mal dreißig, wiederholte er. Dann zählte er die namenlosen Grabhügel; auch hier kam er auf vierzig; er zählte die übrigen, die mit eisernen und hölzernen Kreuzen und sogar Namen versehen waren, aber sie blieben in der Minderzahl. Er konnte sich nicht beruhigen; wie schwer war es, sich zu beruhigen.

Die Entscheidung! Die Entscheidung! Nun sollte er sich fügen, sich bescheiden? Nun sollte auch er hierbleiben, ein Wirt werden, heiraten, hier leben, sterben und begraben werden, hier, wo er unter der müden Trauerweide inmitten des Friedhofes las: „Gewidmet den namenlosen Opfern der Donau"? Hier, wo ein „Hans K." lag, „dem Unglück verfallen am 5. Juni 1901"? Und wo, ohne Datum, eine „Marie B." ruhte — ja, die Namen waren nicht ausgeschrieben —, „gestorben im neunzehnten Lebensjahr durch Ertrinken" . . .

Plötzlich war ihm, als stünde jemand an seiner Seite. Er sah auf, es war der alte Haslauer. Aufrecht stand er da, ruhig und freundlich wie immer. Das Selbstverständliche seines Daseins, das Beruhigende seines großen, etwas flachen Gesichtes voll Runen, der Blick aus seinen wasser-

hellen Augen, die — obwohl das linke unter einer Stirnnarbe etwas kleiner
war — noch so jugendlich schauten wie vor mehr als zwanzig Jahren, da
Frajo als spielendes Kind zum ersten Male in sie geblickt: diese unver-
änderte, diese während Treue erschütterte ihn. Er fühlte es warm in sich
aufsteigen, etwas heimatlich Geborgenes, und mit einer ungeschickten Bewegung umfaßte er des alten Mannes schwielige Rechte mit seiner Hand.
Wortlos standen sie da.

Endlich gingen sie weiter, ganz langsam, noch immer schweigend. Das
Schwere in Frajo begann sich allmählich zu lösen. Am Häuschen des
Totengräbers, das wie eine Kajüte in einer Ecke des Friedhofes lehnte,
blieben sie stehen. Frajo waren auf dem grellweißen Kalkbewurf mit Bleistift hingekritzelte Verse aufgefallen. Er las sie mit belegter Stimme:

"Der Donau graue Welle warf euch hier an den Strand,
Man kennt nicht euer Schicksal, nicht euer Heimatland,
Ihr ruht nun aus vom Leben in dunkler Erde Schoß
Namenlos."

7

Der Leichenschmaus

Gerüche nach Schweine- und Gänsebraten füllten das Endlicher-Haus,
nach Räucherfleisch und Krautsalat. Des kleinen Onkels Franz Nase spürte
jeden einzelnen Geruch heraus. Die große Küche wallte wie ein Dampfbad,
aufgeregte Aushilfsmägde liefen mit Riesenschüsseln hin und her, Hunde
balgten sich um Knochen. Am gierigsten und zugleich ängstlichsten war
der namenlose, zerzauste Hund des Stegmannes, während die verwöhnte
Alfa für das Getriebe ein verächtliches Zucken der Schnauze übrig hatte.

Der Leichenschmaus war schon weit vorgeschritten. Fünfzig Personen
nahmen daran teil. Im Schankzimmer waren alle Tische besetzt, hier aßen
und tranken vor allem die Fischer des Örthels. Die Haupttafel befand sich
im Extrazimmer, wo man die drei Tische zu einem zusammengeschoben
hatte. Dort saßen der Reihe nach, vom Kopfende angefangen: Herr Endlicher, ihm zur Linken an der Längsseite Betha, Dr.-Ing. Zischka, Onkel
Franz, die Großtante und das Ungarmädchen; neben ihr, am unteren
Tischende, Onkel Heinrich als „Kontrarium", wie er sich selber studentisch
bezeichnete. Dann an der anderen Längsseite seine Schwestern Tante Lori
und Tante Lisi, weiters Vaters Zahnlücken-Schwester, deren Namen man
nicht recht wußte, mit der blonden Antonia, schließlich den Kreis schlie-

ßend, Frajo und Antschi, Onkel Heinrichs sanfte Tochter. Sie strömte einen leichten Schweißgeruch aus.

„Wir sind dreizehn!" kreischte Tante Lori. Aufgeregt über ihre Nase schielend, biß sie schon wieder am Zipfel ihres Taschentuchs. Man zählte nach, es stimmte, Onkel Heinrich sprang auf und rief mit seiner etwas affektiert-nasalen Stimme durch die geöffnete Tür hinaus: „Wir brauchen einen vierzehnten!"

Kaum hatte er ausgesprochen, schoß Kott mit einem Sessel herein und saß im nächsten Augenblick an der Ecke neben dem Ungarmädchen. Schnell geschah das und so überraschend, daß man ihm sofort Anerkennung zollte. Kott zog ein süßliches Gesicht und sagte, die dicken Lider über seine Mandelaugen senkend:

„Und die Schönste hab' ich mir auch gleich ausgesucht." Er kicherte. Aber beim Anblick von Tante Lisis jäh beleidigter Miene wurde ihm bewußt, wie ungalant sein Lob gegen die anderen Frauen war, und er verbesserte sich schnell: „Die schönste aus dem Ungarland!"

„Sie, so geht das nicht", tadelte Onkel Heinrich, „mir da Konkurrenz machen! Deshalb hab' ich Sie nicht gerufen, Herr! Nur schön an die andere Seite meiner exotischen Nachbarin hinüber, Herr — Herr —"

„Kott, Kott", sagte dieser und verbeugte sich. Er war aufgestanden und wollte seinen Stuhl nun zwischen sie und die Großtante schieben, an deren anderer Seite Onkel Franz bereits unterwürfig-nickende Anstalten machte, seinen Platz zu räumen; aber die Alte protestierte ernst in ungarischer Sprache:

Nem, nem!" Und die Junge, die einige Brocken Deutsch konnte, fügte hinzu: „Großtante da — Großtante da."

Kott zog eine Grimasse, ihm blieb nichts anderes übrig, als den Stuhl halb hinter die beiden zu schieben, wo er geduldet wurde. Alsbald schienen die anderen Frauen Gefallen an ihm zu finden; die Tanten, denen er gegenübersaß, bewunderten — Tante Lisi war schnell versöhnt — halb offen, halb verschämt den „schönen Mann".

„Und die schöne Uniform!" ereiferte sich Antschi. Dann schmachtete sie wieder Frajo an, sein, wie sie sagte, halb weiches, halb scharfes und immer energisches Adlergesicht, und sein Bärtchen, das sich so schmal leicht abwärts zu den Mundwinkeln zog, daß große Teile der Oberlippe freiblieben. Indes begann die blonde Antonia mit dem ihr schräg gegenübersitzenden Kott aus den Augenwinkeln zu kokettieren, von denen man nicht wußte, ob sie bis über die Lider hin blau oder grün nachgetuscht waren. Sie war klüger als Antschi, sie hoffte wohl, ihn, Frajo, auf diesem Umweg eher zu fangen; beide wollten ihn fangen, beide! Das war ein offenes Geheimnis. Spannend war nur, welche Siegerin bleiben würde.

Spannend für die anderen; für Frajo war es von vornherein entschieden: keine.

Keine! Die eindringliche Beschwörung des Seniorpfarrers hatte ihn zwar weich gemacht; Frajo war, beim guten Essen und süffigen Wein sitzend, stimmungsgemäß nicht abgeneigt, sein Leben zu ändern, in ein seßhaftes zu verwandeln, weniger dem Geschäft als der toten Mutter zuliebe; anderseits verhärtete sich sein Inneres gegen die offenkundigen Bestrebungen der Damenwelt, seiner habhaft zu werden. Allzu günstig war die Gelegenheit, allzu billig waren die Mittel. So gern er Onkel Heinrich hatte — er sah in ihm ein Beispiel, ja, so wollte auch er einmal in älteren Jahren sein, so ein gutmütig-nervöser Hallodri —, wollte er ihm dennoch nicht den Gefallen tun, sein Töchterchen zu heiraten. Antschi wäre sicher eine anschmiegsame Gattin geworden: anspruchslos, beschränkt und schwärmerisch, kurz, was man eine brave Frau nennt. Sie wäre wohl auch keine schlechte Gastwirtin geworden.

Was Antonia betraf, die rechts neben ihm saß, so war sie verlockend und gefiel ihm sehr gut. Antonia war ruhig, weltoffen und schien hintergründig. Hinter ihrer kühlen Blondheit steckte allerhand. Ein großes Bauerngut im Innviertel war ihre Aussteuer. Ihre feste, etwas große Hand tat es ihm an, dieser resolute und doch weiche, vielsagende Zugriff, und vor allem ihr frischer Ährengeruch — jeder andere an seiner Stelle hätte mit Freuden ja gesagt. Man konnte sich keine idealere Gastwirtin vorstellen, die besonders die männlichen Gäste anziehen würde. Wie hatte sich sein Bruder Rudolf — Friede seinem nassen Grab! — angestrengt, irgendein Bräutchen zu ergattern; achtundzwanzig mußte er werden, bis es ihm endlich gelang, sich mit einem übertragenen, sauertöpfischen reichen Mädchen zu verloben; und kurz vor der Heirat, die ein langweiliges, aber tüchtiges Wirtspaar ergeben hätte, raubte ihn die Donau . . .

„Woran denkst du, Frajo?" sagte Antschi, die links von ihm saß.

Eine derartige Frage haßte er, besonders wenn Frauen sie stellten; seine Antwort war immer dieselbe, wie auch jetzt: „An eine grüne Wiese."

Sie glaubte es. Es entwaffnete ihn.

„Onkel Franz", rief er über den Tisch hinüber, „neben deinem Teller liegt eine Serviette!" Er beobachtete schon länger, wie sich Onkel Franz die Finger in seinem dichten schwarzen Haar abwischte, wodurch es noch fetter glänzte.

„Ach nein", wand sich Onkel Franz und warf verstohlene, Zustimmung heischende Blicke in die Runde, „ich werde doch nicht die schöne Serviette schmutzig machen."

Statt des erwarteten Beifalls erntete er unterdrücktes Gelächter. Es war das erste Gelächter an diesem Abend. Es brach schnell ab: war man nicht bei einem Leichenschmaus? Die Stimmung war sehr gestiegen, aber so weit war man denn doch noch nicht.

Frajo sah mit Besorgnis, wie der Vater trank. Dieser mäßigste aller Wirte, der das Geschäft fast ganz seiner Frau überlassen und sich mit Leidenschaft dem Fischen gewidmet hatte, dieser bibel- und dynastiefeste Ferdinand Endlicher mit dem Patriarchenbart begann offenbar zu trinken. Sein grauer Vollbart stellte sich dem gehobenen Glas in den Weg, als wollte er das sich anbahnende Verhängnis verhindern. Jedesmal mußte sich der alte Endlicher den Bart hinunterstreichen, um·das Glas an den Mund zu setzen. Dann bog er sich mit einer fast wilden Bewegung weit zurück, das Glas bis zum letzten Tropfen leerend, und der Vollbart ragte wie ein dichter Salweidenzweig in die Höhe. Wohin würde das führen? War nicht schon die Verwirrung groß genug, die sich als Schockwirkung nach dem plötzlichen Tod seiner Frau zeigte, die ihn bald in blöde Gleichgültigkeit, bald in übersteigerte Tätigkeit verfallen ließ, von der gesteigerten Manie für Bibelsprüche ganz zu schweigen?

„Sind Flößer da?" fragte Onkel Heinrich und fuhr, ohne eine Antwort abzuwarten und lebhaft eine Zigarette drehend, fort: „Flößer kenne ich! Vom Rhein! Als ich auf der Wanderschaft war und in jedem Städtchen ein Mädchen hatte, bin ich an den Rhein gekommen. Die Flößer, ja die Flößer! Wüste Kerle, Raufbolde, gewalttätige Gesellen!"

„Erzähl, erzähl!" drängte Tante Lori und schielte auf Kott.

„Vor denen muß man sich in acht nehmen, das sind Räubergestalten! Und singen tun die, singen, in der Nacht, wißt ihr, daß die Sterne am Himmel wackeln!"

„Aber Flößer sind doch ganz harmlos", mischte sich Frajo ein, der die Donauflößer gut kannte. „Und singen tun sie überhaupt nicht."

„Bei einem Streit", fuhr Onkel Heinrich unbeirrt fort, „bei einem Streit hätten sie mich beinahe erstochen! Ja, erstochen! Wenn ich mich nicht mit einem tollkühnen Sprung ans Land gerettet hätte, mitten im rasenden Fahren, würde ich heute nicht mehr leben. Das Messer haben sie mir nachgeworfen. Es hat im Mondlicht nur so geblitzt. Glücklicherweise ist es nicht in meinem Rücken steckengeblieben, sondern in den Rhein gefallen." Mit wilder Romantik schloß er nasal: „In den mondbeschienenen Rhein!"

„Ach", seufzte Tante Lori halb zimperlich, halb sehnsüchtig, und Antschi sagte, sich an Frajo schmiegend: „Mir kommt immer das Gruseln, wenn Vater davon erzählt..."

Frajo raunte in Antonias Ohr, das sich ihm willig neigte: „Flößer fahren gar nicht in der Nacht. Und erst recht nicht rasend. Nichts Langsameres als ein Floß..." So nahe an ihr, empfand er ein wohliges Gefühl, da sie wirklich ganz natürlich nach Weizenähren roch, und das machte ihn fast wehrlos ihr gegenüber.

„Sind Flößer da?" beharrte Onkel Heinrich. „Komm, Frajo, schauen wir hinüber."

In der Schank, wo gerade der alte Haslauer sein Glas Wein leerte und dann mit freundlichem Gruß nach Hause ging, trafen sie in der Tat auf einen Flößer. So angenehm Frajo des Lieblingsonkels Geschichten waren, so unangenehm war ihm die Begegnung mit diesem Flößer; gerade dieser eine war ein durchtriebener Kumpan, dem man alles zutrauen konnte. Es war Raaber mit dem Spitznamen „Oberspucker". Er hatte vielerlei auf dem Kerbholz. Seine Schramme auf der Wange, die halb in die Nase schnitt, seine geduckte Kopfhaltung, sein Tiergeruch, lebendige Zeugenschaft für Onkel Heinrich ... Onkel Heinrich packte Raaber gleich unterm Arm und sagte dröhnend, mit theatralisch verzerrtem Gesicht seine Rheinflößer nachahmend:

„,Auf nach Frankfurt, auf nach Wien! Auf in die Räuberstadt Berlin!' Ja, so haben sie gebrüllt! Und mit solchen Gesichtern! Tut alle mit, macht es mir nach, stampft auf, singt, singt mit mir das Flößerlied vom Rhein: ,Auf nach Frankfurt, auf nach Wien! Auf in die Räuberstadt Berlin!'"

Alle außer Frajo hatten mitgesungen und aufgestampft, noch klirrten die Flaschen und Gläser. Auch der Wellensittich wollte nicht nachstehen und bot aufgeregt seine Redekunst dar. Nur einer war stumm sitzengeblieben, Raaber, der Flößer. Er stierte finster vor sich hin. Er spuckte aus und sagte in die plötzliche Stille:

„Wir singen nicht."

„Was hab' ich gesagt?" triumphierte Frajo.

„Wir singen nicht!" brüllte der Flößer und hieb mit der Faust auf den Tisch.

Betretenes Schweigen umgab ihn. Er griff nach einem mit Bier vollgefüllten Glas und leerte es auf einen Zug. Schaum rann aus seinem Mund. Beifälliges Murmeln wurde hörbar.

„Was hab' ich gesagt?" ereiferte sich Frajo. „Und warum? Warum, Onkel Heinrich? Ja, das sag' ich nicht!"

Ein zustimmender Blick aus Raabers Augen traf Frajo. Wieder spuckte er. Gierig blickte er auf Mizzis rotbestrumpfte Beine, die eben in der Küche verschwand, und erhob sich. In der Tür erschien Antschi und rief:

„Frajo, dein Vater braucht dich! Er will eine Rede halten!"

Zu dritt kehrten sie zurück, Onkel Heinrichs tabakbraune Finger streichelten das Gesicht seines Töchterchens. Kott hatte inzwischen Frajos Platz eingenommen und sich an Antonia herangemacht, sie schäkerten miteinander.

„Am heutigen Tage ist es uns hoffentlich zur Gewißheit geworden, daß Frajo sein unstetes Ausreißerleben aufgeben wird und nicht mehr der verlorene, sondern der zurückgekehrte Sohn ist, denn es steht geschrieben . . ."

Der Vater sprach. Antschi sah flehend zu Frajo herüber. Antonia duldete Kotts Knie an ihrem, warf aber nach wie vor Frajo verheißende Blicke zu, und sofort roch er wieder ihren unwiderstehlichen frischen Weizenduft.

„Er wollte hoch hinaus, unser jetzt einziger Sohn. Er ist auf die Zeichenakademie durchgebrannt, dort hat er Zeichnen lernen wollen, ist aber bald daraufgekommen, daß er es von vornherein besser konnte, eigenwilliger. Er hat Reisen gemacht. Es war dies alles nicht sehr nach unserem Willen. Wir haben ihn gewähren lassen. Wenn Gott einzig der Gerechte ist, wir aber die Ebenbilder Gottes sind, müssen auch wir uns gerecht zu sein bemühen, soweit es in unseren irdischen Kräften steht, und müssen bekennen, daß auch wir schuld daran sind, wenn Frajo noch immer nichts Rechtes, wie man so sagt, geworden ist. Wir haben ihn von seiner Zeichnerei zurückgeholt, als Gott in seinem unerforschlichen Ratschluß unseren älteren Sohn Rudolf zu sich genommen hat. Die Heimkehr schien Frajo nicht einmal so unwillkommen. Wozu braucht er auch etwas anderes, wenn er, nichts leichter als das, Wirt an der Donau werden soll?"

Onkel Franz steckte den Becher mit dem aufgetragenen Himbeereis, nachdem er einmal davon geleckt, heimlich in seine Rocktasche; niemand bemerkte es, doch Frajo raunte ihm zu:

„Aber, Onkel Franz, was tust du denn?"

Onkel Franz, ertappt, trat der Schweiß auf die Stirn. Er begann mit dem Kopf zu nicken und im Sitzen mit den Füßen zu scharren. Vor Scham sich verschluckend, brachte er umständlich hervor:

„Es ist unpassend, verzeih, mein lieber Neffe . . . Ich weiß, daß man nichts zu sich stecken darf . . . Das schickt sich nicht in Gesellschaft . . ."

„Aber darum handelt es sich nicht, Onkel Franz. Steck dir ein, soviel du willst . . . nur um Gottes willen nicht das Gefrorene . . ."

„Warum? Habt ihr so wenig davon?"

„Nein, nein! Es schmilzt, es zer-schmilzt."

„Und ich hab' es meinem Buben mitnehmen wollen, nur meinem Buben nach Hause, weil ich mir denk', bei euch ist das Gefrorene frischer . . ."

Das war zuviel. Frajo starrte ihn an. Dann platzte er mit einem naiven Gelächter, das er gleichzeitig zu bekämpfen versuchte, in die Rede des Vaters hinein, er prustete, als erstickte er.

Der Vater begann zu stammeln. Es war eine peinliche Szene. Auf einmal fiel er, jäh verstummt, auf seinen Sessel zurück. Er krallte sich ins

Tischtuch, riß ein paar Gläser mit, sie kollerten zu Boden, Antschi und Betha sprangen auf, von Wein durchnäßt.

„Sodawasser!" rief Dr.-Ing. Zischka angewidert.

Man flößte dem Alten Sodawasser ein. Man bemühte sich um ihn, so gut es ging. Vom Schankzimmer her hörte man Lärmen und Frauen-kreischen. Kott benutzte die Gelegenheit, Antonia zu küssen. Ihre Stief-mutter, die stille Zahnlückige, deren Augen ruhelos umherirrten und die wohl meist deshalb schwieg, weil sie nicht fortwährend die Hand vor den Mund halten konnte — Antonias Stiefmutter lächelte fragwürdig dazu. Tante Lisi und Tante Lori rangen die Hände. Onkel Heinrich redete auf Herrn Endlicher ein, während er quecksilbrig um ihn herumtanzte. Onkel Franz wurde aschfahl im Gesicht, er wankte hinaus, er spie schon auf dem Gang. Er hinterließ eine nasse Spur: das der Rocktasche entrinnende Ge-frorene. Die beiden Ungarinnen waren verschwunden.

„Und der Herr versammelte sie um sich und sprach . . .", begann Herr Endlicher plötzlich zu murmeln. Von irgendwoher kam Zuze, die Lach-taube, geflattert und setzte sich auf seine Achsel.

Onkel Heinrich zeigte von oben lächelnd auf ihn, einem Puppenspieler ähnlich, der seinem alten Kasper wieder auf die Beine geholfen hat. Man beruhigte sich. Onkel Heinrich wurde dank seinen verblüffenden Karten-kunststücken rasch der Mittelpunkt. Zwischendurch näherte er sich An-tonia. Das genierte Kott gar nicht, im Gegenteil, er bedeutete ihm mit aufmunternden Grimassen, es ihm gleichzutun. Nun begannen auch hier die Frauen zu kreischen. Die schwarzen Trauerkleider gaben dem ganzen Bild etwas Groteskes. Bethas eitles Gesicht nahm einen herrischen Aus-druck an, sie zog ihren geschniegelten Bräutigam mit sich in das Nobel-zimmer. Hatte er nicht ohnehin fühlen lassen, daß er diese Gesellschaft für unter seiner Würde hielt? Antschi suchte in allen Räumen nach Frajo. Er war verschwunden.

Als sie schließlich die Speisekammer betrat, überraschte sie ihren Vater, wie er Mizzi, die Magd, an sich drückte. Mizzi entschlüpfte mit einem hohen Schrei, aber Antschi konnte ihm nicht böse sein. Niemand konnte Onkel Heinrich böse sein, diesem gutmütigen Windbeutel.

Im Schankzimmer ging es drunter und drüber. Auch da war Frajo nicht zu finden. Antschi gab es auf. Sie zog sich in ihr Zimmer oben im Stock zurück. Es wurde still um sie. Sie hörte die alte Kuckucksuhr in Frajos Zimmer schnarren und rufen — zwölfmal. Als die zwölf Doppeltöne — dem kurzen hohen folgte stets ein längerer tiefer — verklungen waren, begann sie lautlos in sich hinein zu weinen. Von unten drang das Ge-murmel der Donauwellen herauf, aus der finsteren, sternlosen August-nacht.

Frajo war durch die hintere Tür in die Nacht hinausgeschlichen, von Scham erfüllt über sich selbst und über die ausgeartete Begräbnisfeier seiner Mutter, obwohl es bei einem ländlichen Leichenschmaus eben nicht viel anders herzugehen pflegt. Alfa folgte ihm mit hängendem Schweif. Frajo lehnte seine Stirn an das Holz des Hühnerstalls. Er strich ein paarmal darüber hin. Dann ging er langsam weiter. Keine Sterne, sagte er sich, keine Sterne.

In dem fahlen Lichtviereck, das ein erleuchtetes Fenster über den Boden breitete, ragte eine Königskerze in sprödem Gelb. Büsche hockten herum wie ungeheuerliche Igel. Der Duft des alten Nußbaums fiel ihn an, sein nächtlich kühles Ausatmen. Ohne Bewegung stand der Silberpappelhain.

Er ging weich und lautlos, er spürte unter den Sohlen den feuchten Sand und kam an das Ufer. Die Donau rauschte wieder in ihrem Bett, aber noch immer so hoch, daß die ganze Böschung unter Wasser blieb. Frajo beugte sich vor, er horchte, wie sich die Steine des Uferbeschlages rührten. Er ließ die Hand ins Wasser sinken, sofort riß die Strömung sie mit. Er erhob sich, er hörte den Anfall der Wellen am Bug von Kotts Motorboot; natürlich, es stand ohne die vorgeschriebene Beleuchtung da. Über den schwankenden Stegladen ging er an Bord, es war ganz finster, er tappte nach der Laterne. Ihm war, als vernähme er einen leisen, traurigen Gesang. Er zündete die Laterne an, der Gesang brach ab. Er setzte sich in eine dunkle Ecke und rührte sich nicht. Zu seinen Füßen spürte er Alfas Wärme. Ein verspäteter Schleppzug keuchte stromaufwärts, das Motorboot schaukelte stark, gegen die am Ufer verhefteten Zillen klirrten die Haftketten.

Nach einiger Zeit setzte der leise Gesang wieder ein. Es war eine weibliche, aber tiefe und sonore Stimme, die eine melancholische Melodie über das Wasser sandte. Sie klang beruhigend und eintönig wie das Rauschen des Wassers. Es waren die Laute einer anderen, vokalreicheren Sprache: *„Ki a Tisza vizét issza . . ."*

Zweifellos, das war Ungarisch. Frajo gab sich dem Gesang hin, der sich in die Augustnacht, in die warme Wassernacht einfügte und wohltuend seine innere Wirrnis löste.

> *„Ki a Tisza vizét issza,*
> *Vagyik annak szive vissza . . ."*

Er lauschte dem Gesang, er wünschte, daß dieser nie enden möge. Von dieser Melodie und Stimme mußte man sich forttragen lassen, weit fort auf dem großen Strom, fort in den schönsten Traum . . . Diese Traumstimme konnte nur von dem Ungarmädchen kommen. Frajo rührte sich noch immer nicht. Er hatte die Augen geschlossen. Das konnte nur ein Heimatgesang sein, eine Saga von der Theiß ...

Stimmengewirr; wieder brach der Gesang ab, Schatten zeigten sich im Tor, eine laute Menge quoll heraus, Laternen wurden hochgehalten. Frajo erkannte in dem schwankenden Licht Kott, dessen prächtige Uniform zerdrückt war, und einige andere, die nun mit dem Motorboot heimkehren wollten: den Oberinspektor der Dampfschiffahrt, Bekannte aus Wien, soweit sie nicht schon in dem kleinen Boot unter Frau Kotts Führung vom Friedhof nach Hause gefahren waren. Der letzte war Dr.-Ing. Zischka, er schien niedergedrückt und verloren. Das lärmende Durcheinander überdeckten ein paar hohe Schreie, die, schnell erstickt, von landeinwärts kamen.

Frajo war mit wenigen Sätzen rechtzeitig aus dem Boot in jene Richtung geflüchtet, von wo der ungarische Gesang erklungen war. Als er sich wieder an die Dunkelheit gewöhnt hatte, erkannte er zwei menschliche Umrisse am Ufer, ein helles Kopftuch und daneben einen dunklen Kopf. Da saßen die Großtante und ihre junge Begleiterin schweigend am Wasser.

Frajos Herz klopfte stürmisch, er atmete tief, dann setzte er sich, Alfa streichelnd, mit einem Kopfnicken neben das blauschwarze Mädchen. Sie schrak leicht zusammen, dann lächelte sie ihn an.

Draußen ratterte der Motor, die Schraube gurgelte. Das Boot drehte sich in den Strom hinaus. Mit seinen Positionslaternen rot, weiß, grün zischte es schattenhaft an ihnen vorbei. Rasch verschwand es stromauf.

Rot, weiß, grün, das waren nicht nur die Positionslaternen der Donauschiffe, so leuchteten sie auch auf allen sieben Meeren der Welt: an Backbord rot, an Steuerbord grün, am Bug, in der Mitte zwischen beiden, weiß. Das waren die Signale der Welt — und, fiel es Frajo fast erschreckend ein, waren Rot-Weiß-Grün nicht auch die Nationalfarben Ungarns? Rot wie die Kriegsfahne der alten Könige, weiß wie der Schnee der Karpaten, grün wie die endlose Pußta ...

Er drehte den Kopf dem Ungarmädchen zu, nachdenklich und ahnungsvoll. Ihr gelbliches Gesicht schimmerte nun nixenhaft weiß. Es war ihm, sie müßte seine seltsamen Empfindungen begreifen; er sah in ihr nicht allein die Verkörperung Ungarns, sondern der Ferne überhaupt, der exotischen Welt.

8

Die Abreise der Ungarinnen

Mit der Anwesenheit Onkel Heinrichs und seiner Tochter Antschi mußte man noch länger rechnen. Beider Interessen lagen auf der Hand. Allzugut schmeckte Onkel Heinrich die Freiheit; seiner Frau gegenüber konnte er Antschis Werben um Frajo als entscheidenden Grund für das Hierbleiben ins Treffen führen. Ähnlich war es mit der blonden Antonia und ihrer Stiefmutter. Es hatte nicht den Anschein, als wollten sie so bald heimkehren. Sie konnten alle die reinste Uneigennützigkeit vorschützen: das verwaiste Haus, im besonderen die verwaiste Küche „für die Übergangszeit" in ihre Obhut zu nehmen. Antschi, Antonia und die Zahnlückige schafften in Küche und Keller, in der Schank, in Garten und Stall. Betha, die in den ersten Tagen mithalf, erklärte mit säuerlichem Lächeln, sie sei wohl überflüssig. Man schickte sie gern nach Wien zu Dr.-Ing. Zischka, damit sie dort die unterbrochenen Hochzeitsvorbereitungen fortsetzen könne, und sie ließ es sich nicht zweimal sagen. Es erwies sich bald, daß die attraktive Antonia mit ihren guten Händen die Tüchtigste war. Das farblose Beamtentöchterchen Antschi mußte ins Hintertreffen geraten. Wer würde es länger aushalten? Wer würde das Rennen machen?

Frajo, sicher, daß beide abfielen, fühlte sich in seinem Element und kam ihnen mit gleichmäßiger Freundlichkeit entgegen. Von Frauen umgeben, vermochte er Widerwärtigkeiten und Ungemach zu vergessen. Der tragische Tod seiner Mutter schien in die Ferne zurückzuweichen. Das Trauerhaus hatte sich, dank der Geschäftigkeit der Bewerberinnen, in eine tätige Stätte verwandelt. Die Aushilfsmägde blieben vorläufig, man scheuerte und putzte, die letzten Spuren der Überschwemmung im Hause verschwanden, das Stromwirtshaus der Endlicher nahm einen stürmischen Aufschwung.

Ähnlich ging es um die Fischerhütten zu. In den Tagen nach dem Hochwasser war das ganze Örthel ein Hämmern und Löten, ein Pflöckeschlagen und Netzeflicken. Frauen und Kinder werkten mit, um die zerstörten Gegenstände wiederherzustellen und die verwüsteten Plätze einzuebnen.

Das schräge Ufer war wieder zum Vorschein gekommen, der Graswuchs darauf konnte sich von neuem sonnen. Am Ufer war der Lieblingsplatz des schönen Ungarmädchens und der Großtante – sie kehrten freilich schon am dritten Tag nach dem Begräbnis in ihre Heimat zurück. Sie warteten den ungarischen Postdampfer ab. Hier saßen sie, schauten auf das Wasser und die vorbeiziehenden Schiffe.

Das Ungarmädchen zeigte auf ihr Herz und schwenkte dann die Hand hin und her:

„Nem szabad", sagte sie lächelnd, *„nem szabad."*

Das Wort *szabad* hatte Frajo, erinnerte er sich, auf den umklappbaren Täfelchen der Mietwagen im nahen ungarischen Preßburg gelesen — es hieß „frei". *Nem szabad* hieß also wohl „nicht frei". Sie war nicht frei, meinte sie, ihr Herz war nicht frei. Nach einigem Hin und Her konnten sie sich mit Hilfe der Großtante halbwegs verständigen. Die Junge hieß Etel, sie war verlobt. Mit einem guten Burschen des Nachbardorfes am Ufer der Theiß war sie verlobt, im nächsten Frühjahr würden sie heiraten.

Frajo sah sie freundlich an. Nach herkömmlichen Begriffen war sie nicht eigentlich schön zu nennen. Die blonde Antonia war gewiß schöner, und wenn er darüber im Zweifel gewesen wäre, hätte es ihm Kott sicher bestätigt: der tat jede, die nicht auf ihn einging, mochte er sie zuerst als bildschön bezeichnet haben, mit Mundverziehen und Handbewegungen ab. Etel war eine fremdartige Schönheit: vorgewölbte Backenknochen, etwas schiefe und geschlitzte Augen, tiefschwarze, feurige und doch so traurige Augen, roter Mund, blauschwarzes Haar. Gegen Antonia wirkte ihre Gestalt fast derb, sie hatte eher kurze Beine; die feinen, ja adeligen Nasenflügel bildeten einen anziehenden Gegensatz. Je länger Frajo sie anschaute, um so deutlicher stieg das Bild seiner Mutter auf, ein seelisches Abbild, denn körperlich waren die beiden Frauen sehr verschieden; die fühlbare Ausstrahlung machte Etel der Mutter ähnlich. Die Gegensätze berührten sich: das Heitere der Mutter, das Tragische Etels, eine übersinnliche Vereinigung.

Einen Tag und eine Nacht und wieder einen Tag, machte Etel begreiflich, müßten sie auf der Donau stromab fahren; dann hieß es noch einmal eine Nacht, noch einmal einen Tag und eine Nacht die Theiß flußauf, bis sie zu Hause wären.

Er käme auch hin, bedeutete Frajo.

Etel sah ihn erstaunt an, halb verständnislos, halb erschrocken. Dann sagte sie wieder: *„Nem, nem!"*

„Igen, igen", entgegnete Frajo und lachte. Er werde sie einmal besuchen kommen, dagegen könne sie gar nichts machen, und er werde bestrebt sein, mehr mit ungarischen Schiffsleuten zu verkehren und sich überhaupt mit der ungarischen Sprache zu befassen, damit sie sich dann besser miteinander verständigen könnten. Und sie, Etel, habe sie nicht ihrerseits Gelegenheit, sich im Deutschen zu üben?

Als sie ihn endlich verstanden hatte, lachte auch sie. Deutsch? In ihrem kleinen Fischerdorf? Niemand habe eine Ahnung davon.

Die Großtante hob langsam ihren schartigen Dolchdaumen und sagte etwas. Etel schien ihr zu widersprechen. Aber da die Alte einen verzückten Gesichtsausdruck annahm, wandte Etel sich wieder Frajo zu und meinte, der Pfarrer ihres Dorfes solle Deutsch können. Frajo glaubte dem folgenden Zwiegespräch der beiden Ungarinnen zu entnehmen, daß die Großtante in dem Pfarrer und wohl in jedem Vertreter der Kirche einen Alleswisser verehrte.

Ein Floß erschien an der Biegung und kam langsam stromab geglitten. Mit dem Strom eins, förmlich auf ihm klebend und kaum höher als das Wasser, wurde es hie und da überflutet. Es war ein riesiges Floß, die langen Rundstämme glänzten wie ein gerippter Spiegel, lautlos kam es vorbei, mit sicheren Bewegungen hantierten die Männer an den Rudern. Ein Negerbrauner winkte lebhaft und rief Frajo an; dieser erkannte in dem mageren Kerl mit dem wuscheligen Schwarzkopf den jungen, ihm etwa gleichaltrigen Hannes Stockert.

„Hannes!" rief Frajo erfreut und sprang auf. Nun winkten auch die anderen. Frajo ging im Laufschritt am Ufer mit. Er kannte die meisten, nur hatte er ihre Namen vergessen, den des Lotsen, des finsteren Steiner-Michl, ausgenommen.

„Woher?"

„Von Marbach!"

„Wohin?"

„Nach Budapest!"

Dann deutete Frajo mit dem Daumen stromauf und zum Himmel; Hannes antwortete, indem er mit dem Daumen zum Himmel wies und gleichzeitig den Kopf senkte. Frajo machte hierauf ein erstauntes und anerkennendes Gesicht, was die Flößer befriedigt hinnahmen. Hannes zeigte wie zur Bekräftigung auf das Wasser, machte mit der Hand ein paar schlagende Bewegungen und zog die Augenbrauen hoch. Frajo machte die schlagende Handbewegung nach und nickte eifrig. Er lief an der Dampfschiffagentie und den Fischerhütten vorbei, mußte über rostige Ketten steigen und den Kopf unter Drahtseilen ducken.

Die lebhafte Pantomime wurde fortgesetzt. Sie verständigten sich in der Zeichensprache der Donauschiffer, einem nie gelehrten und doch von allen Wassermenschen verstandenen Gebärdenspiel, bei dem es kein Mißverständnis, geschweige denn ein Verhören geben konnte. Frajo zeigte zweimal stromab ans andere Ufer und nickte gleichzeitig zweimal mit dem Kopf dazu; Hannes antwortete mit doppeltem Kopfnicken, wegwerfenden Gesten und herabgezogenen Mundwinkeln.

Bei dieser letzten Verständigung war aus der Floßhütte ein struppiger Graukopf aufgetaucht. Der kleine Mann sah mit komischem Ernst drein und hielt einen riesenhaften Kochlöffel in der Hand. Frajo erkannte in ihm

Hannes Stockerts Vater, der wie immer den wichtigen Dienst des Kochs versah. Zur besseren Verbildlichung dieses stummen Zwiegesprächs begann er mit der einen Hand den Kochlöffel wie einen Säbel nachzuschleifen und mit der andern wichtigtuerisch den Schnurrbart zu zwirbeln, obwohl er nur einen ganz kurzen trug. Er stolzierte in seinen dicken Säulenhosen dahin, ließ sich auf die Hände nieder, kroch auf allen vieren herum, schnüffelnd und den Hintern in die Höhe reckend. Die Flößer brachen in ein höllisches Gelächter aus, Frajo mußte miteinstimmen. Erschrocken flatterte ein Zug Wildenten, der ruhig auf dem Wasser getrieben, in die Luft.

Frajo konnte vor Lachen nicht mehr mitlaufen, er blieb stehen, er war schon bei der Hütte des Antonitsch.

„Vielleicht werden wir dich einmal brauchen!" rief Hannes herüber.

„Steh gern zu Diensten!" rief Frajo zurück und warf sich das Haar aus der Stirn.

Sie winkten, er sah dem Floß nach. Der Hinterkopf schmerzte ihn, so heftig hatte er über des Kochs Dummheiten gelacht. Langsam ging er zurück. Antonitsch lag im obersten Verschlag seiner Hütte auf dem Bauch. Der dicke Antonitsch war ein noch junger Mann mit wirrem, schweißigem Gesicht; es sah so aus, als wäre er völlig nackt. Er ließ den Fischkran nicht aus den Augen, als er Frajo einen verschlafenen Gruß zugrunzte. Er hatte durch die Überschwemmung keinen Schaden erlitten. Aus anderen Hütten stieg Rauch, die Frauen bereiteten das Abendessen, man hörte Teller klappern; und überall der eigentümliche, halb wassernasse, halb sonnentrockene Netzgeruch.

„Ich komme gleich!" rief Frajo Etel zu. Er machte einen Sprung ins Haus und kam schnell mit seiner Zeichenmappe zurück. In wenigen Minuten hatte er ihren Kopf im Linksprofil mit ein paar scharfen Kohlestrichen in natürlicher Größe umrissen.

„Gott, wie ähnlich!" hörte er hinter sich und gleichzeitig ein Händezusammenschlagen. Es war Antschi, sie trat neben ihn und setzte schmeichelnd hinzu: „Wann werde denn ich gezeichnet?"

„Oh, ihr", sagte Frajo mit freundlicher Ironie in der Mehrzahl, „ihr bleibt ja noch lange da, nicht wahr? Aber Etel fährt schon morgen früh."

Antschi konnte einen freudigen Abglanz auf ihrem Gesichtchen nicht verbergen.

„Und was die Ähnlichkeit betrifft", fuhr Frajo fort, „so ist es eine übertriebene Ähnlichkeit, um nicht zu sagen eine karikaturistische", und reichte Etel das Blatt.

Sie sah es an, sie beschaute sich förmlich darin wie in einem Spiegel, sie ordnete, das Bild stets anblickend, ihr Haar, den Kopf bald auf die eine, bald auf die andere Seite legend. Auch die Großtante wandte den Blick nicht von der Zeichnung. Halb bittend, halb ungläubig legte Etel die Hand auf ihre Brust und sagte, die Augen zu Frajo hebend: „Mein?"

„Dein", erwiderte er ernst.

„Nachtmahlzeit!" ertönte Antonias ruhige Stimme vor der Haustür. Sie gingen hinein.

Als sie am anderen Morgen herauskamen, hielt Etel die Zeichnung in einer Rolle behutsam an sich, die Großtante trug ihr kleines Körbchen, das mit einem bunten Tuch umwickelt war, es folgten Frajo, Antschi, Antonia und alle andern: der alte Endlicher-Wirt, Onkel Heinrich, Onkel Franz, die Tanten Lisi und Lori und die Zahnlückige; Mizzi, die Magd, fehlte ebensowenig wie Alfa, die schwarze Dobermannhündin, welche die Gruppe beschloß. Man geleitete die beiden Ungarinnen die wenigen Schritte zur Agentie, wo der Vorstand und der alte Stegmann schon auf sie warteten; der Dampfer würde bald landen. Frajo hatte schweigend Etels Oberarm ergriffen; sie duldete es, und ihm war, als fühlte er ihren leichten Gegendruck.

Niemand hatte einen Hut, auch Etel nicht, sie war ja ohne Kopfbedeckung gekommen; nur der zerknitterte Onkel Franz hatte es sich nicht nehmen lassen, seinen Zylinder aufzusetzen. Viel zu groß glänzte der Zylinder über seinem kleinen Gesicht, er drückte ihm sein schwarzes, fettglänzendes Haar in die Stirn, wo es wie ein dichter Kranz hervorquoll.

Natürlich wollte Onkel Franz der Großtante den Korb tragen, und natürlich ließ sie es nicht zu. Da sie ebensowenig nachgab wie er, kam es zu einer langweiligen Szene, der erst der Pfiff des Dampfers ein Ende machte. Alle schauten auf, der Dampfer rauschte an der Biegung hervor. Frajo erkannte sofort, bevor noch der Name am Radkasten zu lesen war, den ungarischen Postdampfer *Erzsébet királyne*.

Der große, wie ein Riesenschwan breithüftige Dampfer schwang sich an den Ponton. Mit dem Fallgeräusch der Wurfbirne auf den Brettern des Pontons setzte die Tonfolge ein, die jede Landung begleitete und Frajo seit frühester Kindheit bis in den Traum hinein vertraut war. Auch heute konnte er nicht umhin, dem Kapitän, der da hoch oben von der Kommandobrücke halb befehlend, halb gönnerhaft herunterschaute, einen respektvollen Blick zuzuwerfen. Er stand in seiner goldbetreßten Uniform dort oben vor den beiden schiefragenden Schornsteinen, umzittert von der heißen Luft, die über den Kesseln flimmerte, der Götze des Schiffes. Frajo verschlang all die kleinen, aber unerläßlichen nautischen Hantierungen mit bald geweiteten, bald zusammengekniffenen Augen, in denen sich ein seltsamer Ausdruck von sachlicher Prüfung, künstlerischem Sinn und phantastischem Fernweh mischte.

An dem Verhalten und den Mienen der vielen Passagiere, die die beiden langen Decks füllten oder aus den Fenstern der weißen doppelten Aufbauten herausschauten, erkannte man, wie überrascht und neugierig sie waren. Viele erhoben sich von ihren Sitzen und Liegestühlen und machten andere auf die Uferszenerie aufmerksam, die ihnen, so nahe bei Wien, unerwartet fremd erscheinen mochte; nicht allein die einsame Aulandschaft, auch die sonderbare, in Trauerschwarz gekleidete Menschengruppe. Es stiegen nur drei aus, ein mißmutiger Fischer vom Örthel und zwei dicke Gemüsehändler aus Orth; bloß die beiden Ungarinnen stiegen zu.

Schon ertönte das Getriller der Bootsmannpfeife. Das Seil wurde mit einem Griff gelöst, der Landungssteg polterte auf den Ponton zurück, der Kapitän beugte sich zum Sprachrohr, das Rad begann zu schaufeln und überschüttete die Zurückbleibenden mit Sprühregen. Grünweißen Schaum aufwühlend, rauschte der Dampfer davon, der halbe Bord war ein lebhaftes Tücherschwenken. Mitten darin standen eng beisammen die Großtante mit dem Korb und Etel mit der zusammengerollten Zeichnung.

Onkel Franz schwang seinen Zylinder bis zur Erde und verbeugte sich possierlich wie Zuze, die Lachtaube.

Es war jedoch nicht die Zeit zu solchen Beobachtungen — Frajo winkte und blickte den Davonreisenden nach, so lange, bis der Dampfer um die nächste Biegung, plötzlich von der Sonne voll getroffen und aufgleißend, verschwand. Als letztes löste sich die rotweißgrün nachwehende Flagge im Auendickicht auf.

Frajo hatte das verwirrende Gefühl, als hätte er nun erst seine Mutter verloren.

9

Vergebliche Liebesmüh'

Der August verging, der September begann, die sommerliche Wärme, von kurzen Gewittern unterbrochen, wurde nicht beeinträchtigt, die vier Verwandten wohnten noch immer im Endlicher-Haus: Antschi mit ihrem Vater, Antonia mit ihrer Stiefmutter. Aber je mehr die Frauen eine richtige Weiberwirtschaft einrichten und Frajo über den Kopf wachsen wollten, um so selbständiger wurde er, was er selbst nie für möglich gehalten: ein seßhafter Hausherr, ein Wirt.

Wer in den Wirtsberuf eindringen will, pflegt mit Kellerarbeiten zu beginnen. So auch Frajo. Die waren ihm allerdings nicht unbekannt — trotz allem Sträuben hatte er schließlich seinerzeit doch etwas gelernt. In der kühlen, dunklen Kellerluft, die nach verschüttetem Rotwein und modrigem

Holz roch, fühlte er sich wohl. Gerüche waren für ihn immer entscheidend. Das modrige Holz hatte er allerdings nie sehen wollen, wenn es in der Nacht wie ein Totenkopf irisierte, aus sich selbst geisterhaft leuchtend; es war das einzige, wovor er sich als Kind ernstlich gefürchtet hatte, und heute noch löste ihm ein solcher Anblick im nächtlichen Wald ungute Gefühle aus.

Als ihn Antschi einmal im Keller bei den Fässern besuchte, wo er eifrig Wein abzapfte und umgoß, sagte sie leise und mit ungeschicktem Augenaufschlag:

„Bin ich dir nicht unentbehrlich geworden?"

„In der Arbeit oder als Person?" erwiderte er sofort mit einer gewissen Härte, die seinem Widerspruchsgeist entsprang. Er wandte den Blick nicht von der Arbeit.

Ganz verwirrt mußte sie die Tränen zurückhalten. Sie fühlte, auf diese Weise erreichte sie nichts. Und als sie eine andere Gelegenheit für günstiger hielt und geradewegs auf ihr Ziel losging, mußte sie eine unverblümte Antwort einstecken. Dies wurde zum unmittelbaren Anlaß ihrer Abreise. Und das kam so.

Eines Sonntags Mitte September veranstaltete Kott ein Fest im Endlicher-Wirtshaus mit geschäftstüchtigen Anpreisungen, Musik, Tombola, Lampions. Am Morgen brachte er in seinem großen Motorboot sechzig Personen zum Endlicher-Wirtshaus, der Garten füllte sich sofort mit einer lustigen Menge, und am Abend brachte er sie wieder zurück. Er gestand Frajo: „Einmal muß ich doch wieder meiner Frau entkommen! Und andere Weiber kennenlernen."

Antschi hieß ihn schweigen, sie lauschte einem Gespräch am Nebentisch und wollte es auch Frajo zugute kommen lassen. Während Kott davonhastete, irgendeiner Schürze folgend, horchten Frajo und Antschi nach dem Nebentisch. Dort wand sich eine junge Mutter in gestärktem Waschkleid und Haarnetz unter den Fragen ihres Sprößlings.

„Was ist das?" Der Knirps zeigte mit seinen dicken Fingerchen auf den Anker des Motorbootes.

„Der Anker, Pepi." — „Der Anker?" — „Ja, Pepi." — „Was ist das?" — „No, der Anker! Wird runterlassen." — „Warum?" — „Grabt sich in den Grund ein, Pepi. Damit das Schiff nicht davonschwimmt." — „Aber es schwimmt ja eh nicht davon, Mutter!" — „Weil es am Ufer anbunden ist, Pepi." — „Warum?" — „Damit's nicht davonschwimmt." — „Warum braucht's dann den Anker?" — „Halt den Mund, Pepi!" — „Warum ist jetzt nicht der Anker runterlassen?" — „Weil das Schiff in einer Stund' mit uns wieder wegfahrt." — „Warum?" — „Wenn's die Nacht dablieb', täten s' den Anker runtergeben." — „Warum?"

Als Antwort klatschte eine Ohrfeige. Frajo schmunzelte. Der Knirps heulte los.

„Gott, der Arme, so ein herziger Kerl", bedauerte ihn Antschi und rückte ganz dicht an Frajo. Er spürte wieder ihren Schweißgeruch. Sie sah ihm in die Augen und flüsterte: „Gelt, Frajo, unser Kind würden wir nicht schlagen? Möchtest du nicht auch so ein süßes Kind haben?"

„Aber, Antschi, das wär' doch ein Kretin . . ."

„Ein — was?"

„Ein Kretin", wiederholte Frajo halb nachsichtig, halb mitleidig. „Bedenke unsere Blutsverwandtschaft, dein Vater und meine Mutter: leibliche Geschwister."

Diese Szene war der Anlaß zu Antschis baldiger Abreise. Sie waren ohnehin schon mehr als vier Wochen hier.

Am andern Morgen stand in der Küche eine Person, die Frajo noch nie gesehen hatte. Ihre große Gestalt, sie mochte etwa Fünfunddreißig zählen, wurde durch eine schlechte Haltung verdorben; aus ihrem nicht unhübschen, etwas eingefallenen Gesicht sah sie ihn trotzig, fast feindselig an.

„Wer sind Sie? Was machen Sie da?" fragte er.

„Ich bin die neue Köchin", sagte sie unwirsch.

„Die neue Köchin?" Sein Erstaunen wuchs.

„Wenn Sie nichts dagegen haben." Sie schlenkerte mit ihren lang herunterhängenden Armen.

„Davon müßte ich doch etwas wissen", sagte Frajo mehr belustigt als ärgerlich.

„Hauptsach', daß Ihr Vater was weiß."

„Mein Vater?" Frajo blickte auf den alten Mann, der in einer Ecke der Küche saß. In der Tiefe seines grauen Vollbarts, den Kaffeespuren färbten, verlor sich ein halb irres, halb listiges Lächeln. „Du hast eine Köchin aufgenommen, Vater?"

„Damit wir die andern anbringen, Frajo."

„Wie die mich gesehen haben", fiel die Person ein, „haben sie sich gleich verzogen. Die werden Sie jetzt los."

„Sie reden ja, als ob Sie schon zehn Jahre zur Familie gehörten", erwiderte Frajo verblüfft.

„Na, in den Brunnen gehör ich nicht!" Sie wandte sich resolut der Arbeit zu.

„Das ist ja —!" Frajo unterbrach sich und lachte auf. Er wußte nicht, worüber er sich mehr wundern sollte, über die derbe, zweifellos echte Unverblümtheit dieser Weibsperson, der man die Tüchtigkeit ansah, oder die umsichtige Entscheidung des Vaters, der seine anscheinend so blöde Teilnahmslosigkeit wieder einmal Lügen strafte.

Beim Nachmittagskaffee saßen alle beisammen; allein der alte Endlicher fehlte, er pflegte nur die Hauptmahlzeiten einzuhalten. Es herrschte eine peinliche Stimmung. Die geänderten Verhältnisse waren noch mit keinem Wort berührt worden. Onkel Heinrich hatte sich wieder eine selbstgedrehte Zigarette angezündet.

„Wir haben beschlossen, Frajo", sagte er plötzlich, indem er mit seinen verbogenen tabakbraunen Fingern auf den Tisch trommelte, „morgen abzureisen. Jawohl, Frajo, morgen. Es ist Zeit. Es ist höchste Zeit! Wir sind euch lang genug zur Last gefallen. Es ist Schluß mit dem Volksfest, Frajo, der Ernst des Lebens beginnt wieder. Nur du kannst nicht ernst werden, du kannst halt mit dem Kartenstehlen nicht Schluß machen" — und er zog aus Frajos Brusttasche ein Karo-As. Frajo hatte, verwirrt lächelnd, bei der unvermutet raschen Annäherung wieder den Zigarettenduft Onkel Heinrichs einsaugen können. Der hielt jetzt die Spielkarte hoch und zeigte sie taschenspielerisch umher.

Antschi schielte verlegen auf ihre Hände. Antonia sah mit kühlen grauen Augen Frajo voll an. Die Zahnlückige hielt ihre magere Hand vor den Mund. Sie nickte eifrig zu Onkel Heinrichs Worten. Er hatte sie mit der gleichen burschikosen Lebhaftigkeit und gutmütigen Liebenswürdigkeit vorgebracht, die alle so für ihn einnahmen. Leicht affektiert allein klang, wie immer, der nasale Ton seiner Stimme.

Am späten Abend, der dieser letzten Nacht voranging, klopfte es leise an Frajos Tür, und gleich darauf trat Antonia ein. Sie schloß die Tür lautlos hinter sich und lehnte sich an den Türpfosten, die langen Beine gekreuzt, den Kopf zurückgeworfen. Ihr weizenblondes Haar fiel auf einen durchsichtigen Schlafrock. Unter den halbgeschlossenen lasurblauen Augenlidern mit den langen Wimpern blickte sie prüfend auf den Überraschten.

Glühend starrte er auf ihren üppigen Mund. Die Kuckucksuhr begann umständlich zu schnarren, holte knacksend aus, das lackierte Vögelchen erschien im Türchen und rief sein hohes und tiefes Kuckuck zehnmal. Als es geendet, sagte Antonia verhalten, und wieder wurde ihr Weizengeruch unwiderstehlich:

„Wenn ich dich nicht haben kann, Frajo, sollst wenigstens du mich haben."

Beim alten Haslauer

Ähnlich wie in den Fischerhütten nahm auch das Leben im Endlicher-Wirtshaus wieder, nach den Einquartierungen der Verwandten, den Gang des Alltags an. Das heißt, an Stelle der verstorbenen Wirtin schaffte die neue Köchin, die Fini, die sich kein Blatt vor den Mund nahm und bei ihrem Herumhantieren rücksichtslos Lärm machte — es war also eigentlich nicht still; und an Stelle jenes Frajo, der sorglos in den Tag hineingelebt und sich um nichts viel gekümmert hatte, war ein verwandelter Frajo getreten: er hielt die Leitung des Ganzen fest in der Hand, ohne seine Nase in überflüssige Dinge zu stecken, was ihm wieder Fini zugute hielt.

Welcher Fischer des Örthels hockte nicht — wenn einmal alle Ausbesserungsarbeit getan war — den ganzen Tag in seiner Fischerhütte? Gewiß, keiner konnte sich mit der sprichwörtlich gewordenen Passion Ferdinand Endlichers messen, es sei denn der alte Haslauer; der war jedoch mehr durch die Heilkraft seiner Wunderkräuter bekannt.

Wer die Fischersiedlung zum erstenmal sah, mußte sie für ausgestorben halten. Da stehen die grauen, von Wind und Wetter gebleichten Holzhütten in einer langen, lockeren Reihe am Ufer, und nichts rührt sich. In jeder Hütte kann man ein Loch bemerken und darin eine Hand, mehr nicht. Es ist die Hand des Fischers, der drinnen die Seiltrommel dreht. Unsichtbar stecken die Fischer in ihren Hütten, die Seiltrommel drehend und durch das Loch aufs Wasser spähend. Das Drahtseil bewegt sich in Kopfhöhe zum Fischkran hinaus, von wo das Netz tief ins Wasser hängt oder daraus aufsteigt. Ein paar Meter stromauf liegt der Kehrbock im Wasser, ein künstliches Hindernis, daran die Strömung alles Mögliche anklebt. Es entsteht eine Ablenkung der Strömung vom Fischplatz, ruhig entgegentreibendes, kehrendes Wasser. Ein wiederkehrendes, die Fische anlockendes Wasser; kann man es aber, und gerade bei den Fischplätzen, nicht auch ein kehrendes, im Sinne von Auskehren, nennen? Kehren denn die Fischer, indem sie die Fische fangen, nicht das Wasser aus?

„Wir reinigen es", pflegte der alte Endlicher zu sagen, „wir sind die Wächter des Wassers. Darum führen wir in unserem Wappen den Schlüssel Petri, des biblischen Fischers. Der Schlüssel Petri öffnet uns die Pforten des Himmels und die Pforten des Wassers. Es müssen Ströme lebendigen Wassers fließen . . ."

Frajo eilte den Uferpfad entlang, zog immer wieder unter den surrenden Drahtseilen den Kopf ein. Zu Hause hatte er alles liegen und stehen lassen, ihm war etwas eingefallen . . . Wie hatte er es alle diese Wochen vergessen können! Er eilte mit großen Schritten, schief nach vorn, zu Klepar, der mußte imstande sein, ihm Bescheid zu geben, der eifrige Obmann war ja von allem unterrichtet. Und wenn er bei ihm nichts erführe, würde er von einem zum anderen Fischer gehen, bis er wußte, woran er war. Er konnte nicht warten, bis sie am Abend ins Gasthaus kämen; ungeduldig war er plötzlich, er mußte es gleich wissen.

Er traf den Obmann in seiner von wildem Wein überrankten Laube. Frajo brachte sein Anliegen vor und blickte gespannt auf Klepars bleiche, vertrocknete Lippen, zwischen denen zwei große gelbe Zähne hervorsahen. Klepar begann allerhand Unklares herumzureden. So bewandert er sich sonst zeigte, diesmal versagte er offenbar. O ja, meinte er, er glaube den betreffenden Burschen so ziemlich zu kennen, aber „nichts Gewisses" wisse er nicht und der Name falle ihm nicht ein. Blond sei er? Mit blauen Augen? Athletisch, halbnackt?

„Und auffallend lange, muskulöse Beine hat er", erklärte Frajo, „ganz voll Haarflaum . . ."

„Hm, hm", sagte Klepar abwesend.

„Ich hätte dich gleich damals fragen sollen, vor sechs Wochen, als er mich übergesetzt hat, aber du weißt, wie sich die Ereignisse inzwischen überstürzt haben . . ."

„Fragen wir Schramm", meinte Klepar. Sie gingen stromab. Plötzlich blieb er stehen, schlug sich auf die kleine, längsgefaltete Stirn:

„Das ist der Boxer!"

„Der Boxer?"

„Der bekannte Boxer! Du kennst ihn bestimmt, wie heißt er denn —"

Frajo nannte ein paar in der Sportwelt geläufige Namen, obwohl er überzeugt war, daß sie damit dem Christophorus — so nannte er den blonden Burschen für sich — nicht auf die Spur kämen.

Die nächste Hütte unterschied sich als einzige von allen anderen. Ohne Kehrbock und Fischkran, stand sie ein wenig landeinwärts. Sie erhob sich auf Pfählen, die Wiese war nicht gestört, das hohe Gras wuchs unter ihr weiter. Es war die Klepar gehörende, meist leerstehende „Sommervilla". Darin hauste vorläufig Schramm mit seiner Frau. Er war mit der ihm eigenen langsamen Gründlichkeit daran, sich eine neue Fischerhütte zu zimmern.

„Na, du Dickkopf", begrüßte ihn Klepar, „hast es einsehen müssen, daß sich drüben niemand halten kann?"

Der ungefüge, große Mann in Hemd und Unterhose, breit, von auffällig weißer Hautfarbe im Gegensatz zu all den gebräunten Fischern, der umständliche Schramm mit dem fischelnden Unterwassergeruch, legte die Säge weg und reichte Frajo seine Riesenhand.

Klepar versuchte, Schramm den blonden Burschen zu beschreiben, er redete von unten in sein Gesicht hinauf. Frajo warf lebhaft nähere Erklärungen ein. Schramm stand mit gesenktem Kopf da und schaute unverwandt auf die Erde, als sähe er tief in ihren Grund hinein. Zum Schluß wiederholte Klepar: „Es ist der Boxer, der Boxer!"

Nach langem Schweigen sagte Schramm endlich, ohne sich zu rühren, mit seiner gepreßt pfeifenden Stimme, die Frajo an dem Ungetüm jedesmal überraschte:

„Das ist kein Boxer."

Klepar schaute ihn mit offenem Mund an und widersprach nicht. Es war merkwürdig, er sagte nichts mehr. Schramm verfiel wieder in seinen Schweigezustand. Im Hintergrund stand Schramms Frau, die Hände über der Schürze gefaltet, und blickte Frajo wartend an.

Frajo hätte gerne bekräftigt gehört, daß es ein Boxer sei; er achtete das Boxen als eine waffenlose unblutige Selbstverteidigung, die er gerne selber gelernt hätte; sie betäubt den Gegner im K.-o.-Fall nur einige Sekunden lang.

Um das Schweigen zu brechen und irgend etwas zu sagen oder um seine mit einem leichten Vorwurf gemischte Enttäuschung darüber anzudeuten, daß sie von dem blonden Burschen, wenn überhaupt, nur Widersprechendes wüßten, sagte Frajo:

„Und er ist so gut über uns unterrichtet!"

Da geschah abermals etwas Merkwürdiges. Klepar schaute erstaunt auf Schramms Frau: „Warum soll er's denn n i c h t sein?" sagte er, und sie nickte ihm zu.

Es war umsonst. Frajo ging allein weiter, von einem zum anderen Fischer: überall das gleiche Ergebnis. Die Hütten bestanden meist aus zwei winzigen Kammern und waren einfach, aber nett eingerichtet. Antonitsch, der letzte Fischer, lag wieder nackt und schwammig oben in seinem Dachverschlag auf dem Bauch und war eingeschlafen. Sein Schnarchen übertönte den Anfall des Wassers am Kehrbock. Eigentlich war er der vorletzte, es kam, nach einer längeren Wegstrecke, die wirklich letzte Fischerhütte, die Haslauers.

Zu Haslauer ging Frajo leidenschaftlich gerne. Er kam an einer Materialhütte der Donauregulierung vorbei, die in Unkraut versank, und sah endlich von weitem den großen Strauch mit den gelben Blüten schimmern, hinter dem sich Haslauers Hütte verbarg. Der dichte Strauch, all seine zahllosen dottergelben Blüten waren übervoll von Tieren: Marienkäferchen, Ameisen, Fliegen, Bienen, Hummeln. Eins klebte am andern, eine wimmelnde Hülle, selbst schon wieder ein Strauchgebilde. Sie waren noch seit dem Regen da, wo sie Schutz gesucht hatten. Das Ganze gab ein verworrenes Summen von sich. Dieses Summen und ein bittersüßer Geruch vibrierten um den Strauch, die Luft in Schwingungen versetzend. Frajo drang hindurch und stand vor Haslauers Hütte.

Was für eine Hütte: kaum größer als eine Hundehütte, eigentlich nur ein Dach... Nicht viel mehr als ein Dach stand am Ufer, knapper ging es schon nicht mehr am Wasser, gerade daß man sich hineinsetzen konnte. Eine geflickte Decke auf dem Boden, ein paar Fächer mit Kleinigkeiten an den schrägen Wänden, sonst nichts. Ganz niedrig lief das Drahtseil zum Fischkran hinaus. Eine morsche Zille schaukelte. Von Haslauer war nichts zu sehen.

Dieser Verschlag konnte nicht Haslauers Aufenthaltsort sein, höchstens eine Zufluchtsstätte in kalten Nächten oder wenn es regnete; sein Raum war die Wiese, ja die Wiese dahinter, der weiche Rasen, den die dichten Weidenbüsche umschlossen und zugleich freiließen. Sie waren die Wände einer Wohnung, wie man sie sich natürlicher nicht vorstellen kann; sie, die Büsche, umgrenzten wieder einzelne Aussparungen, sie formten Höhlungen, die als Schrank oder Werkstatt dienten. Und in einer verdeckten Grube barg Haslauer seine Geheimnisse: Totenköpfe von Tieren, winzige, wohlkonservierte Gerippe, Klauen, Mauszähne, Fischflossen und -schwänze, seltsame Steine, Kräuter und Wurzeln, was alles sich freilich nur Haslauer selber darbot, wenn er der Grube etwas entnahm; einmal hatte er Frajo ausnahmsweise Einblick gewährt. Frei dagegen hingen an den Zweigen des Gestrüpps eine Pfanne, zwei Tassen, ein Schöpflöffel, ein durchlöcherter Strohhut. Eine Kiste und ein paar sonderbare Behälter standen herum. Große flache Steine, geschwärzt und mit Reisig bedeckt, bildeten den Herd. Geflickte Netze waren über Stauden gespannt. Das war Haslauers Heimstätte, das waren seine Möbel, alles hatte ihm die Donau als Strandgut geschenkt oder er hatte es aus dem Strom gefischt. Frajo wußte das, und wie immer, wenn er herkam, lächelte er zustimmend.

Auch hier war es einsam, aber es machte nicht den Eindruck von Verlassenheit. Es wirkte freundlich und selbstverständlich. Kam es daher, weil ein Ausgleich zwischen Mensch und Natur, dieser Versuch einer Anpassung, bei dem ja doch immer das Menschliche über das Natürliche den Vorrang hat, nicht einmal unternommen wurde?

Landeinwärts bewegten sich die Büsche, sie teilten sich, und aus einer Senke tauchte im rosigen Schmelz des Abendscheines Haslauer auf. Zuerst sein weißhaariger Kopf, das große, wetterfeste Gesicht mit dem grauen Schnurrbart, dann die breiten Schultern, der hohe aufrechte Körper, den ein vergilbter Anzug umspannte. Er trug einen mit Wasser gefüllten Eimer. Er wirkte nicht verwildert, er war rasiert und sauber. Langsam, etwas starren Blickes, kam er auf Frajo zu.

Die ganze Stimmung bewog Frajo, sein Anliegen nicht gleich, wie er beabsichtigt hatte, vorzubringen. Ja, es schien ihm auf einmal gar nicht mehr so wichtig... War es denn wirklich nötig, zu wissen, wer Christophorus gewesen war und wie er hieß? Das Zeitlose, vor allem das Zeithaben, das sich hier mit solcher Einfachheit ausdrückte, all dies verwehte die Erregungen des Alltags in ein lächerliches Nichts.

Haslauer fragte nicht, was ihn herführe, Frajo war einfach gekommen, war da. Er machte Feuer, hängte einen kleinen Kessel darüber, füllte ihn mit Wasser und Erdäpfeln. Dann ergriff er den Eimer und sagte, er müsse noch einmal zur Quelle. Frajo begleitete ihn. Sie kamen zu der Senke. Königskerzen wachten wie Flammenschwerter davor. Sie drangen in das Brombeergebüsch ein, der abschüssige Weg führte auf hohes Schilf zu, das ein bläuliches Widerscheinlicht verbreitete. Man hörte das Plätschern einer Quelle und dann sah man sie. Haslauer bückte sich und hielt den Eimer darunter.

Als sie wieder zurück waren, sagte Haslauer: „Bleib ruhig, es ist die Zeit, wo das Reh kommt."

Im Kessel summte es über dem Feuer. Haslauer berührte Frajos Arm: das Reh war erschienen, ganz rot. Nur die Schnauze glänzte tiefschwarz wie Lack, fast unnatürlich, ein paar Schaumflocken fielen herab. Die gleiche tiefschwarze Farbe, so glänzend, daß sie weiß lichterte, hatte Christophorus' Flößerkiste gehabt... Das Reh witterte, es hielt sich schwankend auf gespreizten Beinen, es war, als wehrte es sich gegen den Boden, der es ziehen wollte wie ein gleitender Teppich. Frajo deutete auf sich, er hielt sich für das Hindernis.

Da heulte ein Dampfer auf, ganz nahe — ein Satz, das Reh war verschwunden. Haslauer erhob sich, Frajo folgte ihm zum Strom. Der österreichische Schleppdampfer *Erlaf*, ein altes Rechenschiff, rauschte, einen leeren Schlepp seitwärts und zwei tieftauchende nachziehend, stromab. Haslauer drückte eine Stange in seine Zille, damit sie von den mitlaufenden Wellen nicht ans Ufer geschlagen werde. Der Fischkalter, an Ketten im Wasser schwimmend, wurde tüchtig hin und her geworfen.

„Die Fische da drinnen ärgern sich, sie nehmen ab", sagte Haslauer. „Fangt ihr auch so wenig? Seit dem Hochwasser ist das Wasser sandig, voll Unrat, geht am Boden ganz dick. Der Fisch kann nicht unten bleiben. Es verlegt ihm die Kiemen, die bluten und schmerzen, er kann nicht atmen, er kann den andern nichts erzählen, alle leiden sie und wissen nicht, was sie tun sollen."

Sie schälten die gekochten Erdäpfel und aßen sie mit Salz und Brot. Haslauer erzählte von einem nächtlichen Gewitter, in das er vor vielen Jahren einmal geraten war, als er die Donau übersetzte. Die Blitze hatten ringsum ins Wasser geschlagen, Flammensäulen, „Wasserstrack" nannte er sie. Die Donau war ein einziger Brand gewesen.

„Auch damals war so ein Hochwasser", fuhr Haslauer fort. „Das Hochwasser siedet, kocht, es geht so auf. Es wird ein arger Winter werden, Frajo. Das sagt mir das Wasser. Die Füchse werden lange nicht horchen."

Er stand auf, schlüpfte in seinen dachartigen Verschlag und begann die Seiltrommel zu drehen. Schwalben saßen auf dem Drahtseil, und als es summend zu wandern begann, ließen sie sich mitziehen. Erst wenn die Stelle, auf der sie saßen, durch das Loch in der Dachhütte zu verschwinden drohte, flatterten sie kurz auf und ließen sich am andern Ende des Drahtseils nieder. Wieder wurden sie mitgezogen, das Spiel wiederholte sich.

Als Frajo endlich den blonden Christophorus streifte, konnte auch Haslauer ihm keinen Bescheid geben. Es hatte sich eine sonderbare Vorstellung in Frajo eingewurzelt. Christophorus war ihm beim Anblick Haslauers mit diesem verschmolzen... Das heißt, ihm schien Haslauer in Christophorus einen Nachfolger gefunden zu haben, wie er andererseits in seiner Jugend dem Christophorus völlig gleichgesehen haben mochte. Daraus erklärte sich die unvermutete Frage, die Frajo plötzlich Haslauer stellte:

„Warst du blond?"

„Nein", antwortete Haslauer. Er wunderte sich gar nicht über die Frage. Dann verbesserte er sich: „Eigentlich halb und halb. Hellbraun. Siehst den Fischreiher auf der Sandbank stromauf spähen? Das Wasser wird wieder steigen."

Als Frajo im Halbdunkel nach Hause ging, war er wie berauscht. Etwas Unergründliches hatte ihn angerührt. Die Sträucher, das Heidekraut, die Kamille, die Pfefferminze, der Thymian strahlten einen starken Duft aus, Stöße von Duft trafen ihn, er taumelte.

Am anderen Morgen war Frajo wieder bei Haslauer. Die diesige Luft über den Wäldern versprach einen prächtigen Tag.

„Weißt du, was bei dir so schön ist?" sagte er ihm. „Vieles natürlich. Aber besonders das: das Zeithaben. Zeit haben, eine Grundbedingung des Menschseins... Wer niemals Zeit hat, wie Kott und seine Frau und so viele, die sich deshalb für modern halten, ist überhaupt kein Mensch... Und darum, weil sie in unserem neuen Jahrhundert immer weniger Zeit hat, rast die Menschenwelt in etwas Böses hinein... Wir aber wollen uns davon freihalten, nicht wahr, Haslauer?"

Haslauer nickte. Frajo sah auf seine Narbe, die von der Stirn herabstoßend das linke Auge etwas verkleinerte. Barfuß gingen sie langsam am Ufer stromab. Wohlig sanken die nackten Sohlen in den weichen Wellsand ein. Es war feinster Dünensand, weißschimmernd wie Schnee. Eilig hob sich das frühe Feuergestirn in den Himmel. Zeichneten sie die Erde mit einer langen Doppelreihe von Fußspuren, so war der Himmel vom hohen Dreiecksflug der Wildenten gezeichnet, deren vorstoßender Keil in das diamantklare Gewölbe schnitt.

Längst war alles, was an menschliche Tätigkeit hätte erinnern können, verschwunden. Sogar der steinerne Uferdamm, das Kennzeichen der Regulierung, war tief unter dem Wellsand begraben. Der Sand wurde immer wärmer. Mit gewaltigem Anfall hatten die Hochwasser ihre Wassermassen über den Damm in die tiefergelegenen Wiesen ergossen. Als sie wieder abgeflossen waren — die Altfische mitnehmend, die Jungfische in den Tümpeln zurücklassend —, verblieben die mitgeschwemmten Erdmengen auf den Wiesen. So wurden diese bei jedem Hochwasser Schicht um Schicht erhöht. Manche Wiesen lagen bereits höher als der Damm.

Haslauer sagte, wenn man von der ungeheuren Kraft des Wassers eine Ahnung habe, dürfe man sich nicht wundern, daß ganze Dörfer hier begraben liegen. Gangholz, Wolfswerd und Urfahr heißen, wie ja Frajo selber wisse, die Auen — und das seien früher Namen von Orten gewesen. In alter Zeit seien sie und viele andere Orte bis weit hinein ins Marchfeld von der Donau geraubt worden. Die geflüchteten Einwohner, neue Überschwemmungen fürchtend, seien nicht mehr zurückgekehrt und hatten die zerstörten Häuser ihrem Schicksal überlassen. Und das Wasser sei wiedergekommen, habe die Ruinen unterwaschen und zum Einsturz gebracht, die Reste mitgenommen und unter Sand und Geröll begraben.

Im Weitergehen hatten sie schon lange ein Brausen gehört. Es klang wie Meeresbrandung. Auf einer mit lockeren Stauden bewachsenen Düne standen sie plötzlich vor einem See: die Donau hatte sich breit wie ein See ausgeweitet. Blendend aufgleißend, ein riesiger Sonnenspiegel, hatte das Wasser den Uferdamm überflutet. Unruhig wie in einem heißen, flammenden Kessel wogte das Wasser.

„Noch nie habe ich so feuerähnliches Wasser gesehen!" rief Frajo aus. „Wie gleich müssen die beiden Elemente einander sein . . ."

„Wir können nicht weiter, wir müssen umkehren", sagte Haslauer.

Frajo packte seinen Arm: „Haslauer, möchtest du da nicht immer weiter und weiter wandern? Der Donau nach, immer mit ihr in die Ferne?"

„Ich bin alt, Frajo."

„Aber wie du jung warst, Haslauer?!"

„Glaubst du, Frajo, daß es dort anders ist? Auch dort fließt das Wasser in die Ferne, auch dort fischen die Menschen wie wir. Auch dort leben, sterben sie wie wir."

Frajos Augen versuchten vergeblich bis an den Horizont zu dringen, die Sonne blendete so, daß er nichts sah. Er hielt die Hand vor die Augen, sie schmerzten, ihn schwindelte, er ließ sich in den heißen Sand nieder.

Endlich trennten sie sich von dem Feuer-Wasser-Bild. Langsam gingen sie zurück. Mit dem Strom kam auf Riesenschwingen der Wind hergesaust. Wie ein Adler stürzte sich der Wind, von der Sonne fasziniert, gegen das Tagesgestirn; indem er die Hitze milderte, trieb er die Sonne wie einen Ball in die Höhe, und sie tanzte in der Flimmerluft seiner Flügelschläge. Sonne und Wind, gab es etwas Schöneres für Frajo als so einen Sonnenwindtag?

„Glaubst du, daß ich es zu Hause aushalten werde?" fragte Frajo.

„Du mußt selber daran glauben, Frajo."

„Es gibt einen Spruch, Haslauer: Wer nichts wird, wird Wirt ... Soll ich ausharren? Ich muß mich zwingen, Haslauer. Aber wie schön ist es auch hier!"

Bei Haslauers Heimstätte trennten sie sich. Frajo ging allein weiter. Er sprang: der Sand brannte nun unter den nackten Füßen. Der Strauch mit den dottergelben Blüten brauste reingefegt. Kein einziges Tier war darauf, der Wind hatte sie weggepeitscht. Licht- und Schattenkringel durchwühlten den Strauch wie eine unaufhörliche Explosion.

11

Frajo als Wirt und Fischer

Einige Tage später erfuhr Frajo von Fini, der Briefträger habe einen rekommandierten Eilbrief für ihn gehabt mit dem ausdrücklichen Vermerk: nur persönlich aushändigen — und da er nicht zu Hause gewesen sei, habe der Briefträger den Brief wieder mitgenommen, Frajo möge ihn selber von der Post abholen.

Am späten Nachmittag machte sich Frajo auf den Weg nach Orth. Er war unangenehm überrascht, als ihn unter einem einzelstehenden Baum Antonitsch und zwei Fischertöchter erwarteten. Sie hätten auch drinnen etwas zu besorgen, kicherten die Mädchen. Sicher hatte Fini getratscht, aber er sagte nichts dergleichen.

Die Mädchen hatten sich schön gemacht. Sie verhielten sich halb respektvoll, halb lauernd. Frajo lächelte ihnen geistesabwesend zu. Er ging voran, den Abkürzungsweg wählend. Über den hohen, grasigen Hauptdamm, der wie ein endloser Schlag durch die Auwälder schnitt, kamen sie in das Gebiet der Altwasser. Diese rieselten in einem finsteren Grün kaum hörbar durch das schwüle Dickicht. Die Stille war bedrückend. An dem vermoosten Weg schimmerten die Stämme blau wie Stahl. Tief drinnen im Wald fügten sie sich zu einer grauen Nebelwand zusammen. Einmal blieb Frajo stehen und legte den Kopf in den Nacken, um die Sonne zu suchen: hoch oben irisierte das Blätterdach in durchscheinendem Gold. In der Höhe rieselte die Sonne leise, wie unten die Wasserfäden rieselten.

Plötzlich spürte Frajo etwas an seiner Wange. Was hing da in der Luft? Es schaukelte, es war ganz nah, er schielte darauf. War das nicht ein Nachtfalter? Ja, ein Nachtfalter baumelte vor seiner Nase, tot. Der Nachtfalter hing in einem Spinnennetz.

Zu viert hielten sie vor dem Spinnennetz. Riesig spannte sich das Netz über die Breite des Weges. Frajos Körper war voll klebriger Fäden, er war lange nicht imstande, seine Hände und Haare davon zu befreien.

„So einsam sind wir", sagte er ungebärdig. „Sogar die Spinnen sperren uns von der Welt ab."

Weitergehend, wurden sie von morschen Stegen aufgenommen, um die Riesennetze von Millionen Mücken wallten. Die Stege schienen mit dem summend hin und her schwankenden Mückennetz zu schaukeln, eine schwindelnde Hängematte über den Tümpeln.

„Orth!" sagte Antonitsch. Er hatte die Mädchen untergefaßt. Hinter einem rasch fließenden Arm, dessen lebendiges Wasser auf Frajo befreiend wirkte, lagen die Häuser, das düstere Riesenschloß mit seinen vier Ecktürmen. Sie hatten nach langer Wanderung den Auengürtel durchquert, ohne auf einen Menschen gestoßen zu sein. Unabsehbar dehnte sich das Marchfeld vor ihnen. Rot und blau gekleidete Männer und Frauen arbeiteten auf einem Acker.

Als Frajo den Flur des Postamtes betrat, schlug ihm eine dumpfe, kuhwarme Luft entgegen. Schwalbennester klebten an der niedrigen Decke. Der Brief kam aus Italien. Kehrte eine vergessene Freundin, die dort eine Beschäftigung als Fremdenführerin erhalten hatte, am Ende zurück? Nein; er las etwas anderes. Sie habe von Kott einen eindeutig zweideutigen Brief erhalten, teilte ihm die Freundin mit, worin er seine bevorstehende Italienreise, natürlich ohne Frau, ankündige; er werde sie besuchen. Er halte viel von ihrer freigebigen Schönheit — ja, so habe er geschrieben. Woher habe er das alles? Und vor allem ihre Adresse? Frajo müsse das klären und ihn sofort zurechtweisen.

Nun, sehr weltbewegend war das nicht. Aber es sah Kott ähnlich. Sogar Verreisten ließ er keine Ruhe. Natürlich, damals, als er Frau Kott sein Notizbuch überlassen hatte, damit sie Bethas Telefonnummer finde und sie verständigen könne, am Todestag der Mutter, hatte Kott die Gelegenheit wahrgenommen, sich seines Notizbuches zu bemächtigen und das ihm

Zusagende herausgeschrieben ... Er hatte ihm dabei ja selber zugesehen.

Frajo gab gleich einen entsprechenden Brief an Kott zur Post. Er ärgerte sich über diesen Unsinn und daß noch immer Spinnfäden an ihm klebten. So weltfern lag das Endlicher-Wirtshaus, daß die Leute das Wortspiel gebrauchten: Endlich erreicht man ja doch die Endlicher ...

Auf dem Rückweg sah er in einem Altwassergrund einen Mann Schilf schneiden. Schimmerte sein Haar blond oder grau? War es Christophorus oder Haslauer? Waren sie es in einer Gestalt?

"Christophorus!" rief er. "Haslauer!"

Die Gestalt wandte sich ihm zu. An der ruckartigen Kopfbewegung erkannte er Haslauer. Frajo eilte hinunter.

"Ich helfe dir die Bünde nach Hause tragen, Haslauer."

"Der Kehrbock", knurrte Antonitsch, "mein Kehrbock ist schon aufgestellt ..." Er verschwand mit einem aufgelösten Mädchen im Dickicht.

"Siehst du", sagte Haslauer, als sie die Schilfbündel trugen, "den Pfad da über Orth herein bin ich viel gegangen. Damals waren die toten Arme noch breite Ströme, und ich hab' Zillen benützen müssen. Ich hab' sie gut im Schilf versteckt, damit der Wassermann sie nicht findet, oder andere ... Oft hab' ich bis in den Morgen hinein gefischt. Seit ich alt bin, rühr' ich mich Sommer und Winter vom Fischen nicht weg. Ja, auch im Winter rühr' ich mich nicht weg."

"Dein ganzes Leben hast du dich nicht weggerührt", sagte Frajo, versonnen auf das verspätete Rufen eines Kuckucks hörend, und entfernte den letzten Spinnenfaden, den er am Ohr spürte.

12

Vom letzten zum ersten Schiff

Ende Oktober fuhr der letzte Personendampfer. Ein Schicksalsschlag für den namenlosen Hund des alten Stegmannes! Er war ihm zugelaufen, er hatte das ganze Jahr von den Knochen gelebt, die ihm aus den Küchen der gelandeten Schiffe zugeworfen worden waren. Hat man schon einen Landungsponton ohne Hund gesehen, ohne bellenden und schweifwedelnden Hund? Auch Alfa hockte, wohlgenährt und schwarzglänzend, auf dem Ponton, aber das braune Dreieck an ihrer Brust zuckte nur verächtlich, wenn sich der armselige Körper an den elenden Knochen gütlich tat. Damit war es nun zu Ende. Mit den Schiffen blieb die Nahrung aus.

Auch für Frajo war das tägliche Schiff eine Nahrung gewesen, eine geistige. Gewiß, es fuhren noch die Frachtdampfer und Schleppzüge, sie keuchten manchmal lange in den Winter hinein, und wenn das Eistreiben ausblieb, riß der Warenverkehr gleich dem Strom nicht ab; aber von diesen Schiffen landete nur eines in zwei Wochen. Es war der sogenannte Packler: der die Pakete, auf den Lokalgüterverkehr beschränkt, von Station zu Station wechselte. Man wußte nie, wann er kam. Man versäumte das Ereignis manchmal. Die Landung ist das Wichtigste am Schiffahren! erkannte Frajo.

Der Winter kam mit einer bösartigen Wucht. Selbst Haslauer, der ihn vorausgesagt, mußte flüchten. Die Fische waren in die Tiefe gegangen, die Fischer hatten — auf ihren letzten Gängen mühevoll Fahrräder schiebend — längst ihre Wohnungen in den umliegenden Ortschaften aufgesucht.

Haslauer war vor Weihnachten in den Endlicher-Gasthof übergesiedelt. Zu viert schliefen die Männer — der alte Endlicher, Frajo, Haslauer und ein neuer Knecht — im Elternzimmer, es lag über der großen Küche, wo das Feuer nie ausging. Fini und Mizzi schliefen nebenan, in Bethas ehemaligem Zimmer. Trotzdem froren alle. Die Räume waren „nicht zu derheizen", wie sich Fini schimpfend ausdrückte. Die Küche war der wärmste Aufenthalt. Von der Küche rührten sich die sechs Bewohner des Hauses tagsüber nicht weg.

Auch die Feiertage verbrachten sie in der Küche. Sie saßen um den großen Tisch in der Mitte herum. Der alte Endlicher, der über alle Speisen das Kreuzzeichen machte, trank als einziger Schnaps, er vertrug immer mehr und sagte, auf die in schwarzglänzendes Leder gebundene Riesenbibel klopfend:

„Vierundzwanzigerlei hat Elisabeth gebacken..." Mit Elisabeth meinte er Cäcilia, die Gattin; seit ihrem Tod nannte er sie mit dem Namen der Kaiserin, und man ließ ihn dabei. Oder verwechselte er sie mit Betha? (Betha war eine Abkürzung von Elisabeth, nicht der zweite griechische Buchstabe; dagegen war Alfa, der Hundename, im griechischen Alphabet Beta vorgesetzt, um — eine boshafte Erfindung Frajos seiner hoffärtigen Schwester gegenüber — diese zu ärgern.)

„Ja, vierundzwanzigerlei", stimmte Frajo bei. Es waren traurige Weihnachten, die ersten ohne Mutter. Er mußte Fini die vierundzwanzig Arten aufzählen; diesmal waren es immerhin zwölf verschiedene Mehlspeisen. Fini war von der Köchin zur Wirtschafterin aufgestiegen. Sie wußte alles unsichtbar herbeizuschaffen, eine emsige Hamsterin. Dabei tat sie jedesmal, wenn sie von auswärts zurückkehrte, als käme sie mit leeren Händen. Bei solchen Gelegenheiten schrie sie meistens: „No ja, es ist ja nichts zu kriegen!"

Frajo fiel darauf herein. Sobald er aber wütend die Speisekammer prüfte, zeigte sich, daß sie alles doppelt gebracht hatte. Als Hamsterin hatte sie

auch der Vater kennengelernt, als sie in Orth alles mögliche zusammen-
gekauft hatte; sie entstammte einem Wiener Arbeitervorort. Ihre Ham-
stereigenschaften waren Frajo geradezu unheimlich geworden, da er schon
oft hatte beobachten können, wie sie im Hühnerhof jedes verstreute Fe-
derchen sorgfältig auflas — ihre langen Arme enthoben sie fast des Bük-
kens — und in ihrer großen Schürzentasche verschwinden ließ. Was wollte
sie damit?

Als er sie einmal darüber befragte, stotterte sie, die Augen niederschlagend und dann mit schüchterner Herausforderung hebend, sie trage ihre
Aussteuer zusammen, ob er was dagegen habe? Ihre Aussteuer? Was solle
er dagegen haben? Verständnislos sah er sie an. Ja, ihr Heiratsgut! sagte
sie und begann zu schreien: „Glauben S' denn, ich brauch nix? Eine ganze
Ausstattung hab' ich so zusammengekriegt. Nur so! Meine Polster und
Tuchenten sollten S' sehen. Glauben S' denn, ich brauch' nix?"

Fini war jedenfalls sehr verläßlich, wenngleich sie alles tat, um unver-
läßlich zu erscheinen. Aber die Leitung des Hauses war nichts für sie. Die
hatte Frajo übernommen. Und er brauchte es. In seiner Person lief alles
zusammen. Auch was Orientierungssinn betraf, der bei ihm so hoch ent-
wickelt war wie sein Geruchssinn, versagte sie. Er mochte ihr einen Wie-
senplatz, einen Weg, die Lage eines Hauses oder Geschäftes noch so genau beschreiben, sie fand nicht hin, sie verirrte sich. Dagegen konnte man
sicher sein, daß sie einen im Hause verlegten und nicht auffindbaren, von
allen vergeblich gesuchten Gegenstand binnen kurzem aufstöberte und da-
herbrachte.

Eine merkwürdige Person! Frajo beobachtete sie, wie sie zwischen Tisch
und Herd hin und her schlenderte, die guten Sachen wahllos hinunter-
schlang, immer hungrig. So zeichnete er sie auch; er zeichnete jetzt alle,
nicht nur wie früher seine Freundinnen. Fini tat, als könne sie ihn nicht
leiden, bewies aber durch heimliche Kleinigkeiten ihre Zuneigung: auf
seinem Nachtkästchen fand er Schokolade, einen Bleistiftspitzer, ein be-
stimmtes Buch, Dinge, die er sich unabsichtlich gewünscht hatte . . . Sonderbar, diese lange, nicht unhübsche Person mit den tatschenden Füßen
hatte etwas völlig Unerotisches. Sie war nicht weiblich, sie war sächlich.
Sie hatte nicht den geringsten Geruch. Sie wusch sich wenig und war immer rein. Das war es: sie hatte keine Ausstrahlung. Antonia als Gegensatz fiel ihm ein, ihr naturfrischer Weizengeruch, diese Aura, der er nicht
hatte widerstehen können. Damit beschäftigte sich Frajo. Ja, wenn man
sich seßhaft macht, wenn man den großen Horizont einengt: Wer nichts
wird, wird Wirt . . . Je mehr er sich beschied, um so mehr schrie er mit
Fini, oder war er nur so laut, damit er die enge Stille übertöne? Diese
Stille, dieses zum Winterschlaf gesteigerte Nichtstun!

Die Stille empfand man doch deutlicher, wenn es an den Fenstern wie Ankerketten rasselte. Das waren die Krähen. Nachdem die Möwen und Wildenten ihre Futterplätze längst in die Stadt verlegt hatten, rasten die schwarzen, geflügelten Bilder des Todes mit ihren Schnäbeln an die vereisten Scheiben. An sonnigen Tagen war ein ungeheures Blenden da draußen. Aber die Fenster, verdickt durch die phantastischen Eisgebilde, hielten. Überlaut war es, bis die Krähen abzogen und wieder die große Stille herrschte.

Nicht einmal die Donau hörte man. Anfangs sah der Strom wie von einem Ausschlag bedeckt aus, das waren die schmutzigen ersten Eisschollen, die knirschend aufbrachen; bald hatten sich die Eisschollen vergrößert, gereinigt und zu weißen Trauerbuketten geformt, die der Donau Totenzug schmückten; jetzt aber war die Bewegung schmucklos erstorben: ein schwarzes, kümmerliches Schlänglein war die Donau weit draußen, eine Zickzackspalte zwischen den Eisflächen, die von beiden Ufern gegen die Mitte vorgewachsen waren. Bis zur Strommitte konnte man darauf gehen. Man wunderte sich nicht mehr, wenn die Zeitungen meldeten, in Serbien sei die Donau völlig zugefroren.

Von Etel kam ein Brief mit kindlicher Schrift und Bemühung um die deutsche Sprache. Sie faßte sie rein klanglich auf, sie schrieb statt „kriege ich" „grigi" und statt „mußt du" — sie kannte offenbar nicht den Unterschied zwischen den Anreden Du und Sie — „mußtu". Jedes ihrer Hauptwörter war weiblichen Geschlechtes. Sie schrieb auf derbem bäuerlichem Briefpapier. Würde er sie jemals wiedersehen?

Endlich kam er dazu, sich in die neuen Bücher zu vertiefen. Sie handelten vom Wasser im allgemeinen und der Donau im besonderen. Oder er ließ sich von Haslauer aus der Vergangenheit erzählen, von der Sippe, in deren Überlieferung er hineinzuwachsen gewillt oder gedrängt war.

Unwillkürlich mußte er Haslauer fragen, woher er die Narbe über dem linken Auge habe? Und Haslauer antwortete mit einer wehen Handbewegung:

„Ach, wegen einer Frau..."

„Auch du?" sagte Frajo und hielt den Atem an.

Haslauer nickte, schloß die Augen, und dann schwiegen sie.

An einem Märzmorgen, als Frajo Füchse beobachtet hatte, wie sie, ihn furchtlos anblickend, über das Donaueis wischten, ohne wie sonst die Köpfe nach dem Wasser lauschend zu senken — an einem Märzmorgen fanden sie den Brunnen eingefroren vor.

Die vereinten Bemühungen, den Brunnen aufzutauen, schlugen fehl. So lange hatten sie durchgehalten, und nun drohte von dieser Seite her das Verhängnis. Da seit Wochen kein frischer Schnee gefallen und der alte dick und schmutzig war, konnte man ein Auftauen des Schnees nicht in Betracht ziehen. Man durchstieß die dicke Eisschichte des Brunnens, aber das zum Vorschein kommende Wasser war noch schmutziger als der Schnee, eine übelriechende Lehmmasse.

Was tun? Der Abend kam, man hatte nichts kochen können, nichts trinken, die Verwirrung war aufs höchste gestiegen. Und zudem hatte Mizzi, der man körperlich nichts angemerkt hatte, eine Frühgeburt gehabt, ein totes Kind. Sie war völlig verstockt; wer der Vater sei, war nicht aus ihr herauszubringen.

Nur den alten Endlicher ließ das alles kalt, er trank seinen Wein in Unmengen und las mit Würde in der Bibel. Auch die Kuckucksuhr, so gebrechlich sie schien, konnte nichts gefährden; trotz der Kälte ging sie ihren regelmäßigen Gang.

Da nahm Fini Frajo an der Hand und führte ihn in den Keller. Im Keller war es lauwarm. Sie drehte die Hähne zweier riesiger Weinfässer auf, die jeder für leer gehalten hatte: Wasser floß heraus, Wasser!

Frajo verstand sie. Wasser, auch darum hatte sie sich gesorgt, heimlich, sie hatte sogar Wasser zu hamstern verstanden. Es war zwar nicht ideal, aber trinkbar. Er hieb die Hände an die Schläfen:

„Wie haben Sie das gemacht? Wann haben Sie das gemacht?"

Keine Antwort. Mit stürmischer Aufwallung umarmte er sie. Sie entwischte, blutrot im Gesicht.

Mitte März, noch immer Winter, tiefer Winter. Außer erfrorenen Füchsen kein Getier weit und breit, kein Vogel, nicht einmal Krähen. Bachstelze und Kiebitz waren sonst schon einen Monat da. Keine Bewegung, tödliche Stille. Aber die Kirchenglocken von Orth dröhnten, als hingen sie über ihren Köpfen, nicht weit im Land drinnen, und jedesmal erschraken die Menschen am Strom, der nicht strömte.

Ein Eiszapfen hing lang vom Dach herunter, ein Eiszapfen, wie man noch nie einen gesehen hatte. Auch Haslauer wunderte sich über ihn. Er glich einer Schlange; in natürlicher Größe, der schuppige Körper in erstarrter Bewegung, die vortretenden Augen, das offene Maul, die gespaltene Zunge . . . Die Ähnlichkeit war beängstigend, es war, als wäre hier wirklich eine Schlange erfroren.

Plötzlich ein Sturm über ihren Köpfen. Rauschend war er in der Stille aufgebrochen. Das gewaltige Flügelschlagen des Sturmes aus dem Nichts erregte sie. Ein mächtiger Schatten rauschte über sie hinweg, unwillkürlich duckten sie die Köpfe. Vorbeiwehende Finsternis, dann wieder blendendes Weiß.

„Ein Adler!" rief Frajo, und Haslauer: „Ein Seeadler!"

„Ein Seeadler?" fragte Frajo.

„Ein Seeadler! Einen Seeadler habe ich noch nie an der Donau gesehen! Das sind die größten Adler. Er ist vom Nordpol gekommen. Vom Ende der Welt, wo der finstere Riese sitzt und bläst . . ."

„Die Schlange ist zerbrochen", sagte Frajo. Er zeigte auf den schlangenförmig herabhängenden Eiszapfen, der unter dem Luftdruck des Adlerfluges mitten entzweigebrochen war.

Aber in der ersten Aprilwoche spürte man auf einmal die Wärme der Sonne. Sie stand schon hoch. Die gefrorene Fläche der Donau begann zu splittern. In den Nächten horchte Frajo auf das sägende Singen des Eises. Der Strom quoll atmend aus der Tiefe empor. Immer lebendiger wurde er, eines Morgens schlängelte er sich schon breit dahin.

Am anderen Tag erschien Kott und erzählte, einen rumänischen Schraubendampfer habe es unten bei Hainburg zerdrückt. Das traf Frajo, als wäre in ihm selbst etwas zerdrückt worden. Die Besatzung, fuhr Kott fort, die den ganzen Winter durchgehalten hatte, müsse nun mit der Bahn heimreisen. Ja, und sein kleines Motorboot sei längst vom Eis zerquetscht.

„Was wirst du denn machen?" sagte Frajo, von seinen Empfindungen hin und her geworfen, mit Anteilnahme.

„Nichts. Wenn es mir das große zerquetscht hätte, hätt' ich alles an den Nagel gehängt und wär' in die Stadt hinein, ein anderes Geschäft suchen."

„Ich könnte ohne die Donau nicht sein, bei Gott!" rief Frajo aus und begann auf und ab zu gehen.

Kott sah schlecht und gehetzt aus. Kein Wort wurde von dem gewissen Brief und der Italienreise gesprochen. Übrigens sah Kott Fini zum erstenmal. Er stieß Frajo in die Seite:

„Weißt, wenn ich Zeit hätt' . . . Bist mit ihr schon schlafen 'gangen?"

„Ich geh' nur mit der Donau . . .", sagte Frajo.

Der Strom schien von Quallen besetzt. Es waren die letzten trüben Eisschollen. Vom Dache troff und rann es. Ultramarin spiegelte sich der Himmel in großen Lachen von Schmelzwasser. Der Brunnen gab wieder Wasser. Die vielen Neugierigen, die plötzlich auftauchten, konnten ihre Röhrenstiefel kaum heben, so schwer waren sie von lehmiger Erde. Ihre Gesichter sahen schlecht aus, krankhaft, wie immer im ersten Frühling.

Aber war denn schon Frühling? Ja und nein, es war schon Frühling und auch wieder nicht. Primeln waren auf einmal da, Palmkätzchen. Gräser sprießten, sie krümmten und bewegten sich weich, wie von Insekten überkribbelt. Hörte man es nicht? Ein Strauch erzitterte. War ein Vogel geflogen? Man sah ihn nicht. Aber hie und da war ein leises Zwitschern zu vernehmen, ein Versuch, Melodien zu beginnen.

Aber all das war noch nicht ganz der Frühling. Frajo saß auf der Bank, die man an die Sonnenseite des Hauses gestellt hatte. Er schaute stromauf. Er sprang auf. Er horchte. Er hörte, er hörte etwas ... Er hatte kein gutes Gehör, aber das hörte er vor allen andern.

Er sah langsam auf. Im nächsten Augenblick erschien an der Biegung der Dampfer *Venus*, Schwesterschiff der *Mars*. An einer Seite der Ponton. Schnell kamen sie stromab geglitten, leicht, mit wehenden Flaggen.

Frajo lief ihnen entgegen. Er winkte. Man winkte zurück. Er erkannte den Agentievorstand und den alten Stegmann. Ein Hund bellte freudig herüber; es war ein anderer als der vom Vorjahr. Frajo lief mit dem Dampfer stromab. Der Dampfer drehte rasch auf, die Räder begannen gegen den Strom zu schaufeln; weißer Gischt, und dann legte er bei.

Die Wurfbirne flog. Frajo fing die Leine. Mit großen Bewegungen, wie ein Fischer, der die Beute seines Lebens bringt, nahm er das Seil auf, die durchs Wasser geschleifte Schlinge. Er schleppte die triefende Schlinge zum Haftstock, hob sie und legte sie um den Haftstock. Am Hause standen alle in einer Reihe und schauten ihm zu.

Der Ponton war verheftet. Dahinter der Dampfer mit seinem schwarzen Schornstein und dem heißen, süßlichen Maschinengeruch. Der Anker klatschte ins Wasser. Der Agentievorstand und der Stegmann kamen an Land. Sie reichten Frajo die Hand, der Hund umsprang sie.

Der Frühling war da. Jetzt war der Frühling da.

13

Die Zeichen der Zukunft

Vom Postdampfer rief und winkte jemand.

Frajo sah von seiner Arbeit in der Baumschule auf. Die heftigen Böen zwangen ihn, die frischen Pfropfreiser an sich zu halten. War das nicht Hannes Stockert? Er war es, der junge Flößer mit dem wuscheligen Schwarzkopf. In einer Hand hielt er einen Packen Papier hoch, mit der andern zeigte er auf den Ponton.

Frajo legte die Arbeit nieder und ging, vom Wind getrieben, zum Landungsplatz. Der Steg war noch nicht an Bord geschoben, als Hannes schon herübersprang und auf ihn einredete:

„Frajo, du mußt uns einen Gefallen tun, Frajo! Wir haben heut in Nußdorf oben Stehtag. Wegen dem Wind, weißt. Wir fahren erst morgen weiter. Bis nach Mohacs, eine Reise von einer Woche oder mehr. Ja, und da haben s' mich vorausgeschickt, mit den Papieren an die ungarische Grenz. Nach Hainburg, die Zöllner sollen sie voraus behandeln, die Papiere. Damit wir morgen ohne Landung vorbeikönnen, sonst verlieren wir wieder einen halben Tag. Du weißt, in Hainburg ist das Zufahren schwer."

„Schön. Und was soll ich dabei?"

„Der Nauführer läßt dich bitten, Frajo, du möchtest uns das besorgen. Du kannst das viel besser als unsereins. Du kannst ja jetzt gleich mit dem Dampfer an meiner Stell' nach Hainburg weiterfahren und am Nachmittag zurück sein. Ich bleib derweil da. Geh, sei so gut, Frajo, da sind die Papiere!"

„Ich? Soll ich mir meine Zeit stehlen?"

„Deine Zeit?" Hannes verschlug es die Rede. Er stotterte: „Du — du hast keine Zeit?"

„Nein, ich hab' keine Zeit. Ich habe Arbeit über Arbeit! Nicht einmal rasiert hab' ich mich seit zwei Tagen."

Hannes begann zu lachen, er lachte immer ungläubiger. Seine jugendliche Wildheit wirkte heiter, nahm für ihn ein. Der alte Stegmann meinte:

„Ja, der Frajo, das ist ein ganz anderer worden! Den erkennst nimmer, Tag und Nacht arbeitet unser junger Wirt als wie ein Besessener."

„Fahren Sie mit oder nicht?" drängte der Bootsmann. Ungeduldig trat der Kapitän die Dampfpfeife. Der Stegladen polterte auf den Ponton.

„Gib her!" rief Frajo, er schrie es fast. Er entriß Hannes die im Wind knatternden Papiere und sprang über den sich vergrößernden Wasserschlitz auf den Dampfer hinüber.

„Ich hab's ja gewußt!" Hannes lachte ihm nach.

„Wer ist Nauführer?" rief Frajo zurück.

Hannes konnte ihn nicht mehr verstehen. Frajo nahm sich in einer geschützten Ecke die Papiere vor, da würde er ja die Namen finden. Die Fischerhütten zogen rasch vorbei, die Fischer waren alle wieder da mit ihren Familien, mit den Fischkranen, Netzen, Zillen und Fahrrädern.

Auf den Floßpapieren war als Nauführer der alte Ganser unterschrieben, der schwerhörige Ganser mit dem buschigen roten Schnurrbart. Sein Sohn — las Frajo weiter — fuhr auch mit, der farblose Franz mit dem Kropf. Als Lotse schien natürlich wieder der finstere Steiner-Michl auf, der brummige Alte. Hannes Stockers komödiantischer Vater durfte als Koch nicht fehlen. Raaber war auch dabei, der wüste Spucker. Und zwei andere Floßknechte. Ein großes Floß Langholz war es offenbar.

Er las die Zahlen-, Längen- und Festmeterangaben, aber er war ganz woanders. Sie rauschten eben bei Haslauer vorbei, er drückte die Stange in seine Zille. Das Reh Anna sah ihm zu.

Oben auf der Kommandobrücke standen die Schiffsoffiziere. Frajos Blick richtete sich unverändert respektvoll auf sie. Schon dem Knaben waren sie mit ihren marineblauen, goldbetreßten Uniformen und Degen als unerreichbare Halbgötter erschienen. Und waren sie es an Bord ihres Schiffes nicht auch wirklich? Sie hatten die unumschränkte Befehlsgewalt, sie waren die Justiz, sie konnten trauen und taufen, sie entschieden über Tod und Leben, ja, so war es, sie konnten, wenn es sein mußte, töten. Und als bewundernswerte Heroen harrten sie bei Katastrophen als letzte aus und gingen mit ihrem Schiff und wehender Flagge unter . . .

So weit verstiegen sich Frajos allzu romantische Phantasien — aber was half das alles! Dort war ihre Welt, hier die seine. So ist es, so muß es sein. Das ist der Lauf der Dinge, die Ordnung der Welt.

In einem gelbroten Sturmlicht tauchten die Hainburger Berge auf. Blüten wehten über die Donau. Einem beispiellosen Winter war ohne frühlingshaften Übergang ein April mit Gewittern gefolgt, und der Mai ließ sich wie der Sommer an.

Die Zollstelle befand sich auf einem eigenen Ponton, der unter dem felsigen Absturz des Braunsberges verheftet war.

Ein magerer Zöllner saß in der Hütte an einem Tischchen. Vor ihm lag die Kappe, das Futter nach oben. Frajo übergab ihm die Papiere und brachte sein Anliegen vor. Die Flößer bäten, morgen ohne Landung passieren zu dürfen; deshalb sei er, der junge Endlicher-Wirt vom Örthel, hergekommen; sicher wisse er, was für eine harte Arbeit das Zufahren in Hainburg sei.

„Zweimalhunderttausend Kilo", las der Zöllner von dem grünen Anmeldeschein ab. „Das sind zwanzig Waggons. Ein großes Floß, was?"

„Sehr groß. Beim Umdrehen sieht man, daß es fast so lang ist wie die Donau breit", sagte Frajo übertreibend.

„Na, na, länger als sechzig Meter wird's nicht sein. Wo ist denn mein Stempelkissen?"

Sie suchten gemeinsam das Stempelkissen. Es war dunkel in der engen Hütte. Sie fanden es im Winkel eines tintenverschmierten Fächerwerks. Der Zöllner drückte die Stampiglie, die er vorher angehaucht hatte, in das Stempelkissen und dann auf das Dokument. Er drückte nachhaltig mit beiden Händen. Je mehr er drückte, um so leichter wurde Frajo ums Herz.

„Eigentlich", sagte der Zöllner atemlos vom Drücken, „dürft' ich's nicht tun. Nach der Vorschrift müßten sie unbedingt landen. Aber ich drücke — ich drücke — ein Auge zu. So."

„Danke vielmals."

„O weh!"

„Was ist denn los?"

„Da schaun S' her! Man sieht fast nichts!"

„Sie haben halt noch zu wenig gedrückt, Herr Inspektor."

„Die Farbe, die Farbe! Warten S'!" sagte er und spuckte auf das Stempelkissen, verrieb seinen Speichel mit der Stampiglie. Und stempelte nochmals. Er zeigte auf den nassen blauen Aufdruck unter dem vorigen:

„Jetzt ist's gangen!"

Er griff zur Feder, Frajo schob ihm das Tintenfaß näher. Der Zöllner tauchte ein, stocherte drin herum, hob die Feder heraus, schielte auf die Spitze, tauchte wieder ein, schielte wieder auf die Spitze, und dann setzte er endlich neben den beiden Aufdrucken zur Unterschrift an.

In diesem Augenblick wurde die Tür geöffnet. Ein anderer Zöllner trat ein, dick, rotblond, ein Windstoß kam aus der Gewitterstimmung mit. In das wartende Schweigen hörte man eine Turmuhr schlagen. Dieser Zöllner war hier neu, Frajo kannte ihn nicht, ihm wurde unbehaglich zumute.

Der erste Zöllner hatte keine Bewegung gemacht. Er stand jäh auf, legte den Federstiel hin, griff nach seiner Kappe und schaute, als denke er tief nach, in das Futter.

„Ablösung", sagte er und „Dienst übergeben", wies auf Frajo, nickte dem andern zu und drehte sich hinaus. Der dicke Rotblonde setzte sich breit hinter das Tischchen. Er begann die Papiere hin und her zu drehen und sagte unwirsch:

„So. Was wollen S' denn?"

Gezwungen, sein Anliegen neuerlich vorzubringen und so zu tun, als wäre er ein mitfahrender Flößer, schloß Frajo: „. . . und, Herr Inspektor, bewilligt ist es ja auch schon!"

„Jetzt bin ich im Dienst", sagte der, und eine feurige Röte überzog sein Gesicht. Er fragte: „Was ist bewilligt?"

„Daß man nicht zufahren braucht, daß man passieren kann!"

„So! Wo ist denn der Stempel?"

„Da, Herr Inspektor, zwei Stempel sogar."

„Wieso zwei?"

„Der erste ist nicht gut gangen, schaun S' nur genau hin, Herr Inspektor."

„Hm." Pause. Er zögerte.

Frajo streckte schon die Hand nach den Papieren aus.

„Und die Unterschrift?" fragte der Zöllner plötzlich. Lauernd wiederholte er: „Und die Unterschrift?"

„Zwei Stempel, Herr Inspektor!"

„Aber keine Unterschrift", beharrte der Zöllner.

„Das weiß ich nicht... Genügen denn die Stempel nicht? Zwei Stempel, zwei Stempel."

„Warum hat denn mein Kollege nicht unterschrieben?"

„Weil Sie gerade hereingekommen sind."

„Sehen Sie, sehen Sie! Genauigkeit muß sein. Punkt elf Uhr habe ich den Dienst übernommen."

„Aber er hat doch schon zur Unterschrift angesetzt. Ich laufe ihm nach, er wird bestimmt unterschreiben!"

„Halt! Jetzt bin ich im Dienst — und er ist nicht mehr im Dienst."

Frajo schwieg. Dieser Logik war nicht beizukommen. Er war wütend. Er schämte sich für den anderen. Vergeblich alle weiteren Versuche. Je mehr Frajo sich an die nicht wegzuleugnenden Stempel — zwei Stempel! — und die beabsichtigte Unterschrift klammerte, um so mehr betonte der Zöllner, daß eben diese fehlte und nur beide zusammen, Stempel und Unterschrift, die Amtshandlung besiegelten.

„Was hat also zu geschehen?"

„Sie müssen landen!"

Unverrichteter Dinge kehrte Frajo mit dem Nachmittagsschiff zurück. Hannes wartete schon auf dem Ponton inmitten von Fischern, die „in die Stadt hinein verkaufen" fuhren; er übernahm, vor Enttäuschung erst recht stotternd, die Papiere und fuhr mit dem Dampfer stromauf weiter. Alles umsonst, sie müssen landen. Hannes war sehr niedergeschlagen.

„Wann kommt ihr morgen vorbei?" rief ihm Frajo nach.

„So um neun... Fahr ein Stück mit uns!"

Frajo schlenderte an Land. In Gedanken versunken schritt er stromab, statt dem Vaterhaus entgegen... Das waren die Zöllner, die schon Christus von sich gewiesen hatte. Einer echten Trauer fähig und willens, sich in sie zu vertiefen, dehnte er sie auf die eigenen Umstände aus: War nicht er selber eine Art Wirtsbeamter?

Das Hainburger Erlebnis war das erste Zeichen. Wie es ihm nun allmählich bewußt wurde als ein Signal — freilich noch nicht wofür —, erblickte fast in demselben Augenblick das zweite Zeichen. Er sah es im Gras liegen.

Es war ein Kuhhorn. Ja, ein Kuhhorn. Ein ganz gewöhnliches kleines Kuhhorn. War es nicht der Daumen der ungarischen Großtante...? Er hatte es für den Daumen der ungarischen Großtante gehalten, dieses schwärzliche, schartige Kuhhorn. Weniger einem Dolch aus versunkener Zeit, wie er ihm immer erschienen war, glich ihr langer, gebogener Daumen viel eher einem Kuhhorn, und nun lag es da vor ihm im Gras und zauberte das gelbfransige Kopftuch her und den Kopf Etels mit dem blau-schwarzen Haar.

Langsam bückte er sich nach dem Kuhhorn. Er ergriff es, es war feder-leicht, es fühlte sich kühl an. Er starrte lange darauf. Dann legte er es wie-der ins Gras.

Hastig blickte er auf, ob ihn jemand beobachtet habe. Säuglinge lagen im Gras. Sie lagen auf ausgebreiteten Decken und sahen staunend zum Himmel. Das Blau des Himmels spiegelte sich in ihren großen Augen. Es hatte sich ausgeheitert. Die Fischerfrauen hatten Kinder wintersüber be-kommen. Eine trug ihren Sprößling vorbei, er hatte ein Säckchen um den Hals hängen. Die Frau lachte Frajo an:

„Jetzt schreit er nicht mehr . . . Die ersten Zähne, wissen Sie . . . Ich war bei Haslauer unten, der hat schnell geholfen, hat ihm ein Sackerl umge-hängt, da ist ein Mausköpferl drin."

Frajo nickte ihr abwesend zu. Das Kuhhorn lag im Gras. Das Gras war voll von Getier, Ameisen, zwei Zitronenfalter flatterten, einander ha-schend. Netze lagen zum Trocknen da. Ein paar Maschen zuckten hin und her: eine graue Schlange hatte sich darin gefangen. Es war eine Ringel-natter. Frajo befreite sie mit einem Griff. In allen Sträuchern und Bäumen sang es, alles war in wehender, überfließender Bewegung.

Frajo ging dem Vaterhaus entgegen. Der Gastgarten war voller Men-schen. Das Geschäft blühte, die Besucher mehrten sich. Alle Welt, beson-ders die weibliche, bewunderte die Tatkraft des jungen Wirtes. Sie emp-fingen ihn mit fröhlichen Zurufen. Der alte Endlicher, von Blüten bis in den Vollbart überschüttet, zitierte:

„Lagert euch tischweise auf das grüne Gras, Markus sechs, neunund-dreißig", und auf Frajo weisend: „Folgt mir nach, ich will euch zu Menschenfischern machen."

Sogar Betha war mit ihrem Dr.-Ing. gekommen. Das war auch so ein Beamter . . . Zum erstenmal seit der Hochzeit ließen sie sich zu einem Be-such herbei.

„Wir haben zwar wenig Zeit", sagte Dr.-Ing. Zischka mit süßsäuer-licher Miene.

„Wie immer", fügte sie hinzu. Sie war nach der letzten Mode gekleidet. Ihre Fingernägel glänzten rot lackiert. Sie ließ sich Frau Doktor titulieren. Frajo hätte sie gerne gefragt: Warum nicht Frau Dr.-Ing.? Sie beschaute sich in ihrem Taschenspiegel, sagte, die Tasche sei aus echtem Krokodil-leder, und ordnete unaufhörlich ihr Haar. Zweifellos war sie sehr hübsch. Sie hatte etwas Lockendes, dem die Männchen verfallen mußten wie die Fliegen dem Honigseim. Es muß aber kein Honiglecken sein, mit ihr ver-heiratet zu sein, empfand Frajo.

Ein griechischer Schraubendampfer erschien um die Biegung und glitt stromab. Ein Schraubendampfer, ein griechischer dazu, die Ahnung des Meeres, Thalatta . . . Ein Frachtdampfer, schwarz angestrichen: nur solche Frachtdampfer galten Frajo für wirkliche Schiffe, nicht die weißen Salondampfer; was hatte ein Salon überhaupt mit weiter Fahrt zu tun? Um Handel und Wandel ging es, wie es in Tausendundeiner Nacht immer wiederholt wurde. Den Griechen erkannte man an Namen und Flagge, sie wehte mit blauen und weißen Streifen und weißem Kreuz am Heck — das war aber auch die einzige Vorschrift, die er einhielt; man erkannte die Griechen viel eher an dem, was sie nicht einhielten, an dem nautisch Gesetzlosen, und gerade das war es, was in Frajo eine diebische Freude wachrief. Sie waren die Abenteurer unter den Schiffen, die heimischen mit ihrer Pedanterie dagegen die Beamten . . .

Dieser Maitag mit seinen Zeichen — auch der Grieche war eines — änderte an Frajos äußerem Gehaben nichts. In rastloser Arbeit holte er die versäumten Stunden nach. Am Abend war alles Nötige getan. Er saß in seinem Zimmer oben und brachte die Geschäftsbücher auf den letzten Stand. Es war ein stiller Abend, deutlich hörte man aus dem Gastgarten ein leise sein wollendes Gespräch herauf:

„So gut wie von der Endlicherin ist der Kaiserschmarrn nicht." — „Aber gut ist er schon." — „Aber so gut nicht." — „Hauptsache, er ist gut." — „Aber so gut ist er nicht."

Über die Zimmerdecke floß in goldenen Wellen lautlos der Widerschein des Wasserspiegels. Wo man hinschaute, flimmerte es in dem Zimmer vom Abglanz der Donau. Von allen Seiten leuchtete und drängte es auf ihn ein, auch vom großen Wandspiegel.

Endlich stieg ihm sein Gesicht entgegen. Es war ihm, als erkenne er zum ersten Male im Leben sich selber. Das gebräunte Gesicht veränderte sich. Er strich das dichte Haar zurück. Übrigens war er nicht rasiert.

Er war nicht rasiert. Aber das ist gut so! sagte er sich, das ist gut so und kann so bleiben . . . Etel, ich muß ein Räuber werden!

> „Töne, du erzener Mund,
> Tu dein Geheimnis kund,
> A und O
> Läuten die Glocken von Pátimo . . ."

Es war der Vater, der unten, vom Fischfang heimkehrend, sang. Weiß Gott, aus welchem Traktat er dieses Lied hatte und seit Tagen wiederholte. Von fernher tönten Kirchenglocken durch die Abendstille, und der Vater begleitete sie mit seiner Baßstimme:

„Über dem himmlischen Heer
Thronet der Menschensohn,
Über das Weltenmeer
Wandelt der Gottessohn.
Endet die letzte Zeit,
Wandelt sich alles Leid.
A und O
Läuten die Glocken von Pátimo ..."

Mit entschlossenen Schritten begann Frajo in seinem Zimmer auf und ab zu gehen. Fini lärmte unten mit ihrem Geschirr gegen das Lied. Die Fischerfrauen aber würden wieder sentimental werden, und auch der bleiche Riese Schramm würde in seiner Arbeit innehalten und mit verschwimmenden Augen tief in die Erde starren.

Frajo beobachtete im Spiegel seinen Gang, diesen schwingenden slawischen Gang. Den hatte er von der Mutter; so deutsch der Vater war, bald wienerisch tolerant, bald einseitig-sektiererisch, aber immer berechenbar, so unberechenbar war die deklamierende, besuchslustige Mutter gewesen, sie hatte zweifellos Tropfen slawischen, vielleicht auch ungarischen Blutes in sich gehabt, ja gewiß, von ihr hatte er wohl den Wechsel zwischen Melancholie und Übermut.

Die Kuckucksuhr schnarrte, der winzige hölzerne Vogel drehte sich ruckartig aus dem geöffneten Turmfensterchen des aufgemalten Schlosses. Frajo sah auf das vergilbte Zifferblatt. Dann fiel sein Blick auf den Brief, der ihn heute erreicht hatte, von der aus Italien Zurückgekehrten. Sie rief ihn, die vergessene Freundin, zu kommen. Im nächsten Augenblick hatte er auch den Brief vergessen.

Wie ein Schlafwandler ging er ins Elternzimmer hinüber, wo Zuze, die Lachtaube, schlief. Lange schaute er sein Lieblingstier an. Er öffnete den großen Schrank: Lavendelgeruch. Er nahm Vaters große, in schwarzes Leder gebundene Bibel heraus und blätterte darin. Er nahm das Hirschenglas in die Hand, die behütete Kostbarkeit, er sah die japanischen Hirsche aus Kristall springen. Je mehr er sich in ihren Anblick vertiefte, um so deutlicher erschienen ihm andere Tiere: Schlangen und Adler. Waren sie nicht auch in dem Glas ziseliert?

Ja, man muß ein Räuber werden, um wieder Mensch sein zu können!

Längst füllte schwüles Dunkel das große Elternzimmer. Es wetterleuchtete, die abgebildeten und visionären Tiere erhellten sich. Er sah auf das Dreigestirn eines Schiffszuges hinaus: rot-weiß-grüne Positionslichter.

Am anderen Morgen war Frajo verschwunden.

Klepar behauptete, er hätte ihn mit der Zille hinausfahren sehen, offenbar, um die Peitschenzille einzuholen. Es ging ein sintflutartiger Regenguß nieder, nichts als lauter Wasser, und darin wäre er verschwunden.

Es zeigte sich bald, daß die Peitschenzille der Endlicher unberührt draußen verankert war. Auf dem Floß konnte er auch nicht gefahren sein, da die Hainburger Zöllner, bei denen man nachforschte und die das ganze Floß peinlich durchsucht hatten, entschieden behaupteten, er sei nicht darauf gewesen.

Einige Tage später fand man Frajos Zille weit unten im Ufergebüsch stecken. Leer, nur ein Ruder darin.

ZWEITER TEIL

1

Landung in der Wildnis

„So wie sie mein Vater damals mit dem Kochlöffel nachg'macht hat" — Hannes lüftete die umgestürzte Zille —, „sind die Zöllner, Säbel nachschleifend, im Stroh unserer Hüttn herumkrochen. Ja, auf allen vieren. Aber gfunden haben s' nichts."

„Mich jedenfalls nicht." Frajo kroch unter der Zille hervor. Er atmete tief und streckte sich. Hinten verschwand Hainburg; nach vorne blickend, sah er den Arpadfelsen erscheinen, die ungarische Grenze.

„Schnell, schnell, sonst kriegen wir sie nicht rechtzeitig runter!" drängte Ganser, der Nauführer, und strich sich den buschigen roten Schnurrbart. Er hatte eine dumpfe, aber laute Stimme, was mit seiner Schwerhörigkeit zusammenhing.

Man beeilte sich, die funkelnagelneue Zille, unter der Frajo versteckt gewesen war, zu versenken. Sie wurde geschmuggelt; in Ungarn stand ein hoher Zoll darauf. Die andere Zille, die übliche, schwamm in der „Schwemme", einem ausgesparten Wasserviereck innerhalb des Floßes an der Stur.

Hannes riß in seiner geschickten Art an der linken Seite der Stur ein paar Latten weg, zog Stämme auseinander und legte so einen schmalen Wasserstreif auch innerhalb des Floßes frei. Hannes war fast negerbraun. Aber auch wenn er bleich gewesen wäre, hätte Franz, der sommersprossige Sohn des Nauführers, neben ihm farblos gewirkt; er war farblos vom Kopfhaar über den Kropf bis zur ausgebleichten langen Hose. Er hatte die zu schmuggelnde Zille aufs Wasser gesetzt und nach hinten hinausgeführt; wer nicht an den Ruderbäumen zu tun hatte, versuchte sie mittels Schiffshaken und Prügeln unterzutauchen. Aber sie ließ sich nicht einmal kentern, sie entschlüpfte, wich aus, sie richtete sich immer wieder auf.

„Die will nur mit mir untergehn!" Frajo sprang in die Zille. Er balancierte auf dem Bordrand; es fröstelte ihn noch von der überstandenen Sintflut her, als er in seiner eigenen Zille dem Floß nachgejagt war. Aber was er auch mit ihr trieb, sie wollte nicht nachgeben.

„Wenn sie mich spürt, wird sie schon das Grausen ankommen!" Der alte Koch sprang zum Gaudium aller hinein. Es nützte nichts.

Frajo begann Wasser in die Zille einzuschaufeln, die andern taten vom Floß aus das gleiche. Eine langweilige Arbeit; die Zille senkte sich kaum merklich.

„So schnell geht eine unter, wenn man's nicht will. Und erst recht ein Mensch ...", sagte Frajo.

„Gleich sind wir in Theben!" drängte der Nauführer. Er hatte auf den Giebel der Hütte, wo die rotweißrote Heimatflagge wehte, eine zweite Fahne in den ungarischen Farben rotweißgrün gesteckt.

Endlich war es soweit. Voll Wasser, stockte die Zille dennoch knapp an der Oberfläche. Frajo stand noch immer darin; mit vereinten Kräften zog und drückte man sie in den freigelegten Wasserschlitz. Nun war sie unter dem Floß, sie stemmte sich mit unglaublichem Auftrieb dagegen. Frajo war ausgestiegen, die Stur wurde eilig mit Latten zugedeckt und vernagelt, unsichtbar klebte darunter die Zille.

„Ein Weib steckt dahinter, so was wie eine Asiatin", sagte Raaber zu seinem Nebenmann an den Rudern und spuckte aus. Hierauf spuckte der Nebenmann. Die beiden spuckten sich was vor. „Ein Weib, habt ihr's gehört? Hast eine Ahnung, was bei der Leich' seiner Mutter für Weiber waren!" Raaber schob das Kinn vor und spuckte wieder. „Diesmal hol' ich mir auch eine."

Eine Zille löste sich vom Ufer, ein ungarischer Zöllner kam herangerudert.

„Das ist der Demeter", sagte Hannes. „Er amtshandelt unterm Fahren. Er fährt gern mit, er hat ein Liebchen unten in Oroszvár. Dort übernachten wir heute ... Verstehst?"

Der ungarische Zöllner, ein junger, adrett herausstaffierter Mann, wurde umarmt, auch von Frajo. Der Nauführer geleitete den Gast sofort zum Mostfaß. Es stand an der Rückwand der Hütte, unweit des Herdes, wo der Koch im Rauch hantierte. Sie setzten sich hin und tranken einander zu.

„Arbeiten will ich, mithelfen!" rief Frajo. „Könnten wir nicht Seitenruder einhängen? Wir kämen schneller weiter, schneller!"

„Spar dir deine Kraft für morgen, Frajo. Morgen haben wir die schlechteste Strecke: Remete, Lipot, Bös, Szap. Da brauchen wir deine Augen."

Frajo ging alles zu langsam und zu still, obwohl er wußte, daß es kaum etwas Langsameres und Stilleres als ein Floß gibt. Man trieb einfach mit der Strömung hin; die langen Ruder, vier vorne am Gransl und fünf hinten an der Stur, dienten allein zum Steuern. Und wenn nicht alle Augenblicke etwas auszubessern gewesen wäre, was sich durch ein Sägen oder Hämmern kundtat, hätte man einfach nichts gehört als die große Wasserstille. Man hatte nicht einmal den Eindruck einer Bewegung, man klebte ja in der Strömung, gleich schnell wie sie, man stand sozusagen in ihr. Und da man auch auf gleicher Höhe mit der Wasserfläche war, lud sie förmlich zum Betreten ein ... Frajo kam es vor, als befände er sich nicht auf einem Fahrzeug, sondern auf einem Bauplatz, und die Hütte mit dem Satteldach, gerade so hoch, daß man beim Eintreten sich immer wieder den Kopf anstieß, wäre eine Bauhütte. In dieser Hütte aß man, auf Kisten um den großen Tisch sitzend; und hier schlief man des Nachts im Stroh des Fußbodens; und hier herein hatte Frajo die wenigen Habseligkeiten seiner Flucht gerettet: den Rucksack mit einem zweiten Anzug, Wäsche und Schuhe zum Wechseln, den alten Radmantel, der nun zum Trocknen an einer Leine hing. Ferner einen Laib Milchbrot, große Tafeln Schokolade und die Zeichenmappe, welche allerdings mitsammen einen unbeschreiblichen Brei bildeten ... Es war schwer zu unterscheiden, ob man auf dem Milchbrot zeichnen könne oder auf der einer Schiefertafel gleichenden Schokolade, oder ob die Zeichenmappe etwas zum Essen sei.

Steiner-Michl, der finstere Lotse mit dem Kalmückengesicht und der krächzenden Stimme, beachtete Frajo überhaupt nicht. Aber auch alle anderen waren für den Lotsen mehr oder weniger Luft. Zwei waren Frajo unbekannt: der athletische, über und über tätowierte Schatzinger, der gleich bei ihm Anschluß gesucht hatte, und der Sonderling Grießling. Der gutmütig wirkende Schatzinger, glatzköpfig, wohl schon über Vierzig, schien auf seinen aufgezwirbelten Es-ist-erreicht-Schnurrbart viel zu geben; auffallend der Gegensatz zwischen seiner Sorgenstirn und dem gern lachenden Mund mit dem Pferdegebiß. Auch über seine eigenen Aussprüche lachte er harmlos und schloß dabei die Augen. Der schmale, schlappe Grießling, jünger, eine kurze Schifferpfeife im Mund, daran er mit seinen Spinnenfingern herumdrückte, hielt sich schweigend abseits. Er beobachtete jedoch alles, wenn er nicht vor sich hin stierte.

Hinter Preßburg, wo es sogleich wieder einsam wurde — nichts als dichte Auwälder —, begann für Frajo eigentlich das Neue, Unbekannte. Landungsvorbereitungen: beide Anker bereitstellen, Seile aufrollen.

„Umtauschen!" schrie der Nauführer vorne.

Heftige Ruderarbeit: das Floß begann quer zu treiben. Der Nauführer hob den Arm: die vier samt Frajo an der Stur verließen ihre Posten, im Sturmschritt eilten sie über die ganze Länge des Floßes nach vorn. Nun waren alle neun, auch der Koch hatte sich hinzugesellt, vorne am Gransl versammelt. Das Gransl trieb knapp am Land vorbei: Auenwildnis, nichts als Auenwildnis.

„Das ist Oroszvár?" fragte Frajo verhalten.

„Ruder einziehen!" schrie der Nauführer.

Blitzschnell wurden die Ruder aus den Wieden gehoben und hereingerissen; im nächsten Augenblick wären sie am Ufer entzweigebrochen. Der Koch war mit seinem Ruder der letzte.

„Anker!" schrie der Nauführer.

Klatschend fiel der Anker ins Wasser, von Hannes geworfen. Er war es auch, der mit einem großen Satz ans Ufer sprang, mitten in die Stauden hinein, das Drahtseil in der Hand. Er kam nicht durch, mußte platt auf der Erde kriechen, war auch schon verschwunden. Die Büsche schlugen hinter ihm zusammen.

„Habt's schon?" rief der Nauführer nach einiger Zeit. Keine Antwort. Ein zweitesmal rief er: „Habt's schon?"

Man lauschte mit angehaltenem Atem. Nur das Wasser rauschte. Endlich ertönte die Antwort Hannes': „Habt schon!"

Das Drahtseil peitschte die Stauden, zwei Stauden brachen. Auf und ab hüpfend, wurde das Drahtseil unsichtbar. Dann sah man es wieder flimmern, bis es sich in seiner ganzen Länge streckte. Ein Ruck: das Drahtseil wurde tragend, das Floß stand.

Der farblose Franz, der stillste von allen, hatte den zweiten Anker geworfen. Plötzlich sah Frajo, daß drei riesige Stämme ausgerissen waren — sie schwammen davon. Er packte den Zunächststehenden an der Schulter, es war die Athletenschulter Schatzingers.

„Achtung, daß 's uns die Zilln net z'sammdruckt!" schrie der Nauführer.

Frajo sprang in die Zille, die zwischen Floß und Ufer schaukelte, brachte sie mit ein paar Ruderschlägen stromabwärts frei, knapp bevor sich das Floß ans Ufer legte. Hannes war zwischen den Stauden erschienen, mit zerfetztem Leibchen und ohne Kappe. Er sprang aufs Floß, lief ans untere Ende, erreichte die Zille mit Frajo und sprang zu ihm.

„D u fahrst mit", entschied der Nauführer, auf seinen Sohn zeigend: Franz stieg schweigend in die Zille, Frajo aufs Floß zurück, und nun ruderten die beiden Jüngsten, Hannes und Franz, aus Leibeskräften den ausgerissenen Stämmen nach.

Unterdes hatte jemand ein zweites Seil ans Land getragen. Der konnte sich schon mehr Zeit lassen, einen Baum auszusuchen. Es war der schlappe Grießling. Er hatte eine Hacke mitgenommen, er brauchte sie, um sich einen Weg aushauen zu können. Als er zurückkam, meldete er, das erste Seil wäre mittels einer Holzmasch um einen Baumstrunk gewunden. Und Stockerts Kappe hatte er gefunden. Er hielt sie in die Höhe. Man holte einen Anker auf. Man stand schon sicher.

Hannes und Franz arbeiteten weit unten auf dem Strom. Das Wasser war bleiern wie der verfinsterte Himmel; sie waren kaum zu sehen. Erst nach zwei Stunden kamen sie mit der Zille und den aufgefangenen Stämmen zurück. Es war schwere Arbeit, sie im reißenden Strom heraufzuschleppen. Sie wurden wieder am Floß befestigt: eine neuerliche Arbeit von einer Stunde.

Staunend hatte all dem der ungarische Zöllner zugesehen. Nachdem er sich den Kopf fortwährend am Dach der Hütte angestoßen hatte — sie war absichtlich so niedrig gezimmert worden, um nicht als Windfang zu dienen —, saß er nun auf dem Haufen gewaltiger walzenförmiger Mühlgrindl, die die Mitte des Floßes beschwerten. Keine Spur einer Amtshandlung. Man hätte sich die Arbeit mit der versenkten Zille ersparen können ... Dann stieß er ein paar Pfiffe aus.

„Um Gottes willen!" beschwor ihn der Nauführer. „Pfeifen und Singen bringt den Wind herbei!", worauf der Zöllner erschrocken verstummte.

Als endlich alles in Ordnung war, war es sechs Uhr abends. Der Lotse hatte wütend seine Uhr gezogen: „Und um halb drei sind wir zugefahren!"

Der Koch blieb als Wächter auf dem Floß zurück. „Der frißt uns derweil das ganze Nachtmahl weg", hieß es; alle andern bestiegen die Zille. Tief überlastet, wurde die Zille gegen den Schuß der Donau gerudert. Schwarz nach dem Regen schnellte ihnen das Wasser entgegen, Dunkelheit verbreitend und hoch geschwollen. Über dem finsteren Wasserbild schimmerten die Auwälder wie beschneit. Dicht am Ufer preschten sie in überhängende Zweige, klammerten sich daran, sie fuhren wie in einer Grotte, von Wasserfällen überschüttet.

„Das ist ein Rinn!" knirschte der Lotse.

Endlich machten sie die Zille an einem Baum fest, kletterten auf allen vieren das Steilufer hinauf, immer wieder zurückrutschend. Farne schlugen ihnen ins Gesicht. Sie wimmelten von grellroten Käfern. Im Gänsemarsch tappten die neun auf dem schmalen Pfad durch ein Schwemmland voller Obstbäume. Die Erde, von Blüten überschüttet, dampfte gegen den grünen Abendhimmel. Im bitteren Geruch taumelten samtschwarze Schmetterlinge.

Bienenkörbe, mächtige Schilfbünde, ein dämmeriger Garten mit einem Lusthäuschen: aber noch immer kein Mensch. Unwirklich erschien Frajo alles, als hätten es Flüchtende im Stich gelassen. Endlich tauchte hinter den Bäumen ein Kirchturm auf wie in einem düsteren Traum.

„Der Michl!" schrien die Leute im Wirtshaus und begrüßten ihn. Alle schauten neugierig auf die Flößer. Der Zöllner hatte sich längst zu seinem Liebchen verdrückt. Und der Wirt kam und die Wirtin. „Der Michl!" riefen auch sie. Und Wein kam, bevor sie noch recht saßen. Der Steiner-

Michl sah mit seinen tränenden Augen auch in nüchternem Zustand wie ein Volltrunkener aus.

„Bekannt bin ich an der ganzen Donau wie 's falsche Geld", sagte er knarrend. Finsteren Blickes beherrschte er die Runde. Eng aneinandergedrückt mit den Bauern hockten sie auf den rohen Bänken.

Raaber sang: „Üb immer Treu und Redlichkeit." Er hatte seinen Rock abgelegt und saß in einer Art Ringkämpferleibchen da. Hannes und Franz spielten Karten. Man trank viel.

Ein Pferd, Frajo sah ein Pferd. Ein Zwerg sprach zu dem Pferd. Frajo ging hin. Er ging durch den Hof. Zwei Fässer. Nein, es war nur ein Faß. Ein Faß, hoho! Ein paar dürre Bäumchen standen um etwas herum, das wie eine Kapelle aussah, eine winzige hölzerne Kapelle. Ach, ein Brunnen. Ein verschalter Brunnen. Ein Radbrunnen.

Noch immer sprach der Zwerg zu dem Pferd. Er war bucklig. Einen Verschlag öffnend, ließ er das Pferd heraus. Es war ganz jung und begann durch den Hof zu tollen.

Schwer von Arbeit waren sie hergetaumelt, schwer von Wein taumelten sie zurück. Dunkel war es und schwül. Nur der Himmel leuchtete noch in einem fernen Streif. Schwarze Sträucher engten den Pfad ein und atmeten sie wie Menschen an.

Fanden sie die Zille? Sie waren schon drin. Ruderschläge. Das Rudern im Finstern war wie eine Räuberszene. Rasend schossen sie stromab. Lange hatten sie herauf gebraucht – nun waren sie im Nu am Floß. Sie sahen das Floß nicht, sie spürten es nur, so dicht war die Stockfinsternis.

„Wieder keine Laterne", brachte Frajo hervor.

„Was heißt wieder?" meinte der Koch.

„Stern' kommen", sagte Hannes.

2

Kampf in Schlangenlinien

„Jetzt geht's los!" Schatzinger, halbnackt wie die meisten, dehnte die athletische Brust, seine Tätowierungen schwollen in der Morgensonne.

Eine Bewegung durchlief das Floß und begann den Katzenjammer zu verdrängen. Die Anker waren hergerichtet, die Seile geklärt, man wollte für den Notfall gerüstet sein. Frajo hatte die Abfahrt verschlafen. Schon seit aller Morgenfrühe waren des Floßes waagrechte Stämme ein seltsam gerippter Spiegel, blendend vor Taunässe.

„Es ist kein Wind gekommen", sagte er.

„Dann kommt was anderes Böses", sagte der Nauführer dumpf.

Alle Ruder waren besetzt, der Steiner-Michl hatte das Kommando übernommen, wegen dieser schwierigen Strecke fuhr er ja als Lotse mit, auch er war an den Rudern, auch der Koch war zum Rudern geholt worden. Der stets rauchende Herd, eine Eisenplatte mit einem Loch über Steinen auf Rasenziegeln, noch primitiver als der Haslauers, blieb sich selbst überlassen; es roch nach Gulasch, Schweinefleisch und schwarzem Kaffee. Frajo ruderte zwischen Schatzinger und Grießling an der Stur mit. Vorne am Gransl suchte der Nauführer das Wasser mit dem Feldstecher ab.

„Ein Waberl oder eine Stauden?" fragte man ihn.

„Ein Waberl", antwortete er.

Eine kurze Armbewegung des Lotsen; veränderte Ruderarbeit. Ein Waberl muß man rechts liegen lassen, eine Staude links. Es waren von der Regulierung gesetzte Wassermarken, die unter dem Sammelnamen Hasen die Fahrrinne bezeichneten. Auch ein Waberl war ursprünglich eine Staude; aber während man eine Staude buschig geöffnet ließ, waren bei dem Waberl die Zweige mit Stroh hinaufgebunden worden. So entstand ein glatter gelber Wickel, der sich schon von weitem durch sein schlankes Aussehen und den Strohglanz von den breiten, naturgrünen Buschen der Stauden unterschied. Oder unterscheiden sollte, hätten nicht Sonne und Wasserspiegel alles verflimmert. Der Feldstecher war sehr notwendig.

„Was da für Wasser hiebei liegt", sagte Schatzinger zu Frajo. „Alle Sandbänke sind überronnen. Aber nicht so hoch, daß wir drüber könnten. Das ist das Verflixte!"

„Da ist alles voller Sandbänke, und man sieht sie nicht?" Frajo freute sich. In breitem Bogen wälzte sich die Donau dahin. Obwohl sie schon in der Oberungarischen Tiefebene waren, hatte sich die Geschwindigkeit des Wassers, die eines Gebirgsflusses, nicht gemindert.

„Lauter Haufen!" Schatzinger spuckte.

„Nur in Schlangenlinien geht's dahin." Schatzinger spuckte zweimal. „Immer zwischen den Waberln und Stauden durch."

Raaber, neben ihm rudernd, konnte als Oberspucker nicht nachstehen, sein Gerülpse übertönte das gleichmäßige Wasserplätschern der Ruder.

„Waberln bleiben rechts", sagte Frajo. „Waberln läßt man rechts gehen, so merk' ich mir das."

„Immer die Weiber, immer die Weiber!" Raaber bekräftigte die Spuckfolge mit einer derart prasselnden Schleimerei, daß seinen Nachbarn die Trommelfelle schmerzten. Grießling verzog das kümmerliche Gesicht.

Gepfeife und Getute: ein Regulierungsdampfer kam ihnen entgegen, auf Glanz hergerichtet, voller Ingenieure und Offiziere.

„Inschinierln", brummte Steiner-Michl verächtlich in sich hinein.

„Br. Dr.-Ing.", stimmte ihm Frajo bei, obwohl der Lotse keine Ahnung haben konnte, was das wörtlich bedeutete. Der finstere Lotse war ihm nun gleich weniger fremd; Frajo spürte die Überlegenheit lebenslanger Erfahrung über das schulmäßige Wissen, die Überzeugung, wie eitel die Technik vor der Natur ist.

Gleich darauf stand wieder eine Begegnung bevor: ein Holländer, er schleppte zwei tieftauchende eiserne Warenboote nach.

„Der macht einen Bart!" sagte Schatzinger beifällig. Je größer die gleich einem weißen Schnurrbart auseinanderwirbelnde Bugwelle war, um so schneller fuhr das Schiff, und der Bart des Holländers war besonders weiß und mächtig. An dem Fehlen, der Kleinheit oder der Größe des Bartes konnte man schon von sehr weit erkennen, ob das Schiff stand oder langsam oder rasch fuhr. So viel Wasser, so breit war die Donau, und ganz dicht mußten sie aneinander vorbei ... Das Wasser überspülte das Floß, sie standen in den hin und her flutenden Wellen. Es spritzte auch in kleinen Springbrunnen zwischen den Stämmen herauf.

Hutweiden unterbrachen den Wald, ein Gedränge riesiger Pferde- und Rinderherden. Blechernes Geläute. Kühe fraßen von den Bäumen. Viele standen im Wasser und starrten dem Floß nach. Zwei schwarze Hunde, ein Hirt — der erste Mensch, den sie seit Preßburg, gestern mittag, am Ufer sahen. Einen Augenblick lang schlug sich das Innere des Landes auf: Felder, eine Nußbaumallee, ein ferner Kirchturm. Dann wieder die Einsamkeit der Auwälder.

„Nehmts euch z'samm. Ich will nicht auf'n Haufen wie damals!" warnte der Lotse. Und er erzählte, wie es ihnen im August vor drei Jahren — es war gerade ein so verteufeltes Wasser wie diesmal — das Floß beim Auffahren in der Mitte auseinandergerissen hatte. Die Hütte ist wie ein Kartenhaus zusammengebrochen. Eine Zille hat es zerdrückt, die andere ist davongeronnen. Die Donau ist von Floßteilen übersät gewesen. Zwei Leute sind ertrunken. Die übrigen sind mit den Resten des Floßes auf dem Haufen oben gesessen, drei Tage und drei Nächte. Die Stämme hatten sich so in die Sandbank eingegraben, daß ein Dampfer, der zu Hilfe gekommen war, sie nicht wegzuschleppen vermocht hatte ... Erst das steigende Wasser hätte ihnen geholfen, indem es die Stämme losschwemmte. Und weitere zwei Tage hätten sie gebraucht, um das verkleinerte Floß halbwegs wieder zusammenzustellen. Und nichts zu essen hatten sie gehabt und nichts zu trinken ...

„Schöne Aussichten für'n Koch", witzelte Schatzinger. „Essen und Trinken ist seine Leibspeis."

Stundenlang alle Augenblicke ein anderer Kurs: bald in der Mitte, bald ganz rechts, bald ganz links am Ufer. Einmal im starken Sonnenlicht, einmal im Schattendunkel der Wälder unter überhängenden Bäumen. Sie kamen gerade oder schräg daher, sie drehten sich zwischen den Hasen durch, und doch war überall so viel Wasser, so viel Wasser fürs Auge.

„Könnt schon bald aufhören", sagte Schatzinger traurig lächelnd. Man warf die restlichen Kleidungsstücke ab, die Jungen auch die Schuhe, mit den nackten Füßen konnte man sich besser auf den Latten halten.

Heftige Meinungsverschiedenheit: War der Hase vorne ein Waberl oder eine Staude? Der Nauführer vermochte trotz seines Feldstechers keinen Bescheid zu geben. Sie fuhren gegen die Sonne und konnten die Hasen wieder einmal nicht voneinander unterscheiden, wenn man auch an der Bewegung des Wassers um sie herum erkannte, daß überhaupt einer vorhanden war.

„Alle Augenblicke bregert's woanders", sagte Grießling.

Jedenfalls waren mehrere Hasen in Abständen hintereinander zu sehen. In der allgemeinen Ungewißheit schaute alles auf Frajo, seinem Blick vertrauend. Frajo kniff die Augen zusammen und blickte scharf nach vorn:

„Ein Waberl!" rief er dem Lotsen zu.

Sofort machte Steiner-Michl eine kurze, aber deutliche Armbewegung.

Im nächsten Augenblick warfen sich die vorn in die Ruder, die Ruder bogen sich, es war eine Erlösung, und die hinten taten desgleichen, einen Sekundenbruchteil nachfolgend. Das Floß, zäh an das Wasser geklebt, begann sich langsam seitwärts zu schieben, ungelenk und schwer mit dem gewichtigen Gleiten eines Gegenstandes, der wie in dickem Lehm dahinglitscht.

Kaum war der erste Hase rechts geblieben — er hatte sich wirklich als Waberl erwiesen —, machte Michel, neuerlich Frajos Blick vertrauend, wieder eine Armbewegung. Man sprang um die Ruder herum, es hieß nach der anderen Richtung rudern ... denn der nächste Hase war eine Staude. Und mußte links gelassen werden. Das Floß folgte. Es schob sich schön ab. Wieder Frajos Bescheid, wieder eine Armbewegung Michels, wieder blitzschneller Standwechsel, denn der dritte Hase war, gleich dem ersten, ein Waberl. Und mußte rechts bleiben. Verdammter Zickzackkurs!

Aber dieses Waberl war verhext. Wie sehr sie auch arbeiteten, es blieb links vorn. Die Ruder krümmten sich wie Halbmonde. Sie knarrten in den Weiden, das Wasser plätschte wie unter einem Mühlrad. Rasend polterte ihr Tanz auf den Latten. In Bächen rann ihnen der Schweiß den Körper hinunter. Vergeblich. Das Waberl blieb links. Das Floß schob sich nicht ab.

„Da legt sich der Rinn an!" — „Es rinnt wie der Teufel!" — „Herrgott, wir dürfen nicht auf den Haufen hinauf ..."

Jetzt war es schon alles eins. Die Augen schließen, das Kreuz herausarbeiten! Als Frajo die Augen öffnete, schien das Waberl an einer anderen

Stelle zu sein. War es denn möglich? Hatte es sich nach rechts verschoben?

„Anzerren!" krächzte der Lotse. Sein Gesicht war jetzt ganz weiß.

Was sie leisteten, war wahnsinnig. Das ganze Floß war ein Keuchen, ein Hinwerfen, ein Dreschen. Das Waberl schob sich weiter rechts ab. Das Gransl wischte gerade noch an dem Waberl vorbei, aber dann führten sie es nieder, quer, wie sie daherkamen — die Stur war draußengeblieben.

„Achtung!" schrie Michel den vieren auf der Stur zu.

Es knirschte unter ihnen. Instinktiv flüchteten sie nach links, schon begannen die Pfosten auf der rechten Seite zu schlenkern. Dort rutschte das Floß mit einem scherrenden Ton über den Haufen. Ein Pfosten löste sich, dann ein zweiter, ein dritter.

Hannes und Franz waren mit Schiffshaken herbeigeschossen: des rumorenden Bodens nicht achtend, beugten sie sich weit hinaus, um die Pfosten wieder einzufangen. Ein Splittern: die zwei Außenruder, die Grießlings und Frajos, brachen entzwei. Der Nauführer rang die Hände. Das Wasser quoll gelb auf, ein dicker Erbsenbrei.

Aufklatschen, jemand hatte das Gleichgewicht verloren, Franz stand hilflos allein da. Das Wasser kreiste schwer auseinander. Hannes fehlte.

„Hannes!" schrie jemand.

Auch unter Frajo verschob sich der Boden, obwohl er ganz links draußen war. Er sprang in die Höhe, damit seine Füße nicht von den sich aufbäumenden Stämmen zerquetscht würden. Er fiel hin, auf die Hände, sofort waren sie rot von Blut, die Stirn schlug auf.

Unfähig zu denken, wiederholte Frajo bei sich den Namen Hannes, Hannes, mit der überströmenden Empfindung des Machtlosen. In diesem Augenblick spürte er, daß Hannes der einzige war, mit dem er sich verstanden, der sich offen für ihn eingesetzt, der ihm auf den ersten Blick gefallen hatte, schön in seiner freundlichen und bescheidenen Kühnheit.

Erheben wollte er sich, brachte die Kraft nicht auf. Es reichte nur zu einer schmerzenden Kopfwendung. Es war wie Genickstarre. In einem unwirklich kleinen Ausschnitt sah er über seiner Achsel das Wasser und darin einen schwarzen Knäuel, einen Schädel. War das nicht Hannes' Kopf? Eine Schulter folgte, ein magerer Arm, er zerteilte das Wasser. Dann war ja alles gut ... Sicher würde er, Frajo jetzt aufstehen können.

Er versuchte es, es ging. Gleichzeitig richtete sich hinter ihm der Waberlhase auf, er war es, der auf einmal seine Blicke an sich zog. Der umwickelte Bursche zitterte in den Wellen.

Hilfreiche Arme streckten sich Hannes entgegen. Er arbeitete sich zwischen losen Pfosten herauf, triefend, atemlos prustend. Er war schon auf dem Floß. Der Koch neben ihm, sein Vater. Er sagte mit vor Schrecken zitternder Stimme: „Bist auch wie der Teufel!"

„Das schwere Wa-Wasser", sagte Hannes zähneklappernd. Auch aus seiner Nase tröpfelte Wasser. Er massierte sich die nackte Brust. „Gut, daß ich ins lei-leichte gefallen bin. Du bist ja ga-ganz blutig, Frajo."

„Ach was", sagte Frajo und sah ihm in die Augen. Da geschah es: die Donau wurde laut. Unvermutet wurde sie zu einem lauten Rauschen, sie, die gerade durch die Stille ihres Stromes anzeigte, daß man fuhr, daß man mit diesem Strom glitt, völlig gleich schnell eins mit ihm und darum so lautlos. Aber nun war sie rauschend geworden . . .

Alles war vergessen. Sie standen und hörten dieses verdächtige Rauschen, und im nächsten Augenblick sahen sie, wie die Wellen sich an der Stur brachen, wie die Donau floß, an ihnen vorbeifloß.

Sie steckten. Das Floß steckte. Mitten in der Donau steckte das Floß auf einer Sandbank.

Raaber verlangte Wein. Er, der selber den letzten Wein in einem Zug ausgesoffen hatte, verlangte Wein. Wie Frajo seit Tagen unrasiert, mit einem kurzen, getigerten Vollbart, der in rötlichen Strähnen schimmerte, hockte er neben Schatzinger. Schatzinger rasierte sich. Sein Messer war schartig, der Spiegel ein Glasscherben.

„Mußt dir halt einen holen, einen Wein", sagte Schatzinger und zeigte Raaber sein Pferdegebiß, von dem man nicht wußte, ob es echt oder falsch war.

„Aber, Onkel Schatzinger!" rief Frajo lachend. Von nun an blieb Schatzinger der Spitzname „Onkel".

Jeder wußte, daß Wein holen leichter gesagt, als getan war. Sie waren im einsamsten Teil der Donau gefangen, zwischen der Großen und Kleinen Schüttinsel, wo der verwilderte Strom zahlreiche Arme und Inseln bildet, ein Dschungel von siebzig Kilometer Länge und vielen Gehstunden Breite — das heißt, wenn es in dem Wasserwirrsal zu gehen möglich gewesen wäre. Aber Raaber antwortete zur allgemeinen Verblüffung:

„Tu' ich auch, daß ich mir einen hol, einen Wein!"

„Imstand ist er's", sagte der Lotse wegwerfend. Er war wütend. Erstens weil sie nun da festsaßen und er die Verantwortung hatte, zweitens weil er selber vor Durst verging, und drittens überhaupt. Er krächzte: „Wenn das Wasser fallt, können wir das ganze Fuhrwerk zerlegen und neuaufbauen, und auch wenn's steigt, kommen wir vor übermorgen nicht weg!"

„Der Ungar hat pfiffen", sagte der Nauführer verzweifelt. „Pfeifen hat er müssen, der Demeter!"

„Eigentlich bin ich schuld", sagte Hannes, „das ist, weil ihr mir geholfen habt, mich aus'n Wasser zu ziehen, da habts net aufpassen können."

Frajo war trotz seiner schmerzenden Stirn und der wunden Hände von Glücksgefühl geschwellt. Bestätigt nicht das Abenteuer den Aberglauben? Er sagte: „Was wollts denn, das Floß ist ganz, die Hütt'n, die Zille ist da —"

„Und die geschmuggelte?" sagte Grießling langsam. Er sagte es fast schadenfroh.

Man stürzte auf die linke Seite der Stur, Franz riß ein paar Latten weg: da klebte sie unten, die Zille, unversehrt, gierig angesaugt wie eine Muschel. Beruhigt ließ man die Arme sinken. Der Nauführer meinte schmunzelnd: „Die hat's ausgehalten."

Der Lotse sagte ärgerlich: „Hebt sie, macht sie frei, habts einen Zeitvertreib. Ich muß die Gelsen vertreiben. Zum Fressen und Saufen haben wir nichts, aber dicke G'sichter und Bäuch werden wir kriegen: von den Gelsen. Lauter Gelsentippel! So war's damals auch, nicht einmal scheißen haben wir können, immer haben wir müssen mit die Händ hinten wacheln."

Raaber nahm den Nauführer beiseite. Er redete lange auf ihn ein. Der Nauführer strich sich den roten Schnurrbart und zuckte die Achseln. Dann verschwanden sie langsam in der Hütte. Als sie herauskamen, hatte Raaber die Hand in der Hosentasche und klimperte mit Geld. Mit der andern schwang er sich das Hundertfünfundzwanzigliterfaß wie einen Ball auf die Schulter. Wollte er das Unmögliche möglich machen? Er spuckte und sagte:

„Ich kenn' den Weg nach Asvány hinein. Wer fahrt mich?"

„Ich!" rief Frajo, dem nichts abenteuerlich genug sein konnte.

Unter dem Kopfschütteln der anderen stiegen sie in die Zille, das Weinfaß kam in die Mitte. Der Lotse zog seine dicke, vergilbte Taschenuhr:

„Zehne ist's. Das volle Faß muß er rollen — vor drei kann er nicht zurück sein. Und den Rausch miteingerechnet, den er sich drin ansauft: vor Abend nicht. Aber daß du das Faßl voll bringst!"

Sie stießen ab. Raaber sagte: „Eine Hacke noch."

„Genügt dein Dolchmesser nicht?" fragte Frajo.

„Zurück!" bestand Raaber. Er holte sich eine Hacke, steckte sie in den Gürtel. Dann fuhren sie, gegen die Strömung kämpfend, in einen Arm ein. Überall Verzweigungen, da rann das Wasser herein oder rann das Wasser hinaus.

Raaber spuckte und sagte: „Wir hätten Hannes nicht helfen sollen. Der Donau muß man opfern, damit sie sich beruhigt. Dann holt sie keinen mehr."

Frajo kannte den alten Schifferaberglauben. Er sagte: „Du hast jedenfalls keine Hand gerührt."

„Dort!" Raaber wies auf eine Uferstelle. Frajo setzte ihn an Land. Raaber sagte: „Da holst mich am Nachmittag ab", und verschwand, das Faß geschultert, im Dickicht. Frajo hörte ihn wieder „Üb immer Treu und Redlichkeit" pfeifen.

Er horchte auf das sich entfernende Niederhacken der Büsche und das Pfeifen. Er verharrte so lange, bis nichts mehr zu hören war, und noch länger. Er starrte auf eine Stelle des Ufers. Es war unterwaschen, unter überhängenden Bäumen huschten Ratten.

Als Frajo am Nachmittag dank seinem Orientierungssinn wieder an diese Stelle zurückfand, wartete er lauschend lange genug. Er hörte nichts als das Nagen der Ratten oder wilden Kaninchen, unter denen hie und da ein Stück Ufer einbrach.

Er fuhr den Arm hinauf und hinab, weniger, um sich die Zeit zu vertreiben, als um das Wasser zu studieren. Es war tief genug. Am Abend war es mit Raaber nicht anders. Er kam nicht. Riesige Ratten schwammen, ihre langen Schwänze glänzten wie Schlangen.

Frajo schlug sich landeinwärts, Raabers Spur folgend. Auf einem runden Rasenplatz schoß ihm ein Tier entgegen wie eine überschlanke Katze. Flaumig an der Erde wischend, verschwand es knapp vor ihm im Gras. Plötzlich war es wieder da, reckte sich hoch, äugte ihn feindselig an, ein Wiesel, dann verschwand es ruckartig in der Erde.

Es dämmerte, Frajo wollte schon umkehren, da sah er so etwas wie eine dunkle Wölbung im Gebüsch. Im Schatten sah es wie ein aufgequollener Körper aus. War das nicht das Weinfaß? Raaber hatte also . . .

Frajo gab das Warten und Suchen auf, obwohl ihm die Sache recht geheimnisvoll vorkam. Er sagte es auch, als er zum Floß zurückkehrte.

„Gar nicht geheimnisvoll", krächzte der Lotse. Und der Nauführer setzte verlegen hinzu:

„Raaber ist mit dem Geld für den Wein, dreimal mehr als seine ganze Löhnung, durchgegangen."

3

Melancholisches Nichtstun

Am Morgen war der von Hannes „als Wassermark" in den Flußgrund gesteckte Zweig kaum noch zu sehen, so hoch war das Wasser gestiegen:

„Um drei Handspannen!" riefen Hannes und Franz wie aus einem

Mund, und Hannes setzte hinzu: „So was war noch nie da, wenn das so weitergeht, sind wir noch am Vormittag frei."

Und so war es auch. Fast genau vierundzwanzig Stunden nach dem Auffahren, als sie das verräterische Anrauschen der Donau gehört hatten, ließ das Rauschen nach und erstarb schnell. Das Floß bewegte sich von selbst, es glitt wieder mit dem Strom dahin. Man hörte keine Wasserbewegung, es war wieder Stille des Einsseins mit der Strömung.

„Frajos Augen danken wir's, daß alles noch gut abgegangen is!" rief Hannes. Dem konnte nicht einmal der mißgünstige Lotse widersprechen.

Man hatte die unfreiwillige Wartezeit genützt: die losgerissenen Stämme befestigt, Bindungen und Nägel erneuert, an Stelle der zwei gebrochenen ein Reserveruder eingehängt, die Zille — nun brauchte sie nicht mehr versteckt zu werden — gehoben, und als man schon fuhr, schleppte der Koch noch Latten, maß und sägte daran herum. Der Koch war eigentlich sehr geschickt, benahm sich aber absichtlich so, als sei er ungeschickt, indem er sein Werkzeug fallen ließ und übertrieben traurig darauf starrte.

„Jetzt habt ihr nicht einmal mehr einen blinden Passagier!" triumphierte Frajo. „Jetzt bin ich einfach der Raaber. Wie und wo sie auch nach mir fahnden mögen, sie werden mich nicht finden. Ich bin der Raaber!"

War schon eine Floßfahrt nach Mohács zugleich ein Verschwinden auf eine gute Woche, während welcher Zeit ein Gesuchter kaum zu fassen war, so hatte es nun das Schicksal gefügt, daß für den abgängigen Raaber Frajo einspringen konnte, ohne einer eventuell alarmierten Behörde einen Verdacht oder gar eine Handhabe zum Einschreiten zu bieten . . . Frajo schärfte seine Verwandlung allen und besonders dem Nauführer ein; der war etwas schwer von Begriff.

Der Nauführer, der sich vergeblich hinter seiner Schwerhörigkeit zu verschanzen versuchte, nahm es schließlich zur Kenntnis. Auch Hannes freute sich über Frajos Verwandlung in Raaber, und Onkel Schatzinger sagte anerkennend, seinen Es-ist-erreicht-Schnurrbart zwirbelnd: „Leinwand, das ist d'r Leiwand!"

Hannes machte Frajo auf eine primitive Kirchturmspitze aufmerksam: „Szap. Die gefährlichste Streck'n liegt hinter uns. Bald wird der Lotse ausgebootet, in Gönyü."

Der kommandierte noch einmal: „An das Eck ganz hiebei!" Und noch einmal gab es schwere Arbeit.

Schatzinger zeigte zum Himmel: zwei Geier kreisten hoch über dem Floß. Aus dem Ufergrün löste sich ein weißgekalktes Haus mit großer schwarzer Schrift in ungarisch, slowakisch und deutsch: *Vendeglö — Hostinec — Gasthaus*. Der Lotse sagte mit seiner knarrenden Stimme:

„Wenn ich schon das Gönyüer Gasthaus sehert, wär mir lieber. Und wenn ich euch nimmer sehert, wär mir noch lieber!" Sein Wunsch war bald erfüllt. Ein paar robinsonhafte Fischerhütten mit blinkenden Netzen erinnerten an das heimatliche Örthel, und dann mündete die Raab ein. Hier lag Gönyü, Schifferdorf und Kohlenstation der Dampfer.

Der Lotse wurde in der Zille an Land gesetzt. Er krakeelte noch lange durch die Wasserstille herüber. Zum Überfluß war er auch mit der Bezahlung nicht zufrieden. Das letzte, was man aus seinem drohenden Geschimpfe halbwegs deutlich hörte, war:

„Verhungern hat man bei euch können! Nicht einmal Blutwürst wie bei die Slowaken! Aber jetzt werd ich so viel fressen, daß mir die Knödel beim Arsch außerstehn!"

Mit dem Lotsen war auch der Rinn weg.

Die Donau war endlich, obwohl sie längst die Tiefebene durchfloß, zu einem Strom geworden: träg war sie nun, mit kaum merklicher Strömung, still und breit. Und still und breit war auch das Land. Nun erst kam es Frajo zu Bewußtsein, daß sie oberhalb von Gönyü eigentlich schnell gefahren waren. Die Auwälder waren nur so vorbeigesaust. Wohl hatte die enge Sicht mitgewirkt: eng durch die senkrechte Begrenzung der Waldränder unmittelbar an den Ufern. Nun aber war alles waagrecht.

Ungehindert ging die Sicht ins Waagrechte. Wenn überhaupt etwas senkrecht war, schien es nur da zu sein, um die Gliederung zu vervollkommnen: ein paar Häuschen im Land drinnen, Heuschober, Telegraphenmasten, sie teilten die Landschaft, ordneten sie in die Tiefe. Diese ruhenden Vergleichsmöglichkeiten waren aber so weit hinausgerückt, daß die verlangsamte Fahrt noch langsamer schien, fast wie ein Stocken.

Es war noch immer menschenleer, und doch gab es nicht mehr die Einsamkeit der Aulandschaft. Denn da waren menschliche Zeichen, fruchtbare Felder, Fahrwege, ferner Eisenbahndampf — eine andere Stimmung.

„Fünfzehn und vier!" — „Neunundsechzig!"

Die Zahlen, halblaut gerufen, weckten Frajo auf. Es handelte sich nicht um nautische Vermessungen. Sie spielten Karten.

Verschlafen sah er einen Fabrikschornstein am Ufer. Wie seine Verlängerung ragte die Rauchsäule zum Himmel, völlig unbeweglich, so reglos war die Luft. Schlaff hingen die Fahnen. Das Klatschen der Karten, das Ausrufen der Zahlen, die Backofenschwüle, all das wirkte neuerlich einschläfernd. Mit Mühe hielt er die Augen offen, um die schwefelgelbe Stadt zu sehen, die links liegen blieb. Es war Komorn. Zwei Brücken. Von einem Kirchturm schlug es dreimal. Der Himmel schwelte grau vor Hitze.

Es gab keine Arbeit mehr, nicht einmal an den Rudern. Man ließ das Floß einfach fortrinnen. Kaum daß der Nauführer hie und da nach vorne schaute. Schatzinger produzierte sich mit seinen Tätowierungen, die verschiedene Menschen und Tiere in Bewegung zeigten.

Ein weißer Personendampfer fuhr ihnen vor und legte rechts bei der Festung an. Dadurch überholten sie ihn. Dann fuhr ihnen der Dampfer ein zweites Mal vor und machte knapp vor ihnen das Rondeau zum linken Ufer hinüber, wo er in den Hafen, einen schmalen Seitenarm, hineinschwenkte. Dadurch überholten sie ihn zum zweitenmal. Aus dem Hafen herauskommend, fuhr er ihnen unterhalb Komorn ein drittes und letztes Mal vor. Damit war das Spiel zu Ende. Der weiße Dampfer glitt davon, immer kleiner werdend: mit ihm käme ich schneller zu Etel, dachte Frajo, ehe er wieder einschlief. Nur seine Rauchsäule wurde größer, strebte zum Himmel, als würde das Schiff wie eine Marionette an einem Drahtseil von oben geleitet.

„Da h a b e n die Anker!" sagte Hannes und zeigte rechts auf den Steinplatz vor Duna-Almás. Er meinte, hier sei ein guter Ankergrund.

Sanfte Weinhügel, von der späten Nachmittagssonne anmutig überflirrt, begannen das rechte Ufer zu erhöhen. Eine stille Bahnstrecke, immer frei, nach den erhobenen Signalarmen zu schließen; weißleuchtende Ortschaften, freundliches Glockengeläute, Frieden. Schweigend wurden wieder die Ruder besetzt.

Gegen Abend blieb Duna-Radvány links, ein Dorf, dessen Häuser in langer, lockerer Reihe an einem Lehmabfall zur Donau standen. Sechzehn Schiffsmühlen waren in ebenso langer Reihe bis weit in den Strom heraus verankert. Jeder Schiffsmühle entsprach eine gewundene Wagenspur, die sich das Ufer herabzog und im Wasser verschwand. Halb im Wasser standen Bauernwagen, sie luden Mehlsäcke, die ihnen auf Zillen von den Schiffsmühlen zugerudert wurden. Die Pferde fühlten sich im Wasser wohl und schauten neugierig zu ihnen herüber. Langsam drehten sich die Mühlräder.

Sie wollten lange fahren, bis zum Dunkelwerden. Aber plötzlich knatterten die Fahnen, ein kühler Wind hob sich. Hoch hinter ihnen war der Himmel schief zerteilt, dort regnete es in einem breiten Strich. Tief am hinteren Horizont bildete sich eine längliche rote Feuerwolke, überlagert von bleifarbenen Bänken mit weiß zerrissenen Fetzen.

„Windluken", sagte Onkel Schatzinger mit einem Blick zurück. „Bedeutet Sturm. Das ist ein Mai!"

Der Nauführer bestimmte, daß schon in Süttö zugefahren werde. Sie ruderten tüchtig, vorne und hinten, auf das untere Ende des Schotterhaufens zu. Als sie ähnlich wie vor Oroszvár umgetaucht waren, fielen vom Westen die ersten Tropfen, große, kalte Tropfen. Eine zweite rote Windluke hatte sich gebildet, der Wind zog an.

Zwei zigeunerhafte Männer, die am Ufer gefischt hatten, hüpften barfüßig herbei. Befragt, gaben sie zu verstehen, daß der Liter Wein im Wirtshaus fünfzig Fillér, bei den Bauern zwanzig Fillér koste. Sofort beschloß man, ins Dorf zu den Bauern zu gehen. Nur der Koch mußte — nein, Frajo machte sich erbötig, als Wächter zurückzubleiben. Dankbar schaute ihn der Koch aus seinen traurigen Augen an.

Verzichtete Frajo wirklich dem Koch zuliebe? Oder aus Eitelkeit, weil seine Stirn und Hände geschwollen waren und das Frajo-Bärtchen verwucherte? Die ganze Mannschaft begab sich an Land. Zu sechst marschierten sie im Gänsemarsch über den Schotterhaufen auf den Bahndurchlaß zu und verschwanden darin, als letzter der Koch mit dem Weinfaß am Rücken.

Was blieb auf dem Dach der Hütte zurück? Frajo mußte lächeln. Des Kochs Überrock und steifer Hut, natürlich, es regnete ja. Er räumte beides in die Hütte. Sie empfing ihn dunkel und warm. Er zündete die Kerze an. Stille. Nur leises Wasserglucksen und Aufflackern der Kerze, wenn ein Luftzug durch die Ritzen strich.

Er sah durch das Guckloch stromaufwärts. Das Unwetter war nicht ausgebrochen. Finster und tief hing der Himmel mit einem schwach leuchtenden Rest von Sonnenuntergang über dem schwarzen Strom. Weiß bleckte allein der Schotterhaufen. In der Ferne ein einziges Licht: Duna-Radvány.

Auf dem Floß hatten sie natürlich wieder einmal kein Licht angesteckt...
„Da kommt eh keiner her", hatte der Nauführer gesagt. Frajo zündete die Laterne an, trug sie hinaus, die Pfosten waren rutschig. Er stellte die Laterne an den Außenrand. Beruhigt wollte er in die Hütte zurückkehren, er war müde, als ihn eine seltsame Unruhe packte.

Der Kälte nicht achtend, verharrte er regungslos. Er hörte einen Gesang aus der Vergangenheit klingen, den Gesang einer ähnlichen Nacht, als er ein Schiffslicht auf Kotts Motorboot angezündet hatte, einen ungarischen Gesang, Etels Heimatgesang von der Theiß: *Ki a Tisza vizét issza* ...

Zum erstenmal seit seiner romantischen Flucht, die ihn zu einem Enterbten machte, zum erstenmal trat ihm wieder das heimatliche Ufer, das erleuchtete Elternhaus, die große Königskerze, über die sich das Schattenkreuz des Fensters legte, vor Augen — aber nicht im Zusammenhang mit der Heimat oder einer Schuld, nein: nur im Zusammenhang mit Etel, die dort am Ufer das Theiß-Lied gesungen hatte:

> „Wer vom Wasser der Theiß erst trank,
> sehnt sich zurück sein Leben lang ..."

Etel ... Er war sicher, sie rechtzeitig zu erreichen ... Die Müdigkeit war weg. Er tappte in die Hütte hinein, blies die Kerze aus, legte sich ins Stroh. Sosehr er sich in der raschelnden Wärme vergrub und immer bessere Lagen suchte, er war lange nicht fähig einzuschlafen.

Als er endlich in einen Halbschlaf gesunken war, hörte er die andern heimkommen. Es mußte sehr spät sein. Waren sie betrunken oder nur gut aufgelegt? Es schien ihm, als schlüge der Koch einen Purzelbaum nach dem andern. Oder schupften sie ihn einander zu? Er fühlte, wie der Koch, der neben ihm zu schlafen pflegte, jeden Strohhalm einzeln beiseiteschob, und hörte Onkel Schatzinger sagen: „Der Koch geht schlafen als wie eine Henn ..."

4

Phantastischer Morgen

Die Weckrufe des Nauführers wollte Frajo nicht wahrhaben, zu gut lag er im Stroh. Aber dem Rauch vom Herd her vermochte er, als sie gewendet hatten und lautlos dahinglitten, nicht zu trotzen: der biß in den Augen wie hineingeflogene Mücken, und Frajo erhob sich gähnend. Es war noch dunkel. Im Westen leuchtete ein voller Mond, ruhig spiegelte er sich im Wasser. Süttö verschwand, es lag noch in tiefem Schlaf.

Frajo wusch sich, er wusch sich wie alle vom Floßrand aus in der Donau. Aus der Donau holte man sich auch das Koch- und Trinkwasser; man filterte es. War das in einem Riesenfaß eingepökelte Schweinefleisch ausgegangen, holte man sich aus der Donau auch die Nahrung: Fische; man briet sie auf offenem Feuer. Und der Donau zurück gab man in ungenierter Nacktheit das Gegenteil vom Essen.

„Es blenkert die Sonn ein wenig heraus", sagte Hannes.

Ein Schraubendampfer kam vorbei, er hatte noch die Positionslaternen brennen. Steinbrüche wuchsen hoch, Berge, die erschienen waren, versanken dahinter, der Wassernebel wand sich wie eine Schlange davon, rasch erblaßte der Mond, die Hügel unter ihm waren bereits von der Sonne getroffen, verstreute Getreidefelder blinkten jäh auf, die Landschaft war in Bewegung, fortwährend änderte sich alles. Da hob sich ein leises Lüftchen, kaum merklich, schon war der Sonnenball da. Vögel begannen zu zwitschern. Pappeln färbten sich saftstrotzend grün. Als wäre gleichzeitig eine Unterwassersonne aufgegangen, schwebte über dem Wasser von unten beleuchteter Goldstaub, eine waagrechte Feuersäule, allmählich begann sie sich in regenbogenschimmernden Dampf aufzulösen. Sie fuhren gerade auf die Sonne zu.

Schwarzer Kaffee. Schnaps. Schwarzer Kaffee mit Schnaps. Schweinsgulasch. Sie aßen in zwei Partien. Immer hungrig, aßen und tranken sie in aller Herrgottsfrüh schon mehr als andere am ganzen Tag. Der Koch stieg in seinen dicken, steifen Säulenhosen mit „Hoho!" herum. Er unterhielt sich mit sich selber.

Hinter ihnen drängten sich Ortschaften überscharf im niedrigen Schräglicht; vor ihnen öffnete es sich wie ein viele Kilometer breiter See. Und mitten in der stillen Wasserweite eine stille Insel, so grün und frisch und von duftigem Sonnennebel überstäubt, daß sie Frajo wie die Insel der Seligen vorkam. So stellte er sich die Theiß vor, wo er mit Etel . . .

Sie waren vor Nyerges-Ujfalu. Es schlug fünf Uhr von der Dorfkirche, die in kräftig leuchtendem Ockergelb am Ufer lag, wie aus verdichteter Sonnenfarbe geformt. Man hörte den Hirten blasen, ohne ihn zu sehen. Sicher blies er auf einem Kuhhorn. Es war die erste menschliche Regung des neuen Tages: eine getragene Melodie wie langhingezogene Vogelstimmen, die leichte Musik des Erwachens, aber noch nachhallend von den Träumen der Nacht.

„Ho! Anhaben!!" rief Onkel Schatzinger, der mit Frajo und Hannes an der Stur ruderte, und wandte sich Frajo zu: „Die Schiffsmühle unterhalb Neudorf liegt verdammt weit heraußen."

Dann spuckte er verächtlich aus. Seit Raabers Verschwinden spuckte er viel weniger, es war gar nicht mehr lockend, wenn der Mitstreiter fehlte. Vorne stürzten die andern, die eben beim Essen waren, aus der Hütte: der Nauführer, sein Sohn und Grießling, auch der Koch, der den Herd im Stich ließ, eilten herbei. Zu viert begannen sie am Gransl zu rudern.

Sie schoben sich von der Mühle weg. Auch ihretwegen waren sie gestern nicht bis hierher gefahren. Es wäre ein schweres Wegkommen gewesen, sie hätten die Mühle vielleicht mitgenommen. In solchen Fällen komme es vor, behauptete der Onkel, daß der Müller, wenn seine Mühle schon recht alt ist, mit dem Stampfel heimlich ein Loch in den Boden macht, damit sie, die gewöhnlich nur leicht beschädigt wird, untergeht und er eine neue Mühle ersetzt kriegt. So oder so, Müller und Flößer sind geschworene Feinde.

„Und auf noch etwas habt ihr's scharf", sagte Frajo, „auf Brückenpfeiler!"

„Sicher", antwortete der Onkel. „Ist schon manches Floß an ihnen zerschellt."

Lange leuchtete ihnen die sonnengelbe Kirche nach, überirdisch klar und doppelt, weil auch die Wasserspiegelung sonnenkräftig leuchtete. Dann hob sich Staub über sie, vom Vieh erzeugt, welches das Horn des Hirten aus den Ställen gerufen hatte. In der mächtig anwachsenden Staubwolke konnte man kein einziges Tier unterscheiden, nur bewegte Schatten. Das Gedröhn der Hufe und der Widerhall der Erde summte wie ein Bienenschwarm.

Stundenlang fuhren sie auf die Kuppel des Graner Doms zu. Der gewaltige Rundbau wölbte sich zwischen zwei säulenartigen Türmchen, die ebenfalls Kuppeln trugen, hoch über die Landschaft hinaus, bei aller Majestät unwirklich und zart, eine Gralsburg.

Das Floß ging immer links weg, die Kuppel immer rechts hinaus. Sie sollten gerade darauf zufahren. Aber das war harmlos, bedeutete nichts. So unerreichbar Gran schien, so gleichbleibend die Entfernung, sie würden schon einmal hinkommen . . .

Sie hatten Zeit, Zeit . . . Auch Frajo war sicher, daß er Zeit hatte und nichts verliere. Schon bei Haslauer hatte er es gelernt: Zeithaben, eine Grundbedingung des Menschseins.

5

Unruhe vor Budapest

Als sie am andern Morgen, einem Sonntag, längs der flachen Düneninsel St. Andrä auf Budapest zutrieben, löste sich alle Augenblicke von den vielen Bootsstegen und bunten Badehütten ein Boot los und kam herbeigerudert, auch Schwimmer krochen auf das Floß herauf; alle verlangten eine Zille zu kaufen und begutachteten die geschmuggelte. Als die Zille vor zwei Tagen, an jenem Unglückstag der Strandung, gehoben worden war, hatte sie sich als eine einzige Schlammkruste dargeboten, angefüllt mit dickem braunem Lettenwasser. Sie hatte gründlich gereinigt werden müssen, und da der Letten auslaugend gewirkt hatte, war die Zille nun noch blanker als vorher, glatt poliert, glänzend zum Anbeißen. Der Nauführer konnte bei diesem Überangebot jeden Preis verlangen. Er verhandelte mit den Leuten übellaunig und wortkarg. Sie mußten alle, rudernd oder schwimmend, unverrichteter Dinge wieder abziehen.

Von Budapest war noch nichts zu sehen, aber es kündigte sich schon an. Frajo konnte es nicht mehr erwarten, er sagte: „Die königlich ungarische Haupt- und Residenzstadt oder, wie Napoleon sie bezeichnete, die ‚Königin der Donau.'" Wieder hatte sich eine wohlige Erregung seiner bemächtigt. Er stand am Gransl und hob des Nauführers Feldstecher an die Augen. Noch herrschte die Aunatur faul und friedlich. Der waldige Donaudurchbruch von Nagy-Maros, wo sie diesmal übernachtet hatten, lag hinter ihnen; mit sanften Weinhängen waren die uralten Berghorste des Pilisgebirges zur Großen Ungarischen Tiefebene abgeglitten.

Der kaum spürbare erste Frühwind hatte sich längst gelegt. Nebelluft nannten ihn die Flößer. Sie sagten: „Die Sonne hat den Wind verbrannt." Ein gutes Wort hatten sie für den um neun Uhr aufkommenden Wind: Herrenwind. Warum er so heiße, hatte Frajo gefragt. „Weil um neun erst die Herren aufstehen." Frajo freute sich dieser treffenden Ausdrücke. Aber worüber freute er sich nicht?

Er freute sich auch über die plötzliche Meinungsverschiedenheit unter den Flößern, die in einen Streit auszuarten drohte. Die Gilde lockerte sich und zeigte lebhaften Einzelwillen. Anlaß war der Herrenwind. Er kam von rechts über die St. Andräer Insel. Außerdem erschien links vorne ein Bagger weit im Wasser heraußen. Auf alle Fälle mußte man sich mehr rechts hinabschleichen.

„Scharln!" rief Franz. Man ließ das Kartenspiel und besetzte ungern die Ruder. Scharln, sagte Hannes zu Frajo, heiße eigentlich scheren: eine Art des Ruderns, die sich nur auf der unteren Donau notwendig erwiese und bei ungünstigem Wind. Es war ein schräges Rudern im Winkel, kürzer und schneller als das gewöhnliche, daher auch anstrengender. Man ging vorne und hinten gleichzeitig in die Schere. So kamen sie sehr langsam nach rechts hinüber.

Der Nauführer war gegen das Scharln. Das heißt, man kannte sich bei ihm nicht recht aus. Sein Sohn war dafür. Der farblose, sommersprossige Jüngling, dessen Kropf zu glucksen begann, war zu Frajos Verwunderung wie ausgewechselt. Er behauptete, sie seien noch lange nicht weit rechts genug. Tatsache war, daß sie rechts wieder Land verloren, trotz ununterbrochenen Scharlns.

„Es nutzt halt nichts", sagte der athletische Onkel. „Wenn man auf dem Floß noch so anzerrt: wie sich das schiebt."

„Auf den hohen Baum voraus zu! Ganz knapp müssen wir am Andräer-Wasser herauskommen, sonst kommen wir unter der Eisenbahnbruckn nicht durch", behauptete Franz und massierte aufgeregt seinen Kropf.

Aus den Auwäldern erhoben sich Fabriksschornsteine, es sah so aus, als bildeten sie eine Reihe quer über den Strom, als ende er dort. Lange, leichte Rauchfahnen. Das war Budapest.

Der Nauführer brummte Unverständliches, machte wegwerfende Handbewegungen, schließlich wies er die Leute vorne an, aufzuhören. Sein Sohn geriet in Wut und kreischte, man dürfe ja nicht aufhören. Er lief nach vorn, Geschrei, Herumfuchteln — der Streit war fertig. Unschlüssig hörte man mit dem Scharln auf. Niemand wollte Partei ergreifen.

„Der Wind, das Rabenvieh!" schrie Franz.

„Diesmal hat niemand gepfiffen", sagte Frajo.

Vorne teilten sich die Schornsteine mit den Auen und gaben die Donau frei. Budapest war zu ahnen, niedrig auf den Strom geduckt, ein zartes Bild.

„Machts, was wollts", sagte der Nauführer.

„Scharln, scharln!" kreischte Franz. „Mein Vater sagt ja selber, machts, was wollts. Wir Jungen richten uns nicht mehr nach die alten Leut'!"

„So scharln wir halt", sagte der Onkel gleichgültig.

Es geschah. Ekelhafte Arbeit. Der Wind legte sich an, beide Fahnen knatterten laut. Querstreifen schraffierten das Wasser. Die Landweite wurde geringer. Der Richtungsbaum war passiert. Ganz knapp kamen sie an der Mündung des Andräerarms heraus, die Südspitze der Insel hinter sich lassend, und waren plötzlich inmitten von sehr viel Wasser. Sie gingen zum gewöhnlichen Rudern über, aber der Streit fand kein Ende. Obwohl der Nauführer Ruhe gab, stichelte sein Sohn weiter, und Grießling unterstützte ihn.

War es die spürbare Unruhe der großen Stadt, die die Menschen unruhiger machte? Frajo sah einige Augenblicke lang in sich hinein. Ja, so war es auch bei ihm, wenn er nach Wien gekommen war ... Und auf einmal schien ihm auch Etel ungewiß zu werden: würde er sie noch rechtzeitig erreichen? Sie würde heiraten, hatte sie gesagt, wenn die Bäume wieder blühen ... Blühten sie nicht längst? Mußte er nicht zu spät kommen? Warum hatte er das langsamste Beförderungsmittel gewählt? Aber er mußte es wählen, um sich unerkannt durchzuschmuggeln; auf einem Dampfer oder auf der Bahn wäre das unmöglich gewesen.

Vor ihnen spannte sich die Ujpester Eisenbahnbrücke mit vielen Pfeilern über die Donau. Rechts luxuriöse Strandbäder mit Terrassen und Topfpflanzen. Breit und festlich war die Donau vor dem großartigen Stadtbild geworden, das sich unter der Brücke in blauen Turm- und Kuppelumrissen formte.

„Jetzt haben wir's geschafft", sagte Franz selbstgefällig.

Frajo kam es nicht so vor. Je mehr sie sich der Eisenbahnbrücke näherten, um so sicherer schien es ihm, daß sie an einen Pfeiler anfahren würden. Die Richtung auf die vierte Öffnung von links verlierend, trieben sie auf den dritten Pfeiler zu und stellten sich immer mehr quer.

„Wir kommen nicht durch!" rief er.

„Der obere Wind schiebt uns", sagte der Onkel nachsichtig. Er lachte mit seinem Pferdegebiß über das ganze Untergesicht, während die Stirn wie von Leid gefaltet blieb.

Was Frajo so gefährlich schien, beachtete niemand. Sie schauten nur mit kurzen, halben Blicken nach vorn. Unmerklich waren sie vor die dritte Öffnung gekommen. Es hatte sie abgeschoben. Kaum hatte sich Frajo beruhigt, sah er, daß sie weiter links abschoben und nun dem zweiten Pfeiler zutrieben, ganz nahe waren sie ihm schon. So schief kamen sie daher, daß das Gransl wohl schon die zweite Öffnung hatte — aber das Floß würde nie durchkommen. Alle Empfindungen, die ihn damals, als Hannes ins Wasser gefallen, bestürzt hatten, waren wieder da.

Aber warum waren alle so gleichgültig? Schon hörte man das Rauschen des Wassers am Pfeiler, alles wurde lauter unter dem Widerhall der Brücke. Sie schoß in die Höhe, sie waren in ihrem Schatten. Obwohl es plötzlich kühl wurde, fielen Frajo Hitzen an — da hatten sie die zweite Öffnung ganz ... Sie hatten sich gedreht, fast parallel zur Brücke trieben sie, und kamen durch, wirklich, sie kamen durch ... Zum Greifen nahe fiel der zweite Pfeiler rechts ab, Frajo machte einen tiefen Atemzug und wischte sich übers Gesicht.

Hinter der Brücke war die Donau ganz still, ein heißer See. Kein Lüftchen rührte sich. Mit brennenden Fäusten packte sie die Sonne. Als sie am linken Ufer, aber ziemlich weit davon, festlagen, schlug es Mittag.

Dieses Ufer bot nichts Großstädtisches. Es sei denn, man hieße einen dürftigen Auwald mit kreuz und quer ausgetretenen Sandwegen und die darin schlafenden Leute großstädtisch, armselige Arbeiter und andere Elendsgestalten, die sich am Ufer niederließen und ihr kärgliches Essen aus Zeitungspapier wickelten.

Frajo, Hannes und Franz hatten keinen guten Eindruck, als sie nach dem Mittagsmahl an Land ruderten. Da erhob sich aus dem verstaubten Gras ein Polizist. Er streckte ihnen beide Handflächen abwehrend entgegen und erklärte in einem deutsch-ungarischen Kauderwelsch, daß sie nicht an Land dürften.

„Warum denn nicht?" sagte Hannes ungläubig.

„Aviso!" Der Polizist zuckte die Achseln.

„Wir haben keinen Proviant mehr", sagte Franz. „Wir müssen einkaufen."

„Morgen", sagte der Polizist.

„Morgen", wiederholte Hannes. „Morgen ... da müssen wir in aller Herrgottsfrüh weg."

„Es läuft etwas", sagte der Polizist.

Sie wendeten die Zille und kehrten auf das Floß zurück. Sofort flakkerte der Streit wieder auf. Franz warf seinem Vater nun auch die Sache mit Raaber vor.

Frajo wandte sich entschlossen an Vater und Sohn: „Wozu streitet ihr? Vielleicht bin ich schuld an allem? Ja, ich! Gehör ich überhaupt hierher? Ich meine: rechtmäßig?" Er schritt auf und ab. „Ich will bis nach Mohács mit, und dann soll meine Reise noch weitergehen... Aber wird es so sein? Da, schaut aufs Ufer. Ich sage euch, wegen mir sind sie da, ja, zwei sind schon da."

Alle Blicke folgten der Richtung seines ausgestreckten Armes. Im Ufergehölz war ein zweiter Polizist erschienen. Sie hatten hohe, schwere, zu einer Spitze gedrehte Helme. Sie zogen sich weiße Handschuhe an. Sie gingen in ihrem rohen Prunk, die gebogenen Säbel nachschleifend, am Ufer hin und her. Sie sprachen miteinander, schauten herüber. Dann verschwand der zweite Polizist landeinwärts. Der erste patrouillierte weiter.

„Raaber bin ich", fuhr Frajo fort, „merkt euch das! Zufällig heißt er auch Franz Joseph. Ihr werdet sehen, ich werde sie, genaugenommen, nicht einmal beschwindeln. Was auch geschehen mag: ich bin Raaber. Ein für allemal: Raaber! So einen Vollbart wie er hab ich auch schon."

„Robinson Crusoe!" rief der Onkel gemütlich lachend; er wollte seinerseits einen Spitznamen für Frajo erfinden.

„Nein, Raaber!" entgegnete Frajo ungebärdig.

Der Nauführer wollte wieder protestieren, aber sein Sohn machte eine derart verächtliche und entschiedene Bewegung, daß er schwieg. Alle waren auf Frajos Seite, und Hannes rief:

„Es steht ja in den Papieren! Die Zahl, alles geht sich aus!"

„Na ja, wenn sich's mit den Papieren ausgeht...", brummte der Nauführer ungewiß in seinen roten Bart.

Den ganzen Nachmittag mußten sie auf dem Floß herumfaulenzen. Unter der übergrellen, ertötenden Sonne bot sich die stromab gelegene Stadt stumpf und einsam, sonntagsverlassen. Frajos Augen schmerzten. Er sank in einen dumpfen, unruhigen Schlaf.

Lärmender Wasserverkehr weckte ihn: kleine Schraubendampfer schossen wie Mäuse, und ebenso piepsend, unter die Schlupfwinkel der Brücken; große Raddampfer und Schleppzüge; vollbeladene Kohlenbunker, tief im Wasser liegend, manövrierten mit Hilfe der nachschleifenden Ankerkette.

Rennboote, mit prächtigen Ruderern bemannt, eilten stromab. Elegante Motorboote surrten vorbei. Sie waren voll von Menschen, denen es gut ging. Schöne Frauen ruhten lässig darin, lachten die Wildlinge an. Ja, das war ein anderes Stromleben als in Wien! Frajo suchte seinen wie ein Büchlein in blauglänzendes Leder gebundenen Spiegel mit Kamm, Nagelfeile und Schere hervor, sein Necessaire, das Geschenk irgendeiner Freundin. Wie sah er aus? Am ganzen Körper schwarzbraun wie ein Neger. Die Beule an der Stirn spielte alle Farben. Und der Bart!

Eine rothaarige Schönheit rief ihm in fremdartigem Deutsch zu: „Komm mit!" Der Mann neben ihr zog ein böses Gesicht. Frajo zog ein freundliches Gesicht. Mehr konnte er nicht tun.

Der zweite Polizist war wieder erschienen. Beide winkten, man möge sie einholen. Die zwei Jungen brachten sie mit der Zille auf das Floß. Der Nauführer überreichte ihnen die Papiere. Sie wußten offenbar nicht viel damit anzufangen. Sie steckten die Köpfe zusammen und verglichen sie mit einem Dienstzettel, den der zweite Polizist umständlich aus seiner Brusttasche gezogen hatte. Dann begann das Verhör:

„Wieviel Mann?"

„Sieben!" rief Hannes, nachdem der Nauführer auf einen Rippenstoß seines Sohnes stumm geblieben war. Sie waren alle in einer Reihe angetreten.

„Nauführer!"

„Jawohl", ertönte die halb verachtende, halb unterwürfige Antwort.

„Sie heißen?"

„Franz Ganser senior."

„Franz Ganser junior?"

„Hier!"

„Karl Stockert?"

„Hier!" schrie der Koch.

„Hannes Stockert?"

„Hier!" Lachend zeigte sein Sohn die Zähne.

„Johannes Schatzinger?"

„Hier!"

„Ulrich Grießling?"

„Da!"

„Franz Joseph Raaber?"

„Hier!" meldete sich Frajo, bevor die Frage noch ausgesprochen war. Und der Onkel murmelte: „Robinson Crusoe . . ."

„Alle sieben?"

„Jawohl." Der Nauführer wandte sich ärgerlich ab.

Die Polizisten hatten jeden einzelnen von oben bis unten gemustert und Notizen gemacht. Sie fragten:

„Keiner versteckt?"

Der Nauführer antwortete mit einer Handbewegung über das Floß. Die Polizisten durchsuchten jeden Winkel der Hütte. Sie hoben Lattenstapel weg und drehten auch die neue Zille um.

„Die sind gründlicher als die Hainburger", raunte Hannes Frajo zu.
„Ist hier kein Endlicher? Franz Joseph Endlicher?"

„Nein", schrien einige gleichzeitig. Der Nauführer schielte hilflos.

„Ein Franz Joseph Endlicher ist aus Österreich abgängig gemeldet.
Kennt ihn niemand?"

„Nein!" schrie man weiter.

Die Polizisten sahen einander an, zuckten die Achseln. Dann gaben sie
dem Nauführer die Papiere zurück.

„Noch warten!" sagten sie, als sie von den beiden Jungen an Land gerudert wurden.

„Aber nimmer lang", brummte ihnen der Nauführer nach, „ihr könnt
mich alle im A . . ."

Frajo verschloß ihm mit der Hand den Mund.

Wieder entfernte sich der zweite Polizist. Wieder patrouillierte der erste.
Es dämmerte schon, als jener neuerlich auftauchte. Ein Mädchen mit einer
roten Pfingstrose im schwarzen Haar kam mit ihm. Die beiden Polizisten
riefen herüber:

„Erledigt!"

Dann legten sie sich ins Gras, das Mädchen zwischen sie. Sie wären
spurlos verschwunden, wenn nicht hie und da drei Zigarettenpünktchen
aufgeglüht hätten.

Erledigt. Das ließen sich die Flößer nicht zweimal sagen. Sie hatten sich
längst rasiert — nur Frajo ließ Bart und Vollbart unberührt — und halbwegs schön gemacht. Bis auf Grießling: Der lag verkrümmt da, roch an
seinen Spinnenfingern, drückte mit ihnen im Gesicht herum und las in
bunten Indianerheften.

„Schad, daß keine nackerten Weiber drin sind", witzelte der Onkel
und strich sich seinen pomadisierten Es-ist-erreicht-Schnurrbart. „Aber die
holen wir uns jetzt in Wirklichkeit. Nicht wahr, Robinson Crusoe?"

Der Koch trug einen großen Strohzöger, um Fleisch einzukaufen. Hannes,
Franz, Onkel Schatzinger und Frajo blieben, als sie der Musik und den
summenden Menschenmassen der Vergnügungsstätten am Hafen zustreb-
ten, beisammen. Aber nicht lange: Franz verlor sich in eine Schaubude
mit der Dame ohne Unterleib, der Onkel dagegen zwickte sich eine Dame
mit Unterleib auf, nur Frajo und Hannes trennten sich nicht.

Volk drängte sich an den hohen grünen Netzgittern der Musikgärten.
Überall fiedelten Zigeuner. In den Gärten saßen nur noch wenige Leute.
Unter einem Lampion hockte ein alter Geck und starrte geil auf die ge-
putzten und geschminkten Mädchen, die auf dem Podium in einer Reihe

zur Schau saßen. Er hatte eine Flasche Wein vor sich und leckte an den vertrockneten Lippen. Die Mädchen steckten die Köpfe zusammen. Er grinste, sein Gebiß lockerte sich.

„Sklavenmarkt", sagte Frajo.

Hannes schwieg. Seine Offenheit war einer stummen Verwirrung gewichen, das sonst strahlende Gesicht traurig überschattet.

Matrosen strichen herum. Man hörte fast alle Donausprachen: bayrische und österreichische Mundarten, Ungarisch, Serbisch, Rumänisch, auch Griechisch. Dirnen bewegten sich unter ihnen, ohne Hut, Blumen im Haar. All das: die bunten Menschen, Schweiß und billige Parfums, die Schifferuniformen, das bewegte Gedränge, aus dem Dunkel auftauchend und wieder verschwindend, das Scharren unzähliger Tritte, die schmachtende Musik, die laue, von Lachen und Lampions bewegte Luft, die vielen Dampfer umrißhaft im Dunkel, Schornsteine, Masten, der schwarzblaue Sternenhimmel — es war wie in einer Hafenstadt am Mittelmeer.

„Und dir, Frajo? Dir gefällt keine?" Hannes hatte endlich mit einem Seufzer den Mund aufgetan.

„Doch! Aber ich lasse sie in Ruh."

„Ich kenn dich nicht wieder, Frajo!"

„Hannes, ich bin auf einem anderen Weg."

6

Zeit und Ewigkeit

Am Morgen seines sechsten Reisetages — eigentlich Fluchttages — sah Frajo Budapest, wie es nur wenige Sterbliche zu sehen bekommen, und zwar die Flößer.

Im ersten Morgengrauen fuhren sie durch Budapest. Das hatte seinen nautischen Grund. Der Nauführer erklärte es so: „Es gibt ka Stadt an der Donau, wo die Schiff so umeinanderteufeln als wie in Budapest. Wie Narrische, die auskommen sind. Da fahrt unsereins bei Tag net gern durch."

So war es: sie mußten sich die schwächsten Verkehrszeiten aussuchen, um das schwerbewegliche Floß, dem jeder Dampfer in weitem Bogen auswich, ungefährdet durch das Stadtgebiet zu bringen. Zwei Stunden fuhren sie hindurch.

Träge, feuchte Luft. Unzählige Schleppe standen an der O-Budaer-Werft, naßglänzend wie aufgeschwemmte Riesenfische. Im Zwielicht blieben die Parks und vornehmen Etablissements der Margareteninsel. Hier brannten noch Lichter: Zigeunergefiedel, Lachen, Kreischen von Frauen.

Sie hörten das Stampfen Tanzender. Sie ruderten schweigend, eine andere Welt.

Rechten Pfeiler der Margaretenbrücke gern haben! Das heißt: stetig auf ihn zuhalten. Über die Brücke eilten graue Arbeitergestalten. Die Arbeiter blieben stehen, ihr Eßgeschirr unterm Arm, und blickten auf sie herab. Sie blickten zu ihnen hinauf, wie in stummem Einverständnis. Das Gekreisch und Tanzgestampf verhallte. Kaum waren sie unter der Margaretenbrücke durch, sah es aus, als wären sie nicht durch die rechte, sondern durch die mittlere Öffnung gekommen, so schief links stand die Stur draußen. Nun verwehte auch die Zigeunermusik.

Budapest, gestern so waagrecht erlebt, wuchs langsam ins Senkrechte auf. Das Parlament hätte an der Themse stehen können, auf der anderen Seite stufte sich die Altstadt empor, die Fischerbastei, die königliche Burg, dann der Felsabsturz des Gellértberges mit der Zitadelle. Ein monumentales Stadtgebilde, wie aus erratischen Blöcken herausgehauen; aber dann verziert und geschmückt: Kirchtürme und Kuppeln, Paläste und Hotels, verwirrend gedrängt und verfeinert. Noch waren die meisten Bauwerke samt den baumbestandenen Uferpromenaden still und menschenleer in ein rosaschimmerndes Frühlicht getaucht. Noch schlief die Stadt wie tot, und ihr Anblick wäre bedrückend gewesen, hätte sie nicht die lebendige Ordnung des Stromspiegels mitten durchschnitten. Frajo empfand: hier mußte sich das Leben Budapests abwickeln, hier, an und auf der Donau. War nicht die Donau für Budapest, was die Ringstraße für Wien, und was in Wien die Straßenbahn, waren in Budapest die Schiffe. Ungeachtet der vielen Brücken mußte es hier wohl einen ununterbrochenen Fährverkehr mit den kleinen Schraubendampfern geben.

Auch die großen Raddampfer schienen klein, wie sie da in einer Reihe an den steinernen Kais ruhten, die sich zwölf Kilometer lang, bald senkrecht, bald treppenförmig, durch die ganze Stadt zogen: das kam vom Gegensatz der breiten Donau zu der festlichen Höhe der majestätischen Brücken. So hoch waren die Brücken, daß die Dampfer die Rauchfänge unter ihnen nicht umzulegen brauchten. Nur für die einander folgenden Brücken hatten die Flößer Blicke, für ihre Pfeiler, von welchen den richtigen „gernzuhaben" eine eigene Wissenschaft bildete.

Die letzte Brücke war, gleich der ersten, eine Eisenbahnbrücke. Lange Züge rollten aus, verschwanden dampfend in Biegungen. Es war der letzte Gruß Budapests. Die Stadt löste sich auf, öde Hafendämme, gebleichtes Gras. Ein paar verschlafene Fischer hielten ihre Angeln ins Wasser.

Noch einmal brachte sich die Großstadt in Erinnerung: sichtbar durch den aus Kanälen strudelnd einströmenden Unrat und riechbar durch einen breit lastenden Dunst, von dem man nicht sagen konnte, ob er angenehm oder widerlich war. Es war auch ein animalischer Geruch dabei, wie von unzähligen Schweinen.

War das schon der Geruch der Großen Ungarischen Tiefebene? Man glitt mitten in sie hinein, in diese ungeheure flache Schüssel zwischen Karpaten und Dinarischen Alpen, die von der Donau und ihrem größten Nebenfluß, der Theiß — die Theiß ist nicht viel kürzer als Elbe oder Rhein —, entwässert wird, jener Theiß, der Frajo zustrebte... Brodelte dieser Geruch von unabsehbaren Herden herauf, von Schlachthäusern oder — Verwesung und Aas war darin — von Abdeckereien?

Blutrot quoll die Sonne aus einem Wolkenschnitt. Der Onkel, der von seinem gestrigen Liebesabenteuer anfangen wollte, hielt sich die Nase zu. Der Koch schnüffelte und meinte, das gäbe keinen üblen Braten. Franz, der am Abend mit allen möglichen Abzeichen und Papiersternen besteckt heimgekommen war, am Hutband Flittersträußchen wie ein Rekrut, in der Hand einen Brummbären aus Stoff — Franz baute all den Tand um sich auf und ließ den Bären brummen. Frajo und Hannes lachten. Grießling lächelte säuerlich, er schmauchte an seiner Pfeife, füllte sich aus dem Weinfaß eine Flasche voll ab, verkorkte sie, knüpfte an den Flaschenhals eine Schnur und hängte sie an seinem Ruderplatz „in den Eiskeller", das heißt, ins Donauwasser hinaus. Mit leisem Quirlen schwamm die Flasche nach. Dieses leise Wasserquirlen war das einzige Geräusch, das man in der einschläfernden Stille vernahm.

Der Nauführer war in die Hütte schlafen gegangen. Er hatte die halbe Nacht mit heimlich auftauchenden Zillenkäufern verhandelt, bis er die Zille am günstigsten losgeschlagen hatte. Frajo bewunderte den Geschäftssinn dieses sonst so linkischen und verlegenen Mannes mit dem buschigen roten Schnurrbart; ihm selber mangelte eine solche Gabe völlig. Aber je weiter sie sich von Budapest entfernten und zwischen Weindörfern südwärts glitten, um so mehr beschäftigte sich Frajo mit etwas anderem, eben mit jenem zurückbleibenden Budapest. Oder vielmehr mit dem Unterschied zwischen der Großstadt und ihnen selbst, den Flößern.

Schon als sie einige Tage vorher dem so vorschriftsmäßigen Regulierungsschiff mit den Ingenieuren begegnet waren, hatte er etwas Ähnliches gespürt. Bei der Fahrt durch Budapest aber hatte er es wie eine Offenbarung erlebt. Während sich im Verlaufe der Jahrhunderte und Jahrtausende alles veränderte, vor allem das Bild der Städte und des Verkehrs, war seit Urzeiten eines gleichgeblieben: das Floß. Nun kamen ihm die Flößer samt seiner eigenen Person wie sagenhafte Gestalten vor. War das Floß nicht das erste, das Urfortbewegungsmittel der Menschheit gewesen?

Auch der alte Haslauer und der nicht identifizierbare Christophorus gehörten dazu... Und vielleicht war auch sein Vater so, ja sein Vater! Mit plötzlicher Rührung vertiefte er sich in das Bild des ersten Christen mit dem Apostelbart, der Fische in den Sand zeichnete, wie es die ersten Christen getan hatten, als Erkennungszeichen, um einander auf die Spur zu bringen. Die griechischen Anfangsbuchstaben von Jesus-Christus-Gottes Sohn-Heiland ergaben ja das Wort Fisch. Fischer bevorzugte der Nazarener, er machte sie zu Menschenfischern, von denen Ströme lebendigen Wassers fließen sollten. Und war nicht auch das Himmelreich gleich einem Netz, das ins Wasser geworfen wird und womit man allerlei fängt?

Frajo sah alles anders und neu. Und nun erfaßte er auch den eigentlichen, den tiefsten Sinn von Onkel Heinrichs anscheinend so sinnlosem Flößerlied:

> „Auf nach Frankfurt, auf nach Wien!
> Auf in die Räuberstadt Berlin!"

Es wollte den Sturm des Urtümlichen auf das Hochgezüchtete ausdrücken, den Überfall der Natur auf die Zivilisation, auf das Privateigentum — das geraubt war. In dem Lied brach der Angriff auf das Verfehlte und Schreckliche der Städte durch.

War er selber nicht ein Räuber, darauf aus, eine Frau zu rauben? Er fühlte es ganz stark: das war die Zukunft! So übermächtig war es in ihm, daß er nicht anders konnte, als plötzlich loszusingen:

> „Auf nach Frankfurt, auf nach Wien!
> Auf in die Räuberstadt Berlin!"

Er bekam einen Rippenstoß. Es war der Onkel:
„Aber, Robinson Crusoe! Da kriegen wir wieder Wind!"

7

Akazienrausch

Aber es kam kein Wind. Es kam kein Hindernis mehr. Es kam der Akazienrausch.

Drei Tage, durchtränkt vom Duft der Akazien. Und zwei Nächte dazwischen, die sie am einsamen Ufer verbrachten. Und Frajo lag im Gras auf dem Rücken und schaute in den vollen Mond, der gelb war wie Etels Gesicht. Er fühlte sich wieder ruhig und sicher. Der ganze Sternenhimmel kreiste um ihn. Und der schwere und süße Rausch der Akazien. Nun kam er sich wirklich wie Robinson Crusoe vor.

Niemand konnte sich der Wonne dieser Maitage entziehen. Alle waren leicht trunken. Nur Franz war mißmutig und ängstlich. Er hatte einen Nesselausschlag auf den Handflächen bekommen. Er hörte nicht auf, sich selber zu untersuchen. Er hielt sich für schwerkrank. Er besah sich den Ausschlag auf seiner feuchtkalten Schweißhand. Er hing an Frajos beruhigenden Worten, nachdem ihm dieser den Puls gefühlt hatte. Trübsinnig hockte er in der Hütte und war nicht herauszubringen. „Die Strafe für seine Streitsucht", sagte der Nauführer.

Ein Himmel wölbte sich in gewaltiger Spannung, ein ungeheurer Himmel, wie er nur die großen Tiefebenen des Ostens überdeckt. Winzig klein glitten sie darunter hin, Schiffer auf dem gelbgrünen Strom ohne Ende, der mit dem gelbgrünen Ackerland Ungarns eins wurde. Und waren nicht auch die Flößer mit den Bauern eins? Sie ackerten das Wasser, ihr Floß war ein riesiger Pflug. Und das Rudern, was war es anderes als ein Schneiden und Dreschen? Indem man die Ruder in das Wasser einsetzte, schnitt man es, und indem man sie bewegte, das Wasser peitschend, drosch man es. Es war ein Schneiden und Dreschen wie mit der wogenden Fülle des Getreides. Wenn es auf dem Feld unter dem Wind in blitzenden und schattenden Wellen hin und her lief, wogte es wie das Wasser. Ja, das Rudern war ein Schnitt und Drusch und klang auch so: Schnitt und Drusch . . . Schnitt und Drusch.

Wenn die Flößer in einer Reihe an den Ruderbäumen standen, war das Floß, dieses rechteckige gelbe Lattenfeld, einem Ährenfeld gleich, das korngelb in der Sonne glänzte wie die Felder ringsum. Sie ruderten, leicht vorgebeugt, schwer anziehend, leicht vorgebeugt, schwer anziehend; und mit den Röhrenstiefeln stampften und tanzten sie auf dem Boden, wenn es hart auf hart herging. Aus der Arbeit wuchs von selbst jener Rhythmus, der zum Tanz wurde, zum Bauern- oder Schiffertanz, und Frajo erlebte, wie aus der suchenden, zuerst formlosen Arbeit die Form und Beherrschung erwuchs, die man Kunst nennt.

Er zeichnete sie, die Flößer, ihre Bewegungen, ihre Gesichter, bei der Arbeit, beim Kartenspielen, beim Kreuzerwerfen über die Ruder, im Schlafen und Nichtstun. Frajo konnte seiner Lust am Formen frönen.

Der Koch hatte zweifellos das anziehendste Gesicht, es war von innen durchlebt. Indem der Koch auf all den Schabernack, der ihm angetan wurde, sofort einging, ja ihn hanswurstig steigerte, überwand er ihn gleichzeitig. In seiner Nachgiebigkeit übertrumpfte er die andern, ohne daß sie es merkten.

Hannes blieb bei den Hänseleien untätiger und schweigender Zuschauer. Aber Frajo sah an seiner gespannten Miene, wie sehr er einen Gegentrumpf seines Vaters ersehnte.

Nicht der Geruch der Herden, nicht der Geruch der Felder ist der Geruch Ungarns. Der Geruch Ungarns ist der Akazienduft. Ganz Ungarn schien ein Akazienhain zu sein. In stillen Buchten war das stockende Wasser vom Blütenflaum der Akazien so dicht bedeckt, daß man glaubte, darüber hinschreiten zu können.

Als sie am Nachmittag des zehnten Reisetages sich dem Ziel Mohács näherten, wünschte sich Frajo, immer so mit dem Floß fortrinnen zu können. Ihm, der geglaubt hatte, er könne es nicht mehr erwarten, zu Etel zu kommen, fiel auf einmal der Abschied von den Flößern sehr schwer. Und in Mohács, als sie abrüsteten, kam noch etwas hinzu, das ihn mit den Flößern zu einer Gemeinschaft verband.

Ein paar Dampfer standen an Kohlenrutschen vor einem verborgenen Wäldchen. Man ahnte Häuser und — Pfiffe und klirrende Kupplungen waren zu hören — einen Bahnhof. Das war die Lände von Mohács, ein rußschwarzes Gehölz mit müden Kohlenarbeitern, die wie Rauchfangkehrer aussahen. Das Holzunternehmen, welches das Floß als Bauholz übernahm, lag zwar am Ufer, aber an einer Stelle toten Wassers: sie mußten das Floß hinschleppen. Schon das stimmte sie nicht freundlich. Nach vorn gestemmt, das Hanfseil über die Achsel gelegt, die Stiefel in den Schotter tauchend, zogen sie im Gänsemarsch, einer knapp am andern, das Floß an Ort und Stelle — „wie die Wolgaschiffer", sagte Frajo.

Der Nauführer und Frajo meldeten sich in der Kanzlei. Ein paar bleiche Beamte, die ein abstoßendes Papierdeutsch sprachen, versuchten, sich hochmütig zu benehmen. Frajo war in der rechten Laune, seine Br.-Dr.-Ing.-Wut an den Mann zu bringen. „Sie halten sich wohl für geistige Arbeiter", sagte er, „die den körperlichen herablassend auf die Schulter klopfen dürfen?"

„Wir sehen uns veranlaßt, Sie auf Grund Ihrer Ausdrücke als intelligenten Menschen zu taxieren", sagte ein Geschniegelter.

„Nein, ich bin k e i n intelligenter Mensch!" Frajo hatte die Papiere abgegeben und wandte den Beamten den Rücken.

Der Nauführer, der wortlos von Mund zu Mund gestarrt hatte, tappte hinter ihm drein.

„Ahnungslose", sagte Frajo draußen, nachsichtiger gestimmt. Er wandte sich dem Onkel zu: „Jetzt weiß ich erst, wie ich zu euch gehöre!"

Die Beamten waren herausgekommen, Akten unterm Arm. Der Gegensatz zu den Flößern war komisch und fast erschreckend.

„Es gibt nichts Ungleicheres als die Menschen", sagte Frajo zu Hannes.

„Kannst recht haben", sagte Hannes nachdenklich.

„Er h a t recht!" bekräftigte der Koch mit einem dankbaren Blick auf Frajo.

Das Floß war von ihnen zusammengestellt worden; das Zerlegen ging sie nichts mehr an, war Sache des Empfängers. Man mußte nur noch das Inventar aufs Ufer hissen, es sollte mit der Bahn oder dem Dampfer nach Österreich zurückgehen: die Zille, die beiden Anker, Laternen, Hanf- und Drahtseile, Schifferhaken, Nagelkisten, Werkzeuge, Mostfässer, Fleischkübel, Kochkiste samt Geschirr. Ein großer Streifwagen kam, um alles aufzunehmen.

Ein tolles Durcheinander, man kleidete sich an, stopfte Taschen, Koffer und Reisesäcke voll. Da wusch sich einer, dort rasierte sich einer, Wäschestücke flogen durch die Luft, der Koch schlug samt seinem steifen Hut Purzelbäume, es war ein Mummenschanz. Der Onkel hatte wieder seinen Es-ist-erreicht-Schnurrbart gezwirbelt und pomadisiert. Er legte sich eine schwarze Bartbinde vors Gesicht und stolzierte wie unter einer Maske auf dem Floß hin und her, voll breiter athletischer Würde. Sogar der Nauführer und Grießling waren beweglich geworden. Nur Franz stierte hoffnungslos auf den Nesselausschlag seiner Hände.

Der Streifwagen war vollgeladen, die Pferde zogen an. Im letzten Augenblick erschienen drei Beamtchen mit einem Tablett und boten Schnaps an. Sie sagten mit süß-säuerlichem Lächeln geschraubt:

„Wir können nicht umhin, Ihnen einen Trunk zu überreichen zum Willkommen."

„Willkommen?" erwiderte Frajo, indem er sich den Rucksack umhängte. Und mehr energisch als höflich fügte er hinzu:

„Abschied!"

Er nahm Hannes am Arm und schritt mit ihm dem Bahnhof zu. Es war das Signal zum allgemeinen Aufbruch. Die andern folgten rasch. Sie gingen hinter dem Streifwagen her. Verdutzt sahen ihnen die Beamten nach.

Mädchen kamen ihnen entgegen. Sie verschlangen Frajo mit den Augen, obwohl er bärtig wie Robinson Crusoe war.

Franz knetete an seinem Kropf und sagte entrüstet: „Ich hab mich umg'schaut, der Grießling ist zurückgeblieben und trinkt heimlich den Schnaps, der falsche Hund!"

„Ich hätt auch einen Gusto g'habt", sagte der Koch mit einem traurigen Augenaufschlag.

„Es war die schönste Fahrt meines Lebens", sagte Frajo zu Hannes. Sie saßen auf einer Bank des Bahnsteigs. Die Flößer warteten auf den Zug. Frajo wollte am andern Morgen mit dem Postdampfer weiter. Er hielt einen Akazienzweig zwischen den Fingern.

„Weil du zu ihr fährst", sagte Hannes nach einer Pause.

„Nein, Hannes, das ist es nicht. Die Fahrt war es, das Leben mit euch, weißt du, es war wie vor tausend Jahren. Und die gefährliche Strecke, auf die will ich mich spezialisieren."

Dann schwiegen sie. Endlich fragte Hannes:

„Weiß sie, daß du kommst?"

„Nein, sie weiß nichts. Meine Leute wissen wenigstens, daß ich verschwunden bin. Aber sie weiß gar nichts."

„Du kommst einfach?"

„Ich komme einfach." Frajo sah auf den Akazienzweig in seiner Hand.

„Und heiratest sie?"

„Du bist wohl wahnsinnig? So schlecht kennst du mich? Je mehr man eine mag, um so weniger darf man sie heiraten. Ein richtiger Mann heiratet nicht." Frajo erläuterte ihm seine Br.-Verachtung.

„Wie sicher du bist, Frajo!"

„Wie unsicher bin ich oft", sagte Frajo. „Aber ich gebe mich sicher, das ist sicher!" Er lachte und wurde gleich wieder ernst: „Siehst du, Hannes, das ist meine einzige Verstellung. Sonst bin ich ziemlich echt. Auch wenn ich schmeichle. Und schmeicheln muß man. Man muß den Instinkt dafür haben, was die Frau will und wie sie genommen werden will. Nicht, was d u willst; was s i e will, darauf kommt es an."

„Und wenn sie überhaupt nicht will?" Hannes sah traurig zu Boden.

„Einsteigen! Fahren sofort ab!" rief ein Schaffner. Der Zug war eben verkehrt hereingeschoben worden.

Sie mußten sich schnell trennen. Die Flößer bestiegen den letzten Waggon und erschienen an den Fenstern. Noch einmal sah Frajo ihre Gesichter. Er war ergriffen. Der Koch bekam feuchte Augen. Als der Zug verschwand, sah Frajo als letztes den nackten Athletenarm Schatzingers mit seinen Tätowierungen winken.

8

Raaber oder nicht

Am anderen Morgen verließ Frajo die Eisenbahn in einer Theißstadt, die von dem Dorf, wo Etel zu Hause war, nicht weit entfernt lag. Er war todmüde. Er hatte eine Nacht durch das Alföld hinter sich, in der er mehrmals hatte die Züge wechseln müssen. Als er nach der Abreise der Flößer in Mohács allein geblieben war, hatte ihn seine Sicherheit verlassen; körperlich hatte er gespürt, wie ihn wieder die Unruhe angefallen hatte. Wie hatte er sich Zeit lassen können! Wie hatte er auch nur planen können, mit dem Dampfer weiterzufahren, was einen Zeitverlust von noch zwei Tagen und Nächten bedeutet hätte. Durch seinen plötzlichen Entschluß konnte er heute noch an sein Ziel kommen, vielleicht nach einer letzten Fahrt mit dem landesüblichen Fuhrwerk.

Von dem spitzen Kirchturm schlug es vier Uhr früh. Zu seinen Füßen lag im mattgrauen Zwielicht die Stadt, eher ein großes Dorf, wie ein erloschener Krater innerhalb eines Ringes von Dämmen, ausgestorben; er stolperte in sandige Gräben, tappte zwischen ebenerdigen einzelstehenden Häusern, er griff sie an, sie waren aus Lehm und fühlten sich kalt an. Aber die Luft war schwül. Eine Kröte klatschte über den Weg. Endlich ein Mensch: Ein alter Mann kam ihm entgegen, er schleppte eine Baßgeige am Rücken. Frajo sah sich um, es war, als folgte ihm jemand.

Frajo suchte ein Kaffeehaus, um sich zu stärken. Auf breiten, sich rechtwinklig schneidenden Straßen sahen alle Häuser gleich aus. Eine riesige Viehherde kam vorbei, lautlos in eine Sandwolke gehüllt, der Sand füllte die Luft wie Milch. Wieder war es, als folgte ihm ein Schatten.

An einem niedrigen, langgestreckten Gebäude, das mit seinen Holzbarren davor wie ein Gestütshof aussah, blies jemand eine rote Laterne aus. Zwei Katzen schlichen herum. Grammophonmusik und Kaffeegeruch drangen aus der Einfahrt, er ging hinein. Ein Mädchen in einem halboffenen, geblümten Schlafrock brachte Kaffee, blinzelte ihn verschlafen an. Sie hatte einen Schnurrbartanflug, darin Reste roter Schminke hingen, und schwarze Fingernägel. Frajo trank schnell aus, fragte nach dem Barbier und ging zu diesem. Er fühlte sich frischer.

Als ihm der kurze, genau elf Tage alte Vollbart abgenommen worden war, trat ein Polizist ein, der sich hinter ihn setzte. Der Polizist sah ihn durch den Spiegel an. Er sagte ein paar unverständliche ungarische Worte zu dem Barbier. Der beeilte sich mit dem Rasieren. Nur das schwarze Schnurrbärtchen mußte, schmal und schräg an der Oberlippe klebend, bleiben: wieder das richtige Frajo-Bärtchen. Er bezahlte, und als er aufstehen wollte, sah er im Spiegel, wie der Polizist auf ihn zutrat und die Hand auf seine Schulter legte. Er sagte in gebrochenem Deutsch:

„Von wo kommst du?"

„Von Mohács", antwortete Frajo. „Aber wieso —"

„Flößer?"

„Flößer", bestätigte Frajo.

„Aus Österreich?"

Frajo bejahte, nichts Gutes ahnend.

„Und du heißt?"

„Franz Joseph" — fast hätte er „Endlicher" hinzugefügt, da fiel ihm ein, daß er ja noch immer Raaber sein mußte, um nicht die Spur von zu Hause auf sich zu lenken, und setzte nach einer kurzen Pause hinzu: „Raaber."

„Franz Joseph Raaber", wiederholte der Polizist.

„Jawohl, Raaber."

„Im Namen des Gesetzes bist du verhaftet."

Und schon hatte Frajo Handschellen.

„Was soll das heißen?"

„Mach kein Aufsehen. Ich mache auch keins." Der Polizist ergriff Frajos Radmantel und Rucksack.

Frajo sah ein, daß er sich fügen mußte. Er wurde um ein paar Ecken geführt. Wieder klatschte eine Kröte. Es ging in ein größeres Haus, durch Hinterhöfe, eine Treppe hinauf, einen finstern Gang entlang, der ihm mit seinen winzigen trüben Lichtern wie der Stollen eines Bergwerks vorkam, schließlich in eine Zelle. Die Handschellen wurden ihm abgenommen. Die Tür schloß sich hinter ihm.

Je tiefer man ihn in die Unfreiheit gestoßen hatte, um so freier fühlte sich Frajo innerlich. Aus einem lautlosen Lachen, das in ihm hochwallte, wurde ein schallendes Gelächter. Aber plötzlich brach Frajos Lachen ab. Wie, wenn Raaber etwas angestellt hätte? Das heißt, sicher hatte er etwas angestellt. Würde man ihn sonst suchen? Sprachen nicht alle ihm bekannten, ja von ihm selber erlebten Anzeichen dafür, daß Raaber sein Kerbholz um eine Kerbe vermehrt hatte? Das im Dickicht liegende Weinfaß; die Flucht aus der Heuer mit dem erschwindelten Geld; überhaupt das Verschwinden des Oberspuckers mit dem Wolfsgeruch ...

Frajo war still geworden. Er setzte sich auf die Pritsche in der Ecke und starrte vor sich hin. Nun würde es für Etel wohl zu spät sein.

Nach einem längeren Verhör unten in der kahlen, rohgekalkten Kanzlei, bei dem man um keinen Schritt weiterkam und Frajo nicht erfahren konnte, was man ihm eigentlich vorwarf, entschloß er sich, von zwei Übeln das kleinere zu wählen und seinen richtigen Namen zu nennen. Freilich fühlte er gleichzeitig, daß die Angelegenheit dadurch nicht vereinfacht würde.

Als er eben damit herausrücken wollte, kam ein kleiner, dürrer Beamter in einem schwarzen Zivilanzug herein. Alle sprangen auf, standen stramm und bedeuteten Frajo, sich zu erheben. Der kleine, dürre Beamte, offenbar der Chef, sagte dem Verhörenden leise etwas. Dann lehnte er sich an den Türpfosten und begann Frajo müde und gleichgültig anzusehen.

Das Verhör wurde in leidlich gutem Deutsch mit einer entsetzlichen Eröffnung fortgesetzt: „Nachdem Sie zugegeben haben, in Asvány ausgestiegen zu sein, sagen wir Ihnen auf den Kopf zu, daß Sie in den dortigen Donauauen ein junges Mädchen — der Name der Unglücklichen ist uns natürlich bekannt — überfallen, vergewaltigt und —"

Der Verhörende brach ab, der Chef und der geduckte Schreiber, der Frajos Aussagen mitschrieb, hoben die Köpfe: drei Augenpaare starrten ihn an. Frajo war es, als näherten sich ihm ihre Gesichter von allen Seiten. Nun waren sie ganz groß und nahe; in der beengenden Lautlosigkeit war das Ticken der Wanduhr schmerzlich zu spüren, war wie Wassertropfen der mittelalterlichen Tortur, die in eintönigem Fall auf die Schädeldecke des Delinquenten herabfallen.

„Das ist nicht möglich . . .", brachte Frajo hervor.

„Was ist nicht möglich?" schnappte der kleine Chef ein. „Daß sie tot ist? Sie geben also zu, ihr Gewalt angetan, bestreiten aber, sie getötet zu haben?"

„Getötet . . . ? Ich gebe gar nichts zu."

Der Verhörende hielt ihm ein Blatt Papier mit einem Foto unter die Nase. Zuerst erschien ihm das Bild verschwommen, dann trat es allmählich schärfer hervor. Es war der aufgequollene Leib einer Erschlagenen im Buschwerk, und es sah genauso aus wie das Weinfaß. Oder war, was er im Dickicht erblickt hatte . . . ?

In einem nachträglichen Erschrecken hob er die Augen und richtete sie von einem zum anderen, als wollte er in ihnen forschen, von ihnen erklärt haben, wie es denn möglich sei, daß es eine solche Übereinstimmung zwischen Aberglauben und Wirklichkeit gebe, zwischen Vision und Geschehnis. Aber in ihren Mienen las er etwas ganz anderes.

„Es wäre wohl am besten, Sie bequemten sich zu einem Geständnis. Alles spricht gegen Sie."

„Alles spricht gegen mich . . ."

„Hören Sie. Sie geben zu, am 13. Mai nachmittags in Asvány an Land gegangen zu sein. An diesem selben Nachmittag hat man im Dorf einen betrunkenen österreichischen Flößer mit einem Beil am Gürtel gesehen, der einen kurzen Vollbart hatte — wie Sie einen gehabt haben. Er verschwand am Abend. Ein paar Tage später fand man das seit jenem Nachmittag abgängige Mädchen erschlagen im Gestrüpp am Donauufer, und zwar nahe jener Stelle, wo Sie mit dem Boot an Land gegangen waren. Das Beil, ein typisches österreichisches Flößerbeil, lag blutbefleckt daneben. Obwohl wir aus Asvány nur eine vage Personenbeschreibung von Ihnen haben, erhielten wir aus Budapest eine sehr ausführliche, und diese, von zwei Polizisten gegeben, trifft haargenau auf Sie zu. Sogar die Schramme an den Händen und die Beule an der Stirn stimmt. Damals war der Mord allerdings noch nicht entdeckt und in alle Welt gemeldet worden, sonst hätten wir Sie schon in Budapest erwischt. Drei Tage später in Mohács, als alles schon bekannt war, ist die Polizei nur um eine Stunde zu spät gekommen. Alle anderen Flößer sind mit der

Bahn, wie immer, nach Österreich zurückgefahren. Warum Sie nicht? Warum sind Sie in der Nacht kreuz und quer durch das Alföld gefahren, genau in der Gegenrichtung? Um die Spuren zu verwischen! Aber Sie haben die Unvorsichtigkeit begangen, sich auf der Bahn in Mohács genau nach den Verbindungen zu erkundigen . . . Bei uns sind Sie ziellos durch die Straßen geirrt, im Bordell eingekehrt und schließlich zum Barbier gegangen, wo Sie sich den Vollbart nehmen ließen, um sich unkenntlich zu machen. Nur ein sehr ausgefallenes Bärtchen ließen Sie stehen. Und als Sie der Polizist, der Sie schon an der Bahn erwartet hatte, verhaftete, zögerten Sie nach Nennung Ihres Vornamens mit der Nennung Ihres Familiennamens . . ."

Über jede Masche des Indiziennetzes, die sich enger um ihn zusammenzog, freute er sich mit einer unpersönlichen, zuschauenden Teilnahme und zugleich mit einer Selbstzerfleischung, die ihm wie die Sühne einer Schuld erschien, als wäre er wirklich Raaber. Aber lastete nicht auch auf ihm eine Schuld, auf Franz Joseph Endlicher? Die Schuld, das elterliche Anwesen, das ihm allein anvertraut war, rücksichtslos im Stich gelassen zu haben? Mußte er nicht sühnen? Und erst recht, wenn er in Betracht zog, was er vorhatte . . .

Zwei Polizisten, die sich bei Frajos entleertem Rucksack und Radmantel im Hintergrund gehalten hatten, sprangen auf ihn zu und begannen ihn von oben bis unten abzutasten. Sie griffen in seine Taschen und förderten den Inhalt zutage.

„Meine Herren", sagte Frajo ruhig, „ersparen Sie sich die Arbeit. Das besorge ich."

Brieftasche, Geldbörse, goldene Taschenuhr, ein Geschenk der Mutter, Notizbuch, Bleistift, Taschenmesser, Zündhölzer, Taschentuch und sein „Spiegelbüchlein" häuften sich auf dem wackligen Schreibtisch. Auch den Hosenriemen mußte er abgeben.

Das schöne blaulederne Spiegelbüchlein erregte Aufsehen. Es wanderte von einer Hand in die andere. Man steckte die Köpfe zusammen, tuschelte und sah mit drohenden Blicken auf Frajo; endlich sagte der Verhörende triumphierend:

„Und was ist das?"

„Mein Taschenspiegel."

„Was?"

„Mein Taschenspiegel, das Necessaire."

„Wozu brauchen Sie das? Die Feile? Die Schere? Ha?"

Das Getuschel ging fort. In Frajo stieg eine Ahnung auf, die ihm wieder ein befreiendes Gelächter entlockte, er lachte so herzlich, so aus dem tiefsten Innern, daß er sich am Stuhl festhalten mußte und sogar die Beamten verwirrte. Offenbar hielten sie die kleinen Dingerchen des Maniкürzeuges für die Folterinstrumente eines Sadisten ... In der Tat, sie sahen sie halb gierig, halb angeekelt an, sie betasteten sie und legten sie gleich wieder weg wie etwas Teuflisches. Sie versperrten sie in einem eigenen Fach. Und Frajo hörte:

„Ein Indiz mehr. Wollen Sie nun endlich Farbe bekennen?"

„Gern." Frajo hatte sich ausgelacht und seine Unbefangenheit zurückgewonnen. Er schlug die Beine übereinander und sagte leichthin: „Vor allem: woher wissen Sie überhaupt, daß ich Raaber bin? Franz Joseph Raaber?"

Der Verhörende hieb mit der Faust auf den Schreibtisch und schrie: „Also das ist die Höhe! Nicht nur, daß Sie uns auf das frechste auslachen, als wären Sie nicht auf der Polizei, sondern im Zirkus, halten Sie uns auch noch mit solchen Narreteien auf! Beweisen Sie uns —"

„Ich habe gar nichts zu beweisen", sagte Frajo. „Gar nichts. Zu beweisen haben S i e mir, meine Herren."

Der Chef blickte Frajo mit stechenden Augen an. Er sah wie ein verhutzelter, bartstoppeliger Zigeuner aus. Plötzlich senkte er die Lider, und tiefe Falten zeichneten sein Gesicht. Die zwei Polizisten sprangen zu ihm hin und stützten ihn. Er winkte ab, fuhr sich mit seiner winzigen behaarten Hand über die schweißnaß gewordene Stirn und ließ sich auf einen hinzugeschobenen Sessel nieder.

„Ich habe keine Papiere", sagte Frajo, „keinen Paß, nichts."

„Aber Sie mußten sie bei der Einreise nach Ungarn haben, Sie haben sie also vernichtet. Wieder ein Indiz mehr!" Der Verhörende zündete sich eine Zigarette an. Er tat es in einer herausfordernden Art, als gewährte er sich damit selber eine Anerkennung.

Der kleine Chef sagte heiser und gelangweilt: „Sie verwickeln sich immer mehr. Wer also wollen Sie sein, wenn Sie nicht Raaber sind?"

„Ich nehme an", sagte Frajo mit merklichem Spott, „daß die hiesige Polizei nicht schlechter informiert ist als die Budapester?"

„Und?"

„Wenn die Budapester Polizei den Auftrag hat, einen aus Österreich abgängigen, vermutlich auf dem Donauweg geflüchteten Franz Joseph Endlicher — Endlicher bitte, nicht Raaber — stellig zu machen, so haben denselben Auftrag wohl auch alle anderen Polizeistationen Ungarns auf telegrafischem Weg bekommen. Oder nicht?"

„So." Der kleine Chef lächelte gequält und griff sich an die Magengegend. Die andern stimmten in das Lächeln ein.

„Das wird ja immer rätselhafter. Warum nennen Sie sich Raaber, wenn Sie — wie? —"

„— Endlicher sind, wollen Sie sagen. Nun, meine Herren, nichts einfacher als das. Blättern Sie vorerst einmal Ihre Kurrenden der letzten Woche durch!"

„Lächerlich!"

„Blättern Sie durch, sage ich!"

„Sie wollen uns Vorschriften machen?"

„Ich nicht! Die Vorschriften —"

„Genug", sagte der Chef und machte eine Handbewegung.

Die zwei Polizisten stürzten auf Frajo zu, um ihn abzuführen.

„Halt!" sagte Frajo. „Nicht anrühren! Ich kann allein gehen. Ich protestiere gegen diese Behandlung! Ich verlange, daß aus Ihren Papieren festgestellt wird, ein Franz Joseph Endlicher aus Örthel an der Donau in Niederösterreich —"

Er war schon zur Tür draußen und stand vor einem Stiegenhaus. Dort empfing ihn ein sonderbarer Mann. Er sah aus wie eine der unerläßlichen Figuren in Kriminalromanen: ungeheuer dick, eine fettglänzende Kugel. Der Kopf ging ohne Hals in den Körper über und dieser wieder in die kufenförmig gebogenen Beine. Er war so rund, daß er wie eine Wiege schwankte, um sich im Gleichgewicht halten zu können. Und in der erhobenen Hand hielt er einen riesigen Schlüsselring hoch, einen Bund mit unzähligen Schlüsseln.

Frajo konnte sich trotz aller Erregung eines Lächelns nicht erwehren. Er mußte vorausgehen. Im Nacken traf ihn der pfeifende Atem des Kerkermeisters. Stiegen, Gänge; Gittertüren wurden geöffnet und hinter ihnen geschlossen; endlich sperrte der Kerkermeister eine Zellentür auf.

Frajo sah ein schwarzhaariges Mädchen drinnen sitzen. Landstreicherisch verwahrlost, wirkte sie nichtsdestoweniger verlockend. Brennende Blicke trafen ihn wie seinerzeit die der Hafen-Fanny. Der Kerkermeister tippte Frajo an die Schulter und bedeutete ihm, wieder herauszukommen. Er habe sich geirrt. Frajo gab ihm durch Zeichen zu verstehen, daß er nichts dagegen hätte, bei der Zigeunerin zu bleiben. Der Kerkermeister drohte mit pfiffigem Lächeln.

Frajo wurde wieder in seine alte Zelle gesteckt. Sie war geräumig und rein. Auf dem Klapptisch in der Ecke lagen ein paar schmierige Traktätchen. Frajo begriff, daß die Sache ernst wurde. Er hatte sie nicht ernstgenommen, sie vielmehr als eine willkommene Bereicherung seiner Abenteuer angesehen. Eingesperrt war er noch nicht gewesen. Er hatte immer davon geschwärmt, auch so etwas einmal mitmachen zu wollen... Nun war es soweit, und nun zeigte sich, daß es schicksalsmäßig in sein Leben eingriff...

Knapp vor dem Ziel, knapp vor dem Wiedersehen mit Etel, wo es auf

Tage, vielleicht Stunden ankam, wenn es nicht überhaupt schon zu spät war — knapp vor der Erfüllung, um derentwillen er alles aufgegeben hatte, Vergangenheit, Ausbildung und Erbe, wurde ihm der Weg abgeschnitten.

Stunden vergingen. Im vergitterten Fensterloch hoch oben sah er, daß die Sonne auf Mittag stieg. Eine stinkende Fischsuppe wurde ihm hereingeschoben. Die Sonne schlüpfte in einen heißen Dunsthimmel. Vom Hof roch es nach Kuhstall und Sand.

Stundenlang trommelte Frajo gegen die Tür. Nichts rührte sich. Er hieb sich die Fäuste und Knie wund. Er trampelte mit den Füßen gegen die Tür. Nichts rührte sich. Lautlos blieb auch der Hof.

Schreiend verlangte er, dem Chef vorgeführt zu werden. Nichts rührte sich. Die Abendglocke bimmelte endlos.

9

Fiebernde Erwartung

In der Nacht weckte ihn ein Gewitter. Er hängte sich an das Gitter der Luke und starrte in die unruhige Schwüle hinaus. Blitze sausten senkrecht herunter, himmlische Speere. Bald waren die Dächer der Stadt schwarzes Glanzpapier, bald in ein schwefelgelbes Feuerwerk getaucht. Im Schein der Blitze schnellte der Kirchturm seinerseits wie eine Speerspitze zum Himmel, ein kanonenschußähnlicher Donnerschlag beendete den Kampf, und die Stadt sank in Finsternis zurück. Frajo legte sich wieder auf die Pritsche.

Am Morgen, es war kühl und stürmisch, war er kaum zu wecken. Der Kerkermeister führte ihn, augenzwinkernd und pfeifend, in das Zimmer des kleinen Chefs. Der saß hinter einem Schreibtisch voll verstaubter Akten. Ein zweiter, Jüngerer, offenbar der Sekretär, mit einem scharfen, hohlen Gesicht, maß Frajo von oben bis unten. Unter diesem Blick kam er sich wirklich wie ein Schwerverbrecher vor. Der Chef begann mit leiser Stimme in gleichgültigem Tonfall:

„Sie behaupten neuerdings, Franz Joseph Endlicher zu sein. Bleiben Sie dabei, so zu heißen?"

„Jawohl."

Frajo mußte all seine Personaldaten angeben. Der Sekretär schrieb langsam mit. Der Chef hielt eine Drucksorte in der Hand und schien das Angegebene damit zu vergleichen. Die andere Hand hatte er auf seinem Magen liegen. Er räusperte sich und sagte mit gequältem Gesichtsausdruck:

„Die Daten stimmen. Die Personalbeschreibung stimmt. Samt dem eigenartigen Bärtchen, das ein Erkennungszeichen sein soll. Ich für meine Person glaube Ihnen. Aber der Polizeiapparat läuft nun einmal, Sie wissen, der Dienstweg, ich muß gedeckt sein . . . Jetzt sagen Sie um Gottes willen, warum Sie sich für Raaber ausgegeben haben? Und schon in Budapest?"

„Das sind ganz einfache Zusammenhänge." Und Frajo erzählte von seiner heimlichen Abreise, von seinem Bestreben, möglichst lange nicht entdeckt zu werden, vom Verschwinden Raabers und von seinem plötzlichen Entschluß, für Raaber einzuspringen.

„Bin ich nun frei?" fragte er.

„Bedaure . . . Ich könnte Sie freilassen, wenn Sie ein Dokument bei sich hätten . . . Wir müssen zumindest so lange warten, bis die Aussagen der Flößer bekannt sind. Sie verstehen? Kein Mensch weiß, wie lange das dauert. Wenn alles übereinstimmt und nichts mehr gegen Sie vorliegt, kann ich Sie freilassen."

Frajo barg den Kopf in Händen und hörte weiter:

„Es sei denn, Sie haben jemanden, der Sie agnosziert. Einen Gewährsmann. Aber wo nehmen Sie den in der Pußta her?"

Frajo mußte an dem Vormittagsspaziergang der Häftlinge teilnehmen. Mit einem Dutzend anderer ging er in dem kleinen Hof im Kreis herum. Es waren hagere, teils gleichgültige, teils gefährlich aussehende Elendsgestalten. In der Mitte stand der Aufseher und rauchte Zigaretten. Auch sie durften Zigaretten rauchen. Von hinten flüsterte einer ihm auf deutsch zu: „Sei froh, daß du nicht Stecken schlagen mußt in der Theiß . . . oder im Winter Milch austragen."

Mit dem Wort Theiß fiel ihm Etel ein. Er tappte wie im Traum weiter. Die Zigarette ging ihm aus. Der Hintermann trat ihm auf die Fersen. Frajo entglitt die Zigarette, ohne daß er es merkte. Der Hintermann hob sie auf und steckte sie zu sich.

Etel, Etel, sie war sein Gewährsmann! Daß ihm diese Möglichkeit nicht früher eingefallen war, sie konnte für ihn zeugen . . . !

„Ja, das ist eine Möglichkeit . . .", sagte der Chef, zu dem er sofort vorgelassen worden war. „Das ist eine Möglichkeit."

Er ließ sich die genaue Adresse Etels geben, und Frajo beschrieb auch ihr Aussehen und das der Großtante mit dem Kuhhorndaumen, und der Chef sagte: „Ach, das ist die alleinstehende Großbäuerin, die das schöne Waisenkind angenommen hat. Sie haben Glück, heute mittag reitet eine Gendarmeriepatrouille in das Dorf hinüber. Ich gebe ihr Auftrag."

„Und wann ist sie drüben?" fragte Frajo.

„Auftragsgemäß um vier Uhr nachmittags."

„Und wie lange braucht man, wenn man Galopp reitet?"

„Na, vor sechs Uhr kann Etel nicht da sein." Müde lächelnd schloß er: „Aber da muß sie Sie schon sehr lieben ..."

Frajo ging in seiner Zelle auf und ab. Sieben Schritt hin, kehrt, sieben Schritt zurück. Kehrt. Sieben Schritt. Kehrt. Sieben Schritt. Was war hin, was war zurück? Wo war der Anfang, wo war das Ende? Eine Spinne hockte in der Ecke oben. Sieben Schritt.

Bei jedem Glockenschlag fuhr er zusammen. Jeder erste Schlag kam ihm wie ein Hufschlag vor oder wie das Geräusch eines sich nähernden Wagens. Aber dann war es ein Glockenschlag. Die Spinne ... Die Spinne, die ihm den Weg in die Welt versperrt hatte, so einsam lag das Örthel ...

Viermal schlug es, sie mußten dort sein. War sie zu Hause? Am Ufer der Theiß? Mitten in den Hochzeitsvorbereitungen? Oder schon verheiratet und auf Hochzeitsreise? War unter den Pußtaleuten überhaupt eine Hochzeitsreise üblich?

Die Spinne ließ sich auf ihn herab. Er wich aus. Ihr Faden schimmerte ... ihr Lebensfaden. Er war ihr Schicksal, und waren die Spinnen nicht auch sein Schicksal?

Der Kopf schmerzte. Er horchte: ein Schlag. Wieder hatte es geschlagen. Er zählte: zwei, drei, vier, fünf. Fünf Uhr. Noch eine Stunde.

Da hörte er wirklich etwas. Es klang wie fernes Trommeln. Es schwoll nicht an, es schwoll nicht ab: der Galopp eines Steppenpferdes.

Ohne daß das Hufgetrappel lauter wurde, war es auf einmal ganz nahe. Er spürte deutlich, daß es im Hof unten sein mußte. Er konnte nicht hinuntersehen. Aber er roch ein Pferd. Es schlug einmal: viertel sechs.

Frajo stand an die Wand unter der Luke gelehnt. Er hatte den Blick unverwandt zur Tür gerichtet. Die Tür wurde aufgestoßen.

Etel stand in der Tür.

10

„Ich werde dir jungen Mohn bringen in purpurnen Blüten ..."

Sie gingen nebeneinander. Etel führte das Pferd am Zügel. An dem messingbeschlagenen Sattelknopf hing Frajos Rucksack und Radmantel. Er hatte wieder alle seine Sachen, er war frei. Sie konnten nichts anderes tun, als einander mit den Augen verschlingen.

Auf der Höhe des grasigen Dammes hob Etel den Arm, der Ärmel ihrer Leinenbluse mit der roten Stickerei schlüpfte zurück und gab den goldbraunen Arm frei. Die weiße Bluse fiel, durch einen Gürtel zusammengehalten, wie ein Hemd über ihre schwarze Reithose. Sie zeigte auf den aufgleißenden Flußbogen und brach das Schweigen:

„Ki a Tisza vizét issza —"

„Wer vom Wasser der Theiß erst trank", übersetzte Frajo, „sehnt sich zurück sein Leben lang . . ."

„Unser Dorf liegt an die Theiß", sagte Etel. „Theiß macht große Bogen. Wir reiten quer über Pußta."

Sie sprach ein gebrochenes Deutsch, sie mußte die Worte erst suchen, aber im Vergleich zu ihren mangelhaften Kenntnissen im Vorjahr hatte sie Fortschritte gemacht. Sie hatte ihr Wort gehalten, er nicht, er war im Ungarischen kaum weitergekommen. Jedenfalls konnten sie sich verständigen, und noch etwas war damit erwiesen: sie hatte an ein Wiedersehen geglaubt.

Er kniete vor sie hin, nahm ihr die Sporen ab, steckte sich selber die Sporen an, nahm Etel um die Mitte und schwang sich mit ihr in einem Schwung, wie ihn nur die unbändig erkämpfte Freiheit verleiht, auf den Rücken der Stute. Die Stute bäumte sich unter der unerwarteten Doppellast.

„Donga!" rief Etel. Die Stute stutzte, beruhigte sich, im nächsten Augenblick gab Frajo die Sporen. Etel saß quer vor ihm im Sattel. Die Stute begann fast ohne Übergang wie ein Pfeil dahinzusausen.

Frajo hatte nicht den Eindruck eines Rittes, es war ihm, als säße er auf einer hohen Schlange, die lautlos mit ihm und Etel dahinglitt. Keine Auf- und Abwärtsbewegungen; die Stute blieb weich gestreckt, mehr fliegend als gleitend. Ein einziges Geräusch war zu hören: die sausende Gegenluft. Nicht einmal Hufschläge; der Steppenboden war elastisch gespannt und dämpfte sie bis zur Lautlosigkeit.

Frajos Kinn ruhte leicht auf Etels blauschwarzem Haar. Er sah vor sich, wie sein Kinn auf dem blonden Scheitel des geheimnisvollen Christophorus geruht hatte, als der ihn über das Wasser getragen, an dem Tag, da die Mutter gestorben war . . . In das Sausen der Gegenluft, die nach wildem Thymian duftete, mischten sich nun die Atemzüge Etels und das Schlagen ihres Herzens.

Woher kam der Thymianduft? Keine Spur von Pflanzen weit und breit. Nichts wuchs auf dem völlig ebenen, endlos bis zum Horizont gedehnten Pußtaboden als niedriges, spärliches Gras. Noch größer als die braungrüne Riesenscheibe der Erde war der Himmel darüber, ein ungeheurer Himmel wie aus Glas.

Endlich erschien ein Baum in der Ferne, das einzige Richtzeichen in der

großartigen Leere; Donga hielt in unvermindertem Galopp darauf zu.
Als sie vorbeikamen, erwies sich, daß es eine Distel war. Frajo ließ das
Tier in Trab fallen und wendete auf die große Distel zurück; verwundert ritt er um die einsame Distel herum. Schwarz stand sie da, wie zu
Stein erstarrt. Leise sagte er an Etels Ohr: „Jetzt begreife ich Lenau, dem
eine einzige Distel ein Erlebnis war . . ."

„Ein Erlebnis war", wiederholte Etel in der hingegebenen Art der
Lernenden, die sich eine andere Sprache zu eigen machen wollen.

Sie ritten gegen die Sonne. Sie senkte sich rasch auf eine Baumgruppe und blendete die Sicht. Vor ihnen tauchten ein gutes Halbdutzend Bauernwagen auf, breit stürmten sie nebeneinander daher, gestaffelt wie zu einem Angriff. Frajo mäßigte den Gang Dongas. Gleich
einer Attacke raste es auf sie zu, kleine struppige Pferde mit wehenden
Mähnen; die Kutscher, aufrechtstehend wie in Kampfwagen, schwangen
ihre Peitschen über den Kopf. Im Nu waren sie vorbei.

„Wie ein Kloster", entfuhr es Frajo, als sich von der Baumgruppe eine
Csárda löste. Etel verstand das Wort nicht, er erklärte es ihr. Sie sagte:
„Kein Kloster . . ."

Der schöne Arkadengang mit den blendendweißen Rundbogen an der
Vorderseite der Csárda hatte Frajo an einen Klostergang erinnert, und
ein entsprechender Geruch tat das Seine: es roch nach Keller, nach
Kirche, beide Gerüche waren ja verwandt; vielleicht kam der Kirchengeruch von dem Heidekraut, das in den Fensternischen dörrte. Und es
roch vor allem nach trockenheißer Sonne.

Im Innern unterschied man eine braune, sehr niedere Balkendecke, noch
dunkler als das Gesicht des Wirtes; deutlich durchgebogen, lastete sie wie
ein mächtiges Gittergeflecht über ihnen. Petroleumlampen hingen herab.
Durch die kleinen vergitterten Fenster kam das Licht des Abends herein.
Ihre Rücken lehnten an der rohgekalkten Wand: Sie saßen vor Speck,
Brot und Wein auf einer der schweren Bänke, die rundum liefen. Die
Bänke waren nach unten dickgewölbt, mehrhundertjährige Baumstämme
im Längsschnitt. Roh waren auch die Tische, roh die Ziegelsteine, die den
Fußboden bildeten. Die Mitte war frei, der ganze Raum wirkte, ungeachtet
der tiefen Decke, sehr geräumig.

„Da könnte eine ganze Hochzeitsgesellschaft tanzen", entfuhr es
Frajo. Im nächsten Augenblick bereute er den Vergleich. Er brachte Etel
wohl auf jenen Gedanken, den er nicht berühren, geschweige denn in ihr
aufwühlen wollte, ja, er selber fürchtete sich davor.

Etel schwieg. Sie sah vor sich hin, in ihrem marillenfarbigen Gesicht
rührte sich nichts. Er bemühte sich, von anderen Dingen zu sprechen.
Er lobte, indem er tüchtig zulangte, den riesigen gelben Ofen in der

Ecke, halb Bienenkorb, halb Käsesturz, oben mit einem dicken Knauf; wie herrlich müsse es im Winter sein, daran zu lehnen, während es draußen schneit und der Tag zur Nacht wird. Und das hölzerne Gitter, das vom Boden bis zur Decke reicht, eine Art Kerker umschließend, darin hat der Wirt sein Versteck. Frajo fragte, warum er fast unsichtbar dort mit Geld, Glas und Faß hantierte, nur ein winziges Fensterchen erlaube ihm, das Verlangte herauszureichen.

Das gehe auf die Räuberzeiten zurück, sagte Etel. Sie erzählte von den Räubern, noch keine zwanzig Jahre sei es her, daß sie brandschatzten; die Großtante wisse viel von ihnen zu erzählen, wie sie mit dem Fokosch — grobe Stöcke, oben mit einem Beil — daherkamen... Wenn sie allzu lebhaft wurden und mit verschiedenen Dingen herumzuwerfen begannen, brauchte der Wirt einen Zufluchtsort, um sich und sein Eigentum zu schützen.

Wetterleuchten erhellte den Raum. Etel sprang auf. Hatte sie nicht mehr die Hirtenruhe vom Vorjahr?

„Wir müssen heim", sagte sie und sah Frajo an.

Sie ritten der Theiß zu; sie kündigte sich durch eine ferne Buschreihe an, die im Abendrot aufglühte.

„Du umfaßt mich wie ein Räuber", sagte Etel, die wieder vor ihm quer im Sattel saß, mit einem Blick aus ihren geschlitzten Augen.

„Bin auch einer", sagte er kurz.

Ein merkwürdiges Sausen erhob sich, es war wie jener Adlerflug über der winterlichen Donau. Wieder ein Gewitter: Blitze zuckten, bald fuhren sie waagrecht über den Himmel, bald überkugelten sie sich in Spiralen. Es kühlte rasch ab, und Frajo fröstelte.

„Wir kommen nicht mehr heim", sagte Etel. Tropfen fielen, immer dichter; da tauchte, als sie schon ziemlich naß waren, eine winzige Hütte unmittelbar an der verfinsterten Theiß auf. Sie sprangen ab und hinein, nahmen Rucksack und Mantel mit. Wütend prasselte es draußen nieder.

Als Etel eine Lampe anzündete, eine alte Petroleumlampe voll Spinnweben, erschienen riesige Brotlaibe und Speckseiten im spärlichen Licht. Frajo unterschied Decken, Mäntel, Stiefel, Peitschen, Steigbügel und Lassos, alles hing an den Wänden; aus Fächern schimmerten Teigwaren. Es gab weder Tisch noch Stuhl, geschweige denn eine Liegestatt. Zwei dicke, nach außen gewendete Mäntel aus Schaffell fielen ihm auf.

„Schwere Mäntel", sagte Etel. „Die haben die Räuber gehabt. Die Hirten tragen sie. Darin schlafen sie auf die bloße Erde. Oder auch stehend. In die Nacht, mitten unter ihren Tieren."

Unbefangen breitete sie die schweren Decken auf dem Boden aus. Frajo sah ihr zu und fragte verhalten:

„Was wird man zu Hause sagen?"

Sie sah ihn überrascht an. Obwohl sie die Frage verstanden hatte, schien sie ihr unverständlich. Sie lachte:

„Ach, das macht nichts. Das Wetter zwingt uns oft, auszubleiben." Sie hatte schon das Brot ergriffen und schnitt davon ab, sie schenkte Marillenschnaps ein, den berühmten Barack.

Frajo, Frauen gegenüber sonst so sicher, wurde unsicher. Die Glut, die aus seinen Augen leuchtete, verschleierte sich. Er verfolgte Etels Bewegungen. Sie gewann bald ihre Ruhe zurück. Ernst und aufrecht wie die Pußtareiter hantierte sie. Die Backenknochen ihres Gesichtes legten Schattenhöhlungen auf die Wangen, zwischen denen der aufgeworfene Mund purpurrot wie eine Mohnblüte schimmerte.

Rauschend toste der Regen auf das Binsendach. Die Hütte schien verloren zu schwanken wie die Arche in der Sintflut. Unter Blitz und Donner sagte Frajo, während sie auf das schmale Bärtchen an seiner Oberlippe schaute:

„So wild war es am ersten Tag meiner Reise zu dir, und so ist es am letzten . . . am Ziel."

„Am Ziel", wiederholte sie.

Diese ergebene und zugleich erwartungsvolle Wiederholung, der Sinn, den sie in das Wort „Ziel", ungleich tiefer als er, hineinlegte, erschütterte ihn. Die Erschütterung kam aus der Tiefe und stieg ihm bis in die Augen; Etel verschwamm vor ihm. Fast hilflos streckte er die Arme aus.

Ging er auf sie zu, oder kam sie ihm entgegen? Die weißen Leinenärmel Etels fielen zurück, als sie ihm die Arme um den Hals legte.

Eilig und strahlend erhob sich die Sonne über der Pußta. Tausende Tauperlen glitzerten. Oder war es die Nässe des Regens, der die ganze Nacht gedauert hatte? Winzige bunte Blümchen waren in der Runde aufgeblüht. Und da war auch Thymian, Frajo freute sich über den wilden Thymian, dessen Duft der Abendhauch gestern so weit landeinwärts getragen hatte. Am Horizont ragte der dürre Arm eines Pußtabrunnens zum Himmel.

Sie standen Körper an Körper vor der Hütte. Sie horchten auf die Theiß. Jetzt war sie so, wie die Ungarn sie nannten: blond. Donga stand hinter ihnen, ihre Nüstern schnupperten an den Schultern der beiden.

„Darf ich dich etwas fragen", sagte Etel, auf die Wellen zu ihren Füßen schauend.

Er nickte. Er schaute auf die Wellen in der Ferne. Er wußte, jetzt mußte das Unausgesprochene ausgesprochen werden.

„Bist du um meinetwillen gekommen oder als Gast zur Hochzeit?"
„Wie kannst du so fragen?" sagte er. „Wann sollst du denn heiraten?"
„Morgen."

11

Adieu, blonde Theiß!

Das Theißdorf hatte seinen großen Tag.

In beiden Kirchen läuteten die Glocken. Ihre Türme schauten aus dichtem Grün. Rundum in den Dörfern sagte man, jetzt nehme Géza, der brave Großfischer, das Waisenkind Etel zur Frau und führe sie auf den Hof seiner Väter. Viele Burschen beneideten ihn, manche sagten, sie könnten nicht verstehen, wieso Etel gerade ihn gewählt; sie meinten, sie selber wären doch auch nicht ohne... Die Mädchen verstanden nicht, warum sich Géza gerade das Findelkind ausgesucht habe. Eine Liebesheirat? Und die alten Frauen bekreuzigten sich und falteten die Hände. Ja, nun machte die schöne Waise unbekannter Herkunft, von der sogenannten Großtante barmherzig aufgezogen, doch noch ihr Glück.

Géza, der Etel seit drei Tagen nicht gesehen hatte, weil er aus dem Nachbardorf war und seine Braut und ihre Großtante bei den Hochzeitsvorbereitungen nicht hatte stören dürfen; Géza mit dem runden, gutmütigen Kinn war eben, umringt von einer Reiterschar, seinen Wagen selber lenkend, auf den Hauptplatz eingefahren. Er stieg langsam aus und blickte zufrieden um sich.

Birkenreiser waren in den Sand gesteckt; festlich gekleidet, in weißen Hemdärmeln mit bunten Stickereien, standen die Neugierigen herum. Die hohen Röhrenstiefel glänzten, Peitschen knallten, die Gäule waren über und über mit Bändern und Blumen besteckt. Gemächlich ging Géza, nach allen Seiten freundlich nickend, auf die untere Kirche zu, von seinen Leuten gefolgt. Sie verschwanden in der altertümlichen Pforte, vor deren Dunkel die abfallenden Akazienblüten wie Schmetterlinge flatterten.

Das weltferne Dorf hatte eine zweite große Neuigkeit. Ein entfernter Verwandter Etels oder eigentlich der Großtante war gekommen, ein „Schwaba", um Beistand bei der Hochzeit zu sein. Derselbe, dessen Mutter im Vorjahr gestorben war, in der Donau ertrunken; ja, derselbe, den Etel und ihre Großtante damals besucht hatten. Wie schön von ihm, daß er den Besuch an Etels schönstem Tag so unverhofft erwiderte! Die Neuigkeit war auch zu Géza gedrungen, und auch er und die Leute seines Dorfes waren stolz auf die Ehre und begierig, den von ferne gekommenen Gast begrüßen zu können. Von Österreich war er gekommen oder gar von Wien, wo der alte weißbärtige König und Kaiser den ganzen Tag auf dem goldenen, mit Edelsteinen über und über besetzten Thron saß und mit dem Zepter regierte: bei dieser Vorstellung bekreuzigten sich wieder die alten Weiblein.

Géza trat vor das offene Kirchentor und wartete still. In der Ampel drinnen blutete das Ewige Licht. Aus der Sakristei kam der Mesner mit einer Stange, auf der ein Kerzenlicht brannte, und zündete umständlich alle Kerzen an. Auch die Gäste verhielten sich still und warteten. Als sich der Mesner wieder in die Sakristei zurückzog, sah man drinnen für einen Augenblick den alten Pfarrer den feierlichen Ornat anlegen.

Man wartete. Das Wachs zischte und tropfte. Man wartete lange über die angegebene Zeit hinaus. Der Geruch des Wachses mischte sich mit dem der Akazien.

Etel, die manche schon im Brautkleid gesehen haben wollten, kam nicht.

Das Theißdorf hatte seinen großen Tag . . .

„So glücklich war ich auch einmal", sagte der Kapitän des Theißdampfers zu Frajo und Etel.

Beide standen neben ihm auf der Kommandobrücke. In ihnen zitterte die Erregung der Flucht. Ganz knapp hatten sie den Dampfer erreicht. Der Kapitän setzte hinzu: „Aber jetzt bin ich verheiratet."

„Ach, das in Ihrer Erzählung war nicht Ihre Frau gewesen?" sagte Frajo.

„Nein; eine türkische Tänzerin war es, weit unten in Bessarabien. Lang, lang ist's her . . ." Der Kapitän wurde sentimental. Er führte einen alten ungarischen Adelsnamen und war noch immer ein schöner Mann, aber nicht im Sinne Kotts; er wirkte gediegen. Ohne vertraulich zu werden, erweckte er Vertrauen. Sein kräftiger Körper in der verdrückten gelben Leinenuniform zeigte mehr die Bewegungen eines Reiters als die eines Schiffers. Sein Gesicht war energisch und freundlich.

„Und das Ziel Ihrer Reise?" fragte er Frajo.

„Ich sage es Ihnen leise, Herr Kapitän, Etel soll es nicht hören, es soll eine Überraschung für sie sein: Sulina, am Ende der Donau, wo die Meerdampfer hereinkommen."

„Für mich", sagte der Kapitän schwärmerisch, „ist Wilkow das schönste auf der Welt, nach Wilkow sollten Sie mit Etel. Es liegt auch im Delta, aber am nördlichen Kiliaarm, dem russischen, wo er ins Meer mündet. Ach, Wilkow, das bessarabische Venedig!"

„Bessarabisches Venedig? Gibt es das?"

Ja, erklärte ihm der Kapitän, dort habe er sie kennengelernt, die türkische Tänzerin, wo vieles wie im italienischen Venedig ist, *la bella Venezia*. Die vielen kleinen Kanäle zu jedem Haus, und die Häuser stehen auch auf Piloten, in dem Brackwasser der Lagune, auch einen Canale grande gebe es, ja, genauso heiße er, und im Zentrum gebe es auch eine Brücke wie die Rialtobrücke, und jedermann habe Lodkas, diese schwarzen Boote, und auch die schauen genauso aus wie die venezianischen Gondeln ... Und die guten Menschen dort im alten Rußland, die feudale Stimmung, wo man noch ein Herr sein könne, ach, er war ein Herr gewesen, dort mit ihr ... Aber er habe sie verlassen müssen, die türkische Tänzerin ... Schwarzhaarig war sie gewesen, tief schwarz, ein üppiger Pagenkopf. Es war in einem Tingeltangel, sie war der Star, und trotzdem wollte sie ihren Beruf aufgeben, seinetwegen, und ihm folgen, ihr ganzes bisheriges Leben wollte sie lassen. Aber er mußte mit seinem Schiff weiterfahren, immer weiter, keine Ruhe, und sie mußte zurückbleiben in ihrem Leben, auch sie ohne Ruhe. Zwei Schicksale waren an einem Kreuzweg zusammengetroffen, aber sie eilten wieder auseinander, ihre vorgezeichneten Wege ...

Der Kapitän starrte auf die leere Flaggenstange, die vorn am Bug zitterte. Dort lag auch die Spitze des umgelegten Mastbaums und schwankte zwischen den Seilrollen hin und her.

„Was habt ihr da geflüstert?" meldete sich Etel herzutretend.

„Sich nur nicht in einen Schiffsmann verschauen", antwortete der Kapitän lachend, „nur das nicht, das bringt kein Glück!"

„Werden die Glocken bei uns zu Hause läuten?" sagte Etel plötzlich geistesabwesend.

Längere Zeit wurde nichts gesprochen. Als der Kapitän eine Csárda am Ufer erblickte, sagte er:

„Ladung müßte man haben. Da könnte man an Land gehen, müßte nicht immer fahren, könnte sich in einem schönen Garten ausruhen ..."

Der Sturm pfiff in den Seilen und wühlte in ihren Haaren. Ununterbrochen krümmte sich die Theiß. Die Steuerleute, die stumm und mißmutig ihre Zigaretten rauchten, kamen nicht zur Ruhe, immer hörte man die Steuerkette ächzen. Die Ufer waren flach. Hie und da zeigten sie bebuschte Steilränder, teils sandig, teils lehmig, darin wie Wespennester die Löcher der Uferschwalben.

„Ja, diese Krümmungen!" sagte der Kapitän. „Aber früher vor der Regulierung gab es noch viel mehr. Die vielen Durchstiche haben die Theiß verkürzt, ursprünglich war sie so lang wie der Rhein. Jetzt ist sie um nicht weniger als 452 Kilometer kürzer, aber verreguliert."

„Wieso verreguliert?" fragte Frajo.

„In dem Maße, als der Schiffsweg abgekürzt wurde, entfernte sich ihr Lauf von den Zufahrtsstraßen. Was für einen Wert hat der schönste und beste Fluß ohne Zufahrten? Es ist wie mit der Liebe: sie muß immer frisch gespeist werden, sonst wird auch sie verreguliert, wie in der Ehe... Nach der Regulierung verliefen die Zufahrten ins Leere und verfielen — denn man änderte oder verlängerte sie nicht zum neuen Ufer hin. Die Theiß ging ihrer Ladestellen einfach verlustig. Die Städte und Ortschaften blieben seitwärts in den aufgelassenen Krümmungen... Daher der einsame Lauf, nur alle ein oder zwei Stunden eine Station. Daher die wenigen Reisenden. Und natürlich verloren auch die Orte ihre Bedeutung."

Vor ihnen zeigte sich ein Floß. Frajo sagte:

„Ein Floß! Die fahren bei dem Wind! Bei uns würden sie den ganzen Tag stehenbleiben..."

„Die fahren immer", sagte der Kapitän. „Die kennen nichts."

Frajo kam aus dem Staunen nicht heraus: „Keine Hütte, keine Zille, ja nicht einmal einen Anker..."

„Denen genügt ein Stein", sagte der Kapitän. „Sehen Sie, dort liegt er bei dem Seilhaufen. Den Stein, um den ein Seil gewickelt ist, schmeißen sie ins Wasser, das ist ihr Anker."

Frajo erzählte dem Kapitän von der achttägigen Floßfahrt, die er hinter sich hatte. Seine Augen glänzten: „Mit denen müßten wir fahren, Etel, das wäre eine Hochzeitsreise!"

Als sie dem Floß vorfuhren, fiel ihm dessen Fächerform auf. Es war viel kleiner als die Donauflöße. Von der Höhe der Kommandobrücke wirkte es wie eine Streichholzsammlung: ein Liliputfächer aus Streichhölzern, launenhaft aufs Wasser geworfen. Die Gestalten darauf sahen armselig aus. In Fetzen wehten Ärmel und Hosen um die mageren braungebrannten Körper. Vorne stand aufrecht der Lotse, ein ausgemergelter Greis mit weißem, bis auf die Schultern fallendem Christushaar.

„Huzulen", sagte der Kapitän. „Ein ruthenischer Stamm aus den östlichen Waldkarpaten. Unter Huzulen verstehen wir Schiffsleute einfach Flößer."

Schweigend und unbewegt blieben die Huzulen zurück. Frajo sagte: „Mit den Huzulen erlebt man die tausendjährige Vergangenheit. Die sind ja noch primitiver als die Donauflößer."

„Auch die Fischer", sagte der Kapitän, „leben hier wie vor tausend Jahren. Seht, da schläft einer am Ufer mit offenem Mund. Und dabei fängt er seine Fische. Am Ufer, halb im Wasser, steckt eine Gerte mit einem Glöckchen. Von der Gerte zieht sich eine Schnur bis zum Kobak hinaus, dort der ausgehöhlte Kürbis, der auf der Oberfläche schwimmt. Die lange Schnur wird durch viele aufgereihte Köder — kleine Fischchen oder Hirschkäfer — unter Wasser gehalten. Beißt ein Fisch an, wackelt die Gerte, das Glöckchen bimmelt, der Fischer erwacht und zieht mit der Schnur gemächlich seinen Fang heraus. Dann schläft er wieder weiter . . ."

12

Die gemeinsame Reise

Letzte Flußbiegung, ein Schwung, so schön und rein, wie ihn nur fließendes Wasser schaffen kann. Am Ufer ein einsamer Pußtabrunnen, wohl auch der letzte, und landeinwärts ernste Pappelhaine. Die Theiß war zu Ende. Steil und schmal mündete sie in die Donau ein.

„Die Donau", rief Frajo. Es war ihm, als wäre nun erst ihre Flucht geglückt, als sie die Donau erreichten. Der Strom war sehr breit, ein stiller See. Wie lange — so schien es ihm wenigstens — bräuchte der kleine Dampfer zum Überqueren. An einer Uferterrasse, auf der unter hohen Bäumen ein schloßartiger Bau versteckt lag, endete die anderthalbtägige Fahrt mit dem freundlichen Kapitän. Er sagte: „Das ist Slankamen mit dem Kurhaus."

Etel ergriff ihr Köfferchen und schaute auf die Theiß zurück. Zu dritt kehrten sie im Garten des Kurhauses ein. Unter den alten Bäumen mit träg hängenden Blättern saßen alte Leute mit träg hängenden Armen. Schläfrig spielten sie Karten und erzählten einander mit belegter Stimme von ihren Leiden.

„Das ist auch meine Zukunft", sagte der Kapitän. „Wir Schiffsleute kriegen alle die Gicht. Für euch ist die Stimmung hier nichts."

„Weiter, weiter!" rief Frajo. „Nun können Sie auch vor Etel von Wilkow schwärmen, ich habe ihr schon davon erzählt."

Das ließ sich der Kapitän nicht zweimal sagen und erzählte Etel vom bessarabischen Venedig in Rußland und von seiner Liebe zur schönen türkischen Tänzerin; dort müßten sie beide hin, dorthin, wo er nicht mehr hin dürfte, nie mehr, es würde ihn überwältigen, ja, überwältigen. Er schloß: „In die Theiß zurück, so heißt es für mich."

Am andern Tag fuhr er in die Theiß ein, wie schon seit fünfzehn Jahren. Frajo und Etel hatten noch am selben Abend den von Budapest kommenden Postdampfer genommen, um donauabwärts zu reisen.

Es war ein österreichischer Postdampfer mit zwei schwarzen Schornsteinen, die *Iris*, auf der Frajo als Knabe, geleitet von Vater und Onkel Heinrich, seine erste Donaufahrt, allerdings nur bis Preßburg, gemacht hatte. Preßburg, Kindheitserinnerung: die Ruine auf dem Schloßberg mit den vier ausgebrannten Ecktürmen wie eine verkehrte Bettstatt, die lange Donaubrücke, auf der sie zu dritt die Schritte gezählt hatten, noch hörte er das Hallen und die Militärmusik drüben im Aucafé... Es traf sich, daß er nun diese große Donaureise auf demselben Schiff machte, und er nahm es als gutes Omen. Einige Schiffsleute, die früher die obere Strecke befahren hatten, kannten Frajo und freuten sich, den abgängigen Wirtssohn bei sich aufnehmen zu können. Sie wußten manches aus den Zeitungen, es war auch schon bekannt, daß er wieder aufgefunden worden sei, ebenso die tragikomische Verwechslung mit Raaber. Frajo erfuhr gleichzeitig, daß Raaber, auf dessen Ergreifung eine Belohnung ausgesetzt worden war, bereits hinter Schloß und Riegel saß.

War er sich bewußt, daß es seine zweite Flucht war, eine zweite und größere Schuld: die Verknüpfung von Etels Schicksal mit dem seinen? Die im letzten Augenblick nicht zustande gekommene Hochzeit, das Verschwinden der Braut war noch nicht in die Öffentlichkeit gedrungen; wahrscheinlich würde man es so lange wie möglich verschweigen. Er fragte Etel um nichts. Aber er ahnte, daß sie ihm wahrscheinlich nicht gefolgt wäre, wenn er sich nicht unmittelbar vor ihrer Hochzeit eingefunden hätte — ein allzu deutlicher Schicksalswink.

Er hatte für sie beide die schönsten Oberdeckkabinen erster Klasse bekommen. Schrank, Tisch, Sessel, Bücherbord, Teppich, Fließwasser, Spiegel, zwei Betten... Alles war weiß, alles funkelte. Tag und Nacht surrte der Ventilator, Tag und Nacht rauschten die Schaufelräder.

Was für ein Gegensatz zum Floß! dachte Frajo. Aus dem Robinson Crusoe, der Seile und Anker warf, im Stroh schlief und im Schweiße seines Angesichts ruderte, aus dem nackten Räubergesellen ist ein moderner Reisender geworden...

Mit kindlicher Freude horchte Etel auf das Klirren der Gläser auf dem Waschtisch. Sie machte Frajo aufmerksam, wie das Handtuch am Messinggriff und das vom Bett herabhängende Leintuch leicht hin und her schaukelten.

„Auch die Kajüte schwankt etwas", sagte sie. „Ganz unmerklich. Spürst du es?"

Frajo war glücklich über Etels naive Beobachtungen. Den Ventilator, der so raste, daß er stillzustehen schien, konnte sie nicht genug bewundern. Und ganz verzückt war sie, wenn sie den Wandhahn aufdrehte und Wasser herauskam. Sie konnte sich nicht davon trennen. Immer wieder drehte sie den Hahn, sah auf den Strahl, wie er so ganz von selbst kam, und stieß kleine Schreie aus. Welch ein Luxus für sie!

Noch nie hatte Etel so hohe Berge gesehen. Die heimatlichen Karpaten mit ihrem Schnee, dem Weiß der ungarischen Trikolore, waren über der grünen Theißebene nur bei ganz reinem Wetter weit in der Ferne mehr zu ahnen, als zu sehen gewesen; nun aber fuhren sie — am andern Tag — mitten durch ein großartiges Felsengebirge.

Blaue Riesenwände zu beiden Seiten. Senkrechte Fjordfelsen. Nacktes Gestein, hie und da Büsche. Die Felsen spiegelten sich im Strom, bleiche Fetzen, Etel sah in die Tiefe und sagte:

„Dort unten hängen die Nixen ihre Wäsche auf . . ."

Am unfaßbarsten war ihr, daß die Wolken nicht am Himmel zogen, sondern an den Felsspitzen wie Fahnen hingen, und daß der Himmel, den sie nicht anders als riesenhaft bis zum Horizont herab kannte, so winzig und trüb dort oben als schmaler Ausschnitt erschien. Es war natürlich, daß sie sich beengt fühlte.

„Die Donau hört auf!" rief das Kind der Ebene und zeigte nach vorn auf den finsteren Schacht.

„Das haben die Argonauten auch geglaubt." Frajo sah den Stromdurchbruch der Kataraktstrecke gleich ihr zum erstenmal. „Vielmehr glaubten sie, sie fange hier an, denn die Argonauten sind von unten herauf geschifft und glaubten hier die Quellen der Donau."

Selbst der große Dampfer begann zu zittern. Auch die Reisenden fühlten sich durchzittert und fröstelten in der Schattenkälte. Hoch oben, erhaben über den eisigen Windstößen, sah man einen Adler mit ausgebreiteten Schwingen lautlos schweben.

Fünf Stunden dauerte die Kataraktstrecke, Engen wechselten mit kleinen Seebecken. Alle Reisenden waren auf dem Oberdeck. Viele fotografierende Wiener. Zwei elegante, mondäne Ungarinnen. Farblose Engländer mit mageren, sommersprossigen Händen und blauen Sonnenbrillen. Serben nagten abwechselnd an einem fetten Schinkenbein. Balkanpriester mit tiefschwarzen Vollbärten zeigten ihre prächtigen Zähne und sprachen ausgezeichnet Deutsch.

Als in Orsova, der letzten Station vor dem Ausland, die hundert Kilometer lange Kataraktstrecke hinter ihnen lag und abschließend das eigentliche Eiserne Tor, wonach die ganze Kataraktstrecke ihren Namen hatte, bevorstand — als in Orsova die Pässe in gemischter Kontrolle von den Ungarn und Rumänen verlangt wurden und nur Etel ihre Papiere vorweisen konnte, bedeutete man Frajo, man drücke ein Auge zu, lasse ihn wohl weiterreisen, er dürfe jedoch das Schiff nicht verlassen; er müsse mit demselben Schiff wieder zurückfahren.

„Es wird schon gehen!" sagte er mit einer heiteren, wegwerfenden Handbewegung zu Etel. „Es ist immer gegangen und wird auch diesmal gehen!"

Am Abend fuhren sie — nachdem sie auf der türkischen Enklaven-Insel Ada Kaleh die erste Moschee gesehen und den Eisernen-Tor-Kanal rasend passiert hatten — in die Walachische Tiefebene ein. Etel sagte, sie könne wieder atmen. Der Himmel sei wieder da. Sie fand in der Walachei Ungarn wiederholt: Lößufer, Schaf- und Schweineherden, Sonnenblumen, weite Überschwemmungsgebiete mit Fischerbooten, im Steppenwind raschelnde Maisfelder. Und der schneebedeckte Balkan in der Ferne sei wie die Karpaten.

Er finde es eher afrikanisch, sagte Frajo. Er hatte eine Landkarte aufgetrieben und zeigte auf „negerhaft" klingende Namen von Uferdörfern, die hinter Buschwerk auf dem Bruchufer versteckt blieben: Atarnati, Batoti, Tismani. Negerhaft wirkten auch die Hirtenjungen, die nackt auf Wüstenpferden mit dem Dampfer um die Wette dahinsprengten. Im Reiten beugten sie sich hinab, griffen Kieselsteine auf und warfen sie mit feindselig verzerrten Gesichtern nach dem Schiff, Kriegsgeheul ausstoßend.

So war es am rumänischen Ufer. Ganz anders am bulgarischen: grüne Kulturen, Wein, Wäldchen, in den Auen stille, bescheidene Fischer, die stumm und freundlich herübergrüßten.

Frajo schien es, als trennte die Donau zwei Welten. Zwei Welten, wie sie auch in seiner Brust nebeneinanderlagen: eine stürmende, angriffslustige, und eine ruhende, beschauliche.

Breit genug war die Donau: oft konnte man drei Kilometertafeln gleichzeitig sehen.

Die Balkangeistlichen gingen in frommer Versunkenheit bald andächtig betend auf und ab, bald aßen sie, abseits sitzend, andächtig aus großen Koffern, die so lackschwarz glänzten wie ihre gepflegten Vollbärte. Die Koffer schienen nichts als Speisen zu enthalten, appetitliche und ausgiebige Speisen; langsam verschwanden sie zwischen den blendenden Zahnreihen.

„Es ist ein Genuß, Etel, dieses Genuß-Essen zu beobachten."

„Hast du bemerkt, Frajo, auf ihren schwarzseidenen Käppchen sind goldene Ähren und Trauben gestickt."

„Ja, Etel. Und daß sie gerade uns so freundlich anschauen, das habe ich auch bemerkt."

„Ich auch." Die Augen niederschlagend, drückte sie sich wie eine Katze um ihn herum, seinen Körper streichelnd.

Am schönsten war ihre letzte Reisenacht. Zwischen den Leuchtbojen, die in Papageienkäfigen schaukelten, zwischen den ununterbrochen aufleuchtenden und erlöschenden roten und grünen Leuchtbojen glitten sie wie auf einer Lichterstraße dahin. Die Donau, in der blauen Schwärze uferlos wie das Meer, bettete sie zwischen funkelnden Girlanden wie in einer venezianischen Nacht.

„Hier erreicht die Donau wirklich den Süden, Etel. Wir fahren rund zweihundert Kilometer lang auf dem Breitengrad von Florenz."

Dann ergoß der Mond sein Licht. Sofort wurde das Ufer sichtbar, sehr fern, ein schwefelgelber Küstenstrich mit marmorbleichen Minaretten. Die Donau nahm ein überirdisch klares Tiefgrün an. Der Mond raste im Wasser mit, immer verändert: eine züngelnde Flamme; eine smaragdene Schlange; ein türkisches Schwert.

13

Der Strom am Ende

„Etel, ich sehe einen Meerdampfer, einen Meerdampfer sehe ich!" rief Frajo.

Frajo war außer sich. So hoch und so weit vorn man auf der *Iris* stehen konnte, stand er und spähte in die diesige Morgenluft voraus. Gleich einer ausgeworfenen Saat funkelten Möwenschwärme in der Sonne. Hinten blieben die Sumpfwälder der Balta, von Fischreihern in niedrigen, weitausschwingenden Wellenlinien überflogen. Über der verhältnismäßig schmalen Donau erschien Braila auf einem steilen Lößabbruch, eine russisch-orientalische Stadt.

Eine Stunde später war die Fahrt in Galatz zu Ende. Ab Braila standen am Ufer nicht mehr Kilometer-, sondern Seemeilentafeln: 89 sm zeigte die erste. Braila und Galatz sahen einander zum Verwechseln ähnlich. Auch Galatz begann mit senkrechten Lößufern. Hohlwege drehten sich in den gelben abgegrabenen Uferwänden zu den Vorstädten hinauf. Die Vorstädte bestanden aus Holz- und Steinhütten in türkischem Stil. In prunkvollem Gegensatz wuchsen im Zentrum aus dem Gewirr die orthodoxen Kuppelkirchen empor. Die eigentliche Stadt baute sich oben auf dem Plateau auf, grell von der Sonne getroffen. Alles wie in Braila, auch die Kahlheit des Hafenplatzes, wo in armseligen Schenken weißbärtige russische Arbeiter Tee aus großen Untertassen tranken; doch die Donau war doppelt so breit und zeigte mehr Seedampfer. Frajo schrieb sich Namen und Heimathafen der Dampfer auf. Und hier wie dort auf dem völlig flachen andern Ufer nichts als Auwäldchen und saftgrüne Wiesen mit weidenden Milchkühen.

Frajo wußte sich seine Sache schnell zu „richten". Der Agentievorstand von Galatz war zugleich österreichischer Konsul. Es war ein rundlicher, halb würdiger, halb jovialer Herr mit dicker Brille, die seine Augen auffallend vergrößerte. Er stellte Frajo, dessen Geschichte er aus den Zeitungen kannte, schmunzelnd einen Interimspaß aus. Er sagte und schrieb: „Franz Joseph Endlicher, geboren 1880 in Orth an der Donau, Niederösterreich, am —" Er unterbrach sich: „Was? Ein Skorpion? Und sogar mitten im Skorpion? Na, ich danke ... Immer auf und ab, einmal oben, einmal unten ... keine Ruhe ..." Er griff an seine verschobene Perücke: „Ich bin Deutscher aus Budapest und hierher verschlagen worden. Es ist richtig, wenn man seinen Paß verloren hat, muß man sich einen provisorischen beschaffen ... Sind Sie vielleicht Markensammler? Nein? Aber wenn Sie ausländische Post erhalten, darf ich um die Marken bitten? Danke im voraus."

Das war wieder einmal Frajos sprichwörtliches Glück.

Noch bevor sie ins Hotel gingen, suchten sie den Schneider auf, den man ihnen empfohlen hatte. Es komme nur Alkibiades in Betracht, hatte man ihnen gesagt. Durch ein Gedränge bunt bemalter lipowanischer Bauernwagen kamen sie an Gewürzläden vorbei und fanden im letzten Winkel eines Sackgäßchens, allerdings im Stadtzentrum, unter der Tafel „Alkibiades R. Zazakoner" ein stinkendes ebenerdiges Loch, das sich Atelier nannte. Eine winzige Petroleumlampe, die offenbar den ganzen Tag brennen mußte, beleuchtete spärlich ein Pult, hinter dem drei sehr junge Mädchen hockten. Sie schnitten und nähten allerhand, sie steckten ihre Köpfe zusammen und kamen Frajo wie Grottenolme vor.

Ein junger, aufs erste sehr gepflegt aussehender Mann stellte sich halb dienernd, halb herablassend als Alkibiades R. Zazakoner vor. Stand er aufrecht oder war er leicht gekrümmt? Ein aufreizendes Schnurrbärtchen zuckte an seiner Oberlippe, weiß hob sich der Kragen von seinem schwarzen, priesterlich langen Kleid ab, das von den Füßen bis zum Kragen hinauf geschlossen war.

Frajo wählte zwei Stoffe, bestellte einen Anzug für sich, ein Kostüm für Etel, zahlte, nachdem Maß genommen worden war, den halben Preis als Angabe und bestand, da sie auf der Durchreise seien, darauf, beides binnen drei Tagen geliefert zu bekommen.

„Ich bin Künstler", antwortete Alkibiades und begann mit unverständlichen Kehllauten auf die drei Grottenolme einzureden. Sie antworteten ebenso. Er zuckte die Achseln, wippte herum, man sah seinen wegstehenden Hintern, und sagte wieder: „Ich bin Künstler."

Merkwürdig war auch das Hotel an der Hauptstraße, der Strada Domneasca. Vier oder fünf graue Männchen umkreisten sie, halb aufdringlich, halb entschuldigend. Immer waren sie geduckt beisammen und lächelten trüb. Sie waren nicht voneinander zu unterscheiden. Welches waren die Besitzer, welches die Portiere? Trinkgeld nahmen sie alle. Neu waren die einfachen Möbel, allzu neu, die Betten, die Tünche, die billigen Teppiche; uralt die Türen, sie hatten Milchglasscheiben, sie schlossen nicht; alt die verbogenen Schlösser, man brachte den Schlüssel weder hinein noch heraus, man mußte stochern und reißen. Alt waren auch die knarrenden Holztreppen, die Winkelgänge mit den sich verschiebenden Holzstufen. Aber Ungeziefer gab es nicht.

„Es ist eben doch nur ein Witz", sagte Frajo, „daß in den Zimmern der Balkanhotels zu lesen sei: Bitte die Wanzen nicht an den Wänden zu zerdrücken. Und nach einer anderen Anekdote soll ein Steckbrief gelautet haben: Schwarze Haare, schwarze Fingernägel, bohrt mit Vorliebe in der Nase, ist bei den Damen sehr beliebt."

Etel lachte. Sie fanden alles schön und gut, und wenn sie einmal etwas nicht schön und gut fanden, wußten sie darüber hinwegzusehen oder hinwegzulachen. Sie ruhten sich drei Tage aus. Sie ließen sich in den Zweispännern, die auf dem stillen Platz hinter der Kathedrale warteten, spazierenfahren. Die Wagen klingelten, die Pferde trugen rote Troddeln, die Kutscher waren zugleich die wohlhabenden Besitzer. Sie fuhren die Strada Domneasca entlang, die sich mitten durch die Stadt in leichter Steigung fast schnurgerade nach Norden zog. Im Zentrum, wo sie schmal und lärmend war und wo an zahllosen Läden ein dichter Menschenkorso vorbeiwallte, sahen sie Alkibiades jeden Tag hinter einem anderen Ladentisch stehen... War dieser „Künstler" an allen Geschäften beteiligt?

Auf der Straße sah Alkibiades im scharfen Mittagslicht mit seinem soutanehaft schwarzen Talar sehr schmal aus. Er wippte mit seinem zu tief angesetzten Hintern, wenn er sich vor den Schaufenstern drehte, um sich darin zu bespiegeln. Sie winkten ihn herbei, er bedauerte, am dritten Tag nicht fertig sein zu können — „höchstens mit der zweiten Probe". Er rollte das „r" affektiert, blickte auf seine rosa polierten Fingernägel mit Trauerrand und hinterließ, wieder in ein anderes Geschäft schlüpfend, als sei er dessen Besitzer, ein aufdringliches Parfum.

„Seien Sie froh, daß er noch nicht fertig ist", sagte ihnen im hochgelegenen Stadtgarten, wo sie mit ihm zu Mittag aßen, der Konsul. „Fahren Sie ruhig ohne neue Hüllen ans Meer. Dort würden sie Ihnen ohnehin gestohlen."

Sie sahen ihn verständnislos an.

„Ja, vom Leib weg. Haben Sie eine Ahnung, was für ein Gesindel das Völkergemisch in der Dobrudscha ist!" Er zeigte mit seiner dicken Hand, die halb in ausgefransten Röllchen verschwand, auf die zerrissenen Steppenberge im Süden. Sie sahen wie blaubraune Glasscherben aus. Eine ungeheure weiße Wolke blendete darüber am vor Hitze zitternden Sonnenhimmel. „Durchzugsland seit der Römerzeit! Von den Daziern über die Tataren und Levantiner bis zu den spaniolischen Juden und Zigeunern haben in diesem Niemandsland alle Völkerschaften ruhelose Splitter zurückgelassen... Da gibt es nur eines: alle Wertgegenstände schlucken und hinten ein Sieb anhängen! Eine solche Mischung ist auch Alkibiades."

„Und ist es dort", sagte Etel, „wo wir so gern hinmöchten, auch so? Wie heißt es denn nur ... das bessarabische Venedig?"

„Sie meinen Wilkow? Nein, das ist weiter nördlich, ein Paradies anständiger Menschen, russischer!"

Etel, die unverwandt auf des Konsuls dicke Brille geblickt hatte, zeigte auf sie und rief: „Ihre Augen sind groß wie Ihr Bauch!"

Am Bug stieg die russische Courtoisieflagge hoch. Schmal und steil mündete der Pruth ein — „wie die Theiß!" rief Ethel. Der österreichische Levantedampfer führte sie an Reni vorbei, der ersten russischen Donaustadt. Zu Frajos Freude bot sich ihnen Gelegenheit, das letzte Stück der Donau auf einem Seedampfer, der nach Konstantinopel und Kleinasien weiterfuhr, zu erleben. Reni schien lange und lose in das bessarabische Hügelgrün gestreckt, das der Pruth mitbrachte. Die fruchtbare Broterde Bessarabiens dunstete in Backofenschwaden herüber. Hier ging die letzte Bahn. Von nun an, im Deltagebiet, war das Schiff die einzige Verbindung mit der Welt.

Bewundernd blickte Frajo zu den Offizieren auf der Kommandobrücke auf. Waren die Donaukapitäne Halbgötter, so waren die Kapitäne zur See Götter. Sie waren mit den Gestirnen auf du und du, nächtelang unterhielten sie sich mit dem Himmel und bekamen richtungweisende Antwort von oben, vom Polarstern, der Kassiopeia und dem Kreuz des Südens.

Den ganzen Tag glitten sie — im Sulina-Kanal wieder auf rumänischem Gebiet — im Schlammgold der untersten Donau lautlos wie in Lehm. Dennoch spiegelten sich die Wolken nicht blendendweiß, wie sie waren, sondern fahl: wenn man am Bug scharf hinabhorchte, wühlte sich der Kiel wie durch ein Meer aus Gedärmen.

„Es ist wie in einer anderen Welt", sagte Frajo. „So stelle ich mir den Ganges vor."

Die Dobrudschaberge am südlichen Horizont waren jetzt ein rotglühender Hahnenkamm. Wie sich eine Landschaft bewegen und verändern kann! Dank der Höhe des Schiffes konnten sie weit in das ungeheure Sumpfdelta hineinsehen, nichts als schwimmende Inseln, müder Vogelstrich in der Fieberluft. Hie und da stille lipowanische Fischer mit breiten Gesichtern und roten Vollbärten in ihren Lodkas, schwarzen, hochgegiebelten Kähnen, die wie Särge in der Wasseröde trieben.

„Pelikane!" rief Frajo. Sie schauten auf die Schar weißer Riesenvögel, von deren langen Schnäbeln weite Hautsäcke herunterhingen. Frajo freute sich, daß auch die Offiziere auf der Kommandobrücke, zu denen er immer wieder hinaufschaute, einander auf die Pelikane aufmerksam machten; eifrig verfolgten sie sie mit ihren Feldstechern.

„Uralt ist der Mythos vom Pelikan, Etel. Er reißt sich die Brust auf, um die Jungen mit seinem Blut zu nähren. Er ist das Sinnbild aufopfernder Mutterliebe."

Sie sah ihn an: „Ich habe Mutterliebe nie gekannt, Frajo. Und erst recht nicht Vaterliebe. Es ist alles so dunkel. Vielleicht konnte ich deshalb niemand lieben. Auch nicht meinen Bräutigam. Er ist mir von die Großtante bestimmt worden, ihr mußte ich dankbar sein. Lieben könnte ich nur ein eigenes Kind, die schönste Liebe, die es gibt ... Wir haben nie davon gesprochen, du hast nie gefragt, das war so schön. Nun aber ..."

Ihr Kopf sank an seine Brust, das mohnschwarze Haar lag an seinem Gesicht, als letztes hatte er das Weiß ihrer verzweifelnden Augen gesehen.

In Sulina verließen sie das Schiff. Sie waren am Ende der Donau. Aber wo war das Meer? Kilometerlange Steindämme, von großen Baggerdampfern besetzt, geleiteten den Strom weit hinaus. Dort konnte man, wenn man scharf hinblickte, einen dünnen stahlgrauen Querstrich erspähen: das Meer.

Frajo und Etel verbargen zum erstenmal ihre Enttäuschung nicht. Er rief aus: „Um wieviel schöner ist die Donau!"

Aber von der Höhe des Leuchtturmes aus bekamen sie eine Ahnung von der Größe des Meeres. Der Leuchtturm stand freilich fast mitten in der Stadt; in wenigen Jahrzehnten hatte die Donau, ihr Treibgut ablagernd, so viel Land ins Meer vorgebaut und tat es weiterhin unablässig.

„Willst du mich auch auf die Meer führen?" fragte sie ängstlich.

„Nein, nein! Wir bleiben der Donau treu."

Unten im spiegelblanken Lotsenhaus, dessen Wände von Seekarten bedeckt waren, deren Zeichen wie der Sternenhimmel verwirrten, hörten sie das gleiche, was ihnen schon der Konsul in Galatz gesagt hatte: ein österreichisches Sonderschiff, ein Studiendampfer mit Vertretern aller Donaudampfschiffahrtsgesellschaften, sei in den nächsten Tagen aus Wien zu erwarten; mit dem könnten sie (falls sie mitgenommen würden) direkt nach Ungarn und Österreich zurückreisen, eine einmalige Gelegenheit.

Ganz Sulina zog sich auf einem Damm hin. Es hatte Länge, aber keine Breite. Es kam Frajo wie ein Sinnbild seiner selbst vor.

Dieses kulissendünne Sulina hatte vorne an der Donau internationalen Anstrich, eine Häuserzeile in allen möglichen Pastellfarben, Geschäfte, Konsulate, Schiffahrtsgesellschaften, sogar ein englisches Seemannsheim samt anglikanischer Kapelle; hinten aber, durch die lächerlich kurzen Quergassen sichtbar, haushohe Schilfwälder, endlose Sümpfe. Dort stürzten sich Hunde- und Fliegenschwärme auf stinkende Abfälle, die man kurzerhand auf die grundlosen Wege schüttete. Über den Sümpfen wallten gelbe Wolken: Milliarden sirrender Mücken, und mitten darin blühten riesige Seerosen.

Sie gingen an den Strand, um zu baden. Der Wellsand der Dünen war brennend heiß, und es war erst der letzte Maitag. Gegen den blendendweißen Sand wirkte das Meer, das Schwarze Meer, wirklich schwarz.

Sie schwammen hinaus. In Frajos Begleitung überwand Etel die Scheu vor dem Meer. Aber er durfte sie nicht allein lassen, sie schrie sofort, obwohl sie gleich ihm großartig schwamm. Keine Ebbe und Flut, kein Salzwasser — Brackwasser. Weit wirkte die Donau ins Meer hinein.

„Was ist mehr auf die Erde, Frajo, Land oder Wasser?"

Nackt hatten sie sich in den Sand eingegraben.

„Wasser! Weniger als ein Drittel der Erdoberfläche ist Land, mehr als zwei Drittel Wasser. Ja, in der Erde drinnen ist wieder so viel Wasser verborgen wie in allen Ozeanen zusammengenommen ... Und es kreist da unten, es kreist. Nur Sickerwasser, verstehst du mich? Und weißt du, daß im einzelnen menschlichen Körper die gleiche Verteilung herrscht: zwei Drittel Wasser und ein Drittel Festes? Und daß das menschliche Herz da drinnen im gleichen Neigungswinkel ruht wie die Erdachse?"

Etel kam aus der Verwunderung nicht heraus. Sie bewunderte auch Frajos Wissen. Er sagte bescheiden, indem er einen Käfer aufstöberte, wenn man so ein Wassermensch sei wie er, lese man auch Bücher über das Wasser, und aus ihnen habe er gelernt.

„Das Wasser durchdringt alles, Etel, alles! Es gibt keine einzige Boden- oder Gesteinsart, in die es nicht einzudringen vermag. Unter allen Wüsten fließen tief in der Erde Wasserströme. Vom Sudan im regenreichen Zentralafrika ziehen unter der Wüste Sahara, die fast so groß wie Europa ist, zweitausend Kilometer lange Wasserläufe — natürliche Wasserleitungen — nach Nordafrika, um dort als Oasen aufzusteigen."

„Das Wasser sehnt sich nach dem Wasser", sagte Etel. Sie richtete sich auf und sah auf das Meer hinaus. „Das Wasser kann nicht ohne Wasser sein."

14

Die lebende Galionsfigur

Einige Tage später, als sie sich in Sulina nach dem Bad in der Strandkabine ankleideten, vermißte Frajo seine goldene Uhr. Zweifellos, sie war ihm — der Konsul hatte sie gewarnt! — gestohlen worden.

Er alarmierte sofort den Bademeister, dieser die Polizei, diese den Bürgermeister. Protokolle wurden aufgenommen, Spitzbuben vorgeführt, Frajo sollte sich erinnern, ob er sie am Strand gesehen habe. Alles nutzlos, er konnte niemanden beschuldigen. Er telegraphierte dem Konsul in Galatz. Das Andenken an die Mutter, ihr letztes Geschenk, war wohl auf Nimmerwiedersehen weg.

Er sah Etel an. Ihre Tüchtigkeit und Lockung hatte sie mit der Mutter gemein; beide, äußerlich so verschieden, hatten die gleiche Ausstrahlung; ihm war, als müsse ihm Etel die Mutter ersetzen, jetzt erst recht, obwohl sie viel jünger war als er.

„Fahren wir nach Galatz zurück", schlug er vor, „vielleicht ist auch Alkibiades R. Zazakoner mit unserer Anzahlung durchgegangen. Ein Glück im Unglück, daß ich mein Geld nicht ins Bad mitgenommen habe. Na, viel wär's ohnehin nicht gewesen . . ."

„Vielleicht sind wir auch in die Hotel bestohlen worden."

Nein, dort fanden sie alles in Ordnung vor. Der Konsul begann mit Sulina eine energische Korrespondenz — „aber ohne Aussichten", sagte er wütend. Er nahm die Brille ab, wischte sich die Augen — wie klein und blind waren sie jetzt! —, setzte die Gläser auf und war wieder der drohend Großäugige.

Die Kleider waren fertig und paßten leidlich. Sie waren ein wenig zu forsch geschnitten, und Frajo sagte es.

„Ich war in Paris", sagte Alkibiades und suchte sich bei jeder Gelegenheit an Etel zu drücken.

„Und Sie sind Künstler", spöttelte Frajo.

„Von Paris rührt mein zweiter Vorname R. her: René."

Alkibiades war davon abgekommen, immer wieder zu betonen, er sei

Künstler. Dafür betonte er, er sei in Paris gewesen. Er sah Frajo hinter-
hältig an, Etel verschlang er mit den Blicken. Mit diesem aalglatten
Schönling im schwarzen Talar, der die weißen Grottenolmmädchen tyran-
nisierte, würde man auf die Dauer nicht gut auskommen.

Und wirklich! Er bestritt, eine Angabe erhalten zu haben. Frajos
Energie und Etels Zeugenschaft zwangen ihn schließlich, sich zu erinnern . . . Aber er war von nun an Frajos Feind, das fühlte dieser schmerzlich. Und sein Benehmen Etel gegenüber war Frajo nicht verborgen geblieben.

Als alles bezahlt war, fand Frajo, er habe noch so viel Geld, daß beide
— eine Schiffsreise von einer Woche — in seine Heimat zurückkehren
könnten, denn Etels Heimat käme wohl nicht mehr in Betracht. Als sie
in einem Kaffeegarten saßen, ging gerade der Konsul vorbei und rief sie
an:

„Kommt mit zum Hafen! Bald fährt das Studienschiff nach Wien zurück. Ich habe mich mit Erfolg für euch eingesetzt. Ihr könnt ohneweiters
mit. Eine Kajüte ist frei, sogar wirklich frei: ohne Fahrtkosten!"

„Wir danken vielmals", sagte Frajo. „Kommt nicht in Frage."

„Eine solche Gelegenheit! Herrgott, ich an eurer Stelle! Die Heimat,
nichts geht über die Heimat. Mir gelingt es nicht, nach Budapest zurück-
versetzt zu werden und nur meiner Familie und meinen Marken leben zu
können. Mein Vater war Ungar, meine Mutter Deutsche aus Budapest.
Habt ihr von dem verdammten Halbasien nicht genug? Zum Schluß wird
noch einer dem andern gestohlen!"

Etel zupfte Frajo am Rockärmel. Er verstand, was sie meinte: Wenn wir
ohnehin wenig Geld haben . . .

„Kommt nicht in Frage", wiederholte er heiter, aber mit Nachdruck.
Der war für sie bestimmt. Sie verstand ihn. Sie verstand jedoch nicht,
warum er das Schicksal so herausforderte.

„Zum Hafen gehen wir gern mit, nicht wahr, Etel?"

Der weiße Salondampfer lag an der Landestelle. Die Rauchfänge
qualmten, gut angezogene und gut aufgelegte Menschen versammelten
sich an Bord und erwarteten die Abfahrt. Auf dem Oberdeck spielte eine
Musikkapelle den Radetzkymarsch. In gleichem Rhythmus hatte das
Hufeklappern von Etels Pußtastute Donga geklungen, als die Stunde
ihres Wiedersehens schlug. Und es folgte der Rákoczimarsch, eine melancholische Flamme.

„Ungarn!" rief Etel. *„Magyarország!"*

„Noch ist Zeit", sagte der Konsul. „Nicht, daß ich Sie loswerden will,
Gott bewahre! Aber was hält Sie wirklich zurück?"

„Wilkow", sagte Frajo ernst, aber man spürte, daß es nicht Wilkow allein war, nur ein Vorwand. „Das bessarabische Venedig, das dürfen wir doch nicht versäumen!"

Im selben Augenblick wurde der Konsul zu Repräsentationspflichten weggeholt. Sie sahen, wie er im geschmückten Decksalon eine Ansprache hielt. Man hob Gläser, man stieß an, man trank Bruderschaft. Auch die Matrosen waren in Gala.

Die Steuerleute hatten ihre Plätze eingenommen. Der langbärtige Kapitän erschien auf der Kommandobrücke. Man salutierte ihm stramm. Er trat die Dampfpfeife und umfaßte das goldfunkelnde Sprachrohr. Frajo konnte sich der feierlichen Erregung nicht entziehen.

Der Konsul schob seinen Bauch an Land zurück. Sie sahen, daß er winzige Füße hatte. Ein Matrose richtete den Mastbaum auf. Flaggen und Wimpel in allen Farben stiegen hoch. Es war ein schöner und erhebender Anblick. Die sicheren, kräftigen Bewegungen eines langbeinigen Matrosen lenkten Frajos Aufmerksamkeit auf ihn, er mußte ihn kennen. Es war ein breitschultriger, hünenhafter Bursche mit blauen Augen. Sosehr er sich in die Gemeinschaft der anderen fügte und alles vorschriftsmäßig ausführte, hatte er doch etwas Selbständiges. Er war unter ihnen und benahm sich gleichzeitig so, als wäre er allein auf dem Schiff. Frajo ließ ihn nicht aus den Augen.

Schon peitschten die Schaufelräder das Wasser. Langsam löste sich der Dampfer vom Land ab, die Flaggen strafften sich in der Brise. Rufe, Tücherschwenken, die Musik setzte mit dem Donauwalzer ein. Der Konsul summte gerührt: „Donau so blau, durch Wald und Au . . ."

Da löste sich in Frajo etwas, und er erkannte den blonden Matrosen: „Christophorus!" rief er. Aus Leibeskräften rief er, während er winkte und mit dem Schiff mitlief: „Christophorus, Christophorus!"

Der blonde Matrose verstand, daß die Rufe ihm galten. Er schaute herüber, er hob die Hand an die Augen. Dann winkte er zurück und rief etwas. Es war nicht genau zu verstehen, was er rief, aber an seinen Mundbewegungen erkannte man das A und das O, vielleicht rief er „Frajo". Dann zeigte er mit einer schönen Bewegung stromauf und verblieb einige Zeit in der weisenden Haltung.

In Frajo ging Unbeschreibliches vor. Vergangenes brach in ihm auf, Unvergeßliches: die halbnackte Erscheinung im Auwald und wie er ihr nachfolgte, die schwierige Überfahrt in der Fischerzille, wie er von Christophorus auf die Schulter genommen wurde, das gelbe Vaterhaus mit den grünen Fensterläden im Regenbogenlicht, Haslauer an seiner Quelle, der letzte Blick der Mutter . . .

Immer schneller entfernte sich der weiße Dampfer. Gleich einer Galionsfigur stand Christophorus am Bug.

DRITTER TEIL

1

Schiffsleute . . .

Barfuß, die Hosen aufgekrempelt, singend und pfeifend — denn ein Dampfer fürchtet, ungleich dem Floß, den Wind kaum — wetteiferten die Matrosen miteinander, das Verdeck zu reinigen. Die Kübel planschten in die Donau hinunter, wurden, an der Leine baumelnd, mit Wasser gefüllt hochgezogen, eine Praxis, die nicht leicht zu erlernen war, und in weitem Armschwung schüttete man das Wasser auf die Planken des Schiffes.

Frajo tanzte sich in einen Rhythmus hinein, und wie auf dem Floß empfand er, daß Kunst aus der Arbeit wächst. Verdeckwaschen hieß die simple Bezeichnung dafür, Verdeckwaschen, ein Teil der Schiffstour. Zur Schiffstour gehörte auch Messingputzen und „Farbwaschen". Beim Farbwaschen galt es den Schiffskörper zu reinigen. Dazu mußte man sich in der Zille außenbords Stück um Stück weiterhanteln. Zur Schiffstour gehörte das Ölen des Ankergeschirrs, der Pumpen, der Ruderketten.

Frajo tat die harte Arbeit der Matrosen und war bald Obermatrose geworden. Das war nach zehn Monaten gewesen; ein milder Winter lag hinter ihnen, der die Fortdauer des Schiffsverkehrs erlaubt hatte. Er wollte die Protektion des Konsuls, dem auch Etels Anstellung als Hilfsköchin auf einem anderen Schleppdampfer zu verdanken war, nicht ausnützen, um jedes Gerede zu ersticken. Es gelang ihm. Er fuhr auf dem österreichischen Schleppdampfer *Szob* auf der unteren Donau hin und her, die tausend Stromkilometer zwischen dem Eisernen Tor und dem Schwarzen Meer, zwischen Rumänien, Bulgarien und Rußland.

Dank seiner Zeichenkunst konnte er jeden, der es wollte, leicht karikiert porträtieren. Das machte ihn beliebt. Zeichnen war ihm eine willkommene Erholung; eine Art Befreiung. An seiner Stelle würden sie davon leben, meinten die Kameraden. Er vervollkommnete sich darin immer mehr.

Etwa drei Monate nach seiner Flucht aus der Heimat war ein Brief gekommen, der ihm schon auf dem Umschlag die primitive Handschrift Finis verriet. Er hatte keine Zeile nach Hause geschrieben; nun erreichte ihn die erste Post. Es störte ihn kaum. Was konnte die Haushälterin schon schreiben, sagte er sich, zog jedoch die Augenbrauen zusammen.

Ohne Erwartung hatte er den Brief geöffnet. Fini schrieb von dem leer aufgefundenen Boot und daß sie ihn für ertrunken halten mußten; von den Zeitungsberichten vierzehn Tage später, wonach man ihn auf Grund der erstatteten Abgängigkeitsanzeige in Ungarn ausfindig gemacht hatte; vom Geschäft, das nun erst recht gehe, weil die Gäste im Endlicher-Wirtshaus eine Stätte der Sensationen sähen, die noch lange nicht zu Ende wären; vom Vater, dessen Bibelsprüche immer wunderlicher würden. Die Lachtaube lache nicht mehr, und Alfa belle so traurig, daß sie das Weinen ankäme. Warum er gar nicht schreibe? Niemand dürfe wissen, daß sie geschrieben habe. Ob er etwas brauche? Sie würde es ihm gerne schicken, heimlich. Aber er müsse auch „heimlich" schreiben. Unterschrieben war mit „die treue Fini".

Den drei, vier Matrosen unmittelbar vorgesetzt ist der Bootsmann. Der Bootsmann ist der Hausmeister des Schiffes, die rechte Hand des Kapitäns. Der Kapitän kann ruhig schlafen, wenn er sich auf den Bootsmann verlassen kann. Ein guter Bootsmann, ein gutes Schiff. Der Bootsmann der *Szob* war in dreifacher Beziehung gut: eben als Bootsmann, dann als Mensch und Kamerad, schließlich für die Frauen ... In jedem Hafen hatte er eine, er hielt streng darauf, daß es überall nur eine war, kaum ging er irgendwo an Land, war sie schon da mit einem Blumenstrauß. Die Frauen wußten, wie sehr er Blumen mochte, seine Kajüte war ein Blumengarten. Immer hatte er eine Blüte am rechten Ohr stecken, auch im Dienst. Da ihn alle Frauen mit seinem Vornamen Jonica riefen, kannte man ihn nur unter diesem Namen. Auch die Mannschaft nannte ihn so. Er hatte nichts dagegen. Er hatte überhaupt gegen nichts etwas. Der Bootsmann Jonica war ein kleiner, wendiger Rumäne mit quecksilbrigen Bewegungen und fragenden Augen unter dicht zusammengewachsenen Brauen. Er war schmal und wirkte schwach, verfügte aber über eine unglaubliche Sehnenkraft. Er war Boxer, Fliegengewicht. Mit seiner warmen, einschmeichelnden Stimme sparte er, er sprach wenig. Er war zurückhaltend, ja er wirkte oft schüchtern, was zu seiner unvermuteten, vorschnellen Angriffslust einen anziehenden Gegensatz bildete. Frajo schloß ihn auf den ersten Blick in sein Herz. Es schien ihm, als habe auch Jonica mehr für ihn übrig als für die anderen Matrosen, ohne sie es merken zu lassen. Frajo lernte von ihm, der schon mehrere Preise errungen hatte, boxen, das hatte er ja immer schon angestrebt. Ihre Übungen und Fights waren für die Mannschaft ein willkommenes Schauspiel.

Eine leichtere Arbeit als die Schiffstour war die Inspektion. Da hieß es die Positionslichter — das Dreigestirn rot-weiß-grün — instandhalten, die Seile rostfrei machen und „fuchsen", die Kajüten der Offiziere und Chargen in Ordnung bringen. Da war die Kajüte des Ersten Kapitäns Nedela, den man „Herr Kommandant", ansprach, unter sich aber, wie jeden Schiffskapitän, einfach den Alten nannte, auch wenn er jung war; dann die Kajüten des Zweiten Kapitäns Gantner, kurz Zweiter, des Maschinenbetriebsleiters Komposch, Ölkäfer geheißen, des Lotsen (aber es fuhr nie einer mit) und der Steuerleute. Und noch etwas gehörte zur Inspektion: dem Alten die Schuhe putzen.

Diese letzte Arbeit war auf der Szob allerdings sehr selten nötig. Frajo konnte sie gerne auf sich nehmen, denn der Alte hatte nur ein Paar Schuhe und stak fast nie darin. Es sei denn, er ging an Land. Und das überlegte er sich. Er schlurfte in Filzpantoffeln herum, ob er im Dienst war oder nicht, ob er experimentierte oder auf der Brücke kommandierte. Wie, er experimentierte? Ja. Das war sein privates Steckenpferd. Kommandant Kapitän Nedela experimentierte chemisch. Er war mager, schwarzhaarig, lächelte schmerzlich und strömte einen herben Chemikaliengeruch aus. Neben seiner Kajüte hatte er sich in der Gästekabine, die nie die Ehre genoß, ihren Zweck zu erfüllen, ein chemisches Laboratorium eingerichtet. Dazu hatte er allein den Schlüssel. Niemand durfte hinein, er wischte sogar selber den Staub ab. Die Mannschaft sprach von der „Alchimistenküche" und daß er — als Junggeselle — mit ihr verheiratet sei. In ihr verbrachte er seine ganze freie Zeit. Nur zufällig konnte man, wenn er gerade die Tür öffnete oder schloß, beim Vorbeigehen einen Blick hineinwerfen: es wimmelte darin von Probegläschen, von Phiolen und Retorten mit allerhand Flüssigkeiten, und oben in der Ecke ruhte eine Petroleumlampe, deren kugeliger Behälter aus Messing sich wie Buddhas Bauch wölbte. Ein scharfer, ätzender Chemikaliengeruch stockte auch bei geschlossener Tür in dem halbdunklen Kabinengang, und abgeschwächt haftete dieser Geruch, wie gesagt, dem Kommandanten selber an, wo er ging und stand. Er allein verriet seine Annäherung, denn die Filzpantoffel dämpften seine Schritte bis zur Lautlosigkeit. All dies machte ihn zu einer Art Herrgott, freilich in einem anderen Sinne, als sich Frajo einen Kapitän vorstellen wollte.

Seine allzu nachlässige Haltung, der kragenlose Leinenanzug, der um seinen hageren Körper schlotterte, der große Adamsapfel, das eingefallene, meist unrasierte Gesicht, gebleicht von den chemischen Dünsten, ja krankhaft wirkend, vor allem aber seine nackten Füße samt Filzpantoffeln: das hatte allerdings verzweifelt wenig Gottähnliches. Andererseits, da er niemals schlecht aufgelegt war (freilich auch niemals wirklich gut), da er mit schmerzgewohntem Lächeln und müden Blicken aus seinen melancholischen Augen sah und ohne jedes laute Wort die Disziplin mit selbstverständlicher Ruhe aufrechterhielt, und da er seinen Dienst hingebungsvoll versah — er saugte sich zum Beispiel beim Sprechen an das

Sprachrohr an und schien es genießerisch zu küssen — hatte er doch etwas von einem griesgrämig-gemütlichen Herrgott, besonders wenn er an seiner langen Weichselpfeife schmauchte. Sie reichte zwischen seinen dürren Beinen bis auf den Boden zu den Filzpantoffeln hinunter: kurz, man konnte sich auf einen Herrgott in Pension einigen.

Neben ihm sah der Zweite Kapitän Gantner, äußerlich betrachtet, wenn nicht herrisch, so doch herrenhaft aus. Der große blonde Mann war hübsch, er bemühte sich, elegant zu wirken. Auf der alten Wanzenkiste *Szob*, wo sich in Beziehung auf Kleidung jeder gehen ließ, konnte das nicht schwerfallen und wirkte leicht lächerlich. Sein stets peinlich rasiertes Gesicht hätte weich erscheinen müssen, wenn nicht ein paar tiefe Schmisse eine gewisse Forschheit vorgetäuscht hätten. In Wirklichkeit fehlte ihm jede Energie. Hatte er Brückendienst, konnte ihn der simpelste türkische Khaik, wenn er mit seiner Steinladung träge vorausmanövrierte, unsicher machen. Er trat in Fällen, wo der Alte überhaupt nichts unternommen hätte, lange die Dampfpfeife; mit dem Tuten, das die Wasserstille zerriß, wollte er weniger den Türken warnen als vielmehr den Kommandanten zu Hilfe rufen. Der kam auch alsbald verschlafen in seinen Filzpantoffeln heraufgestiegen — er kannte seinen Zweiten —, übersah mit einem Blick die Lage und sagte nachsichtig lächelnd: „Nur ruhig, nur ruhig." Er flüsterte etwas ins Sprachrohr, wieder war es ein zarter, hingebungsvoller Kuß mit geschlossenen Augen. Die Sache war bereinigt, still ging er hinunter und mit ihm der chemische Geruch.

Frajo konnte ähnliche Szenen aus nächster Nähe miterleben, da man ihn zu Hilfsdiensten am Steuerruder heranzuziehen pflegte, dank seinem großen Interesse für die Stromverhältnisse, seinem scharfen Auge und natürlich auch wegen seiner Erfahrung.

Kapitän Gantner litt unter seinem Zwiespalt, und er suchte ihn zu verbergen, indem er nach solchen Szenen allerhand durcheinander redete und kokett die Manschetten von seinem Handgelenk gleiten ließ, wo ein goldenes Armkettchen erschien. Aber das imponierte den Steuerleuten, zwei ewig miteinander murmelnden Serben, gar nicht. Sie nickten mißmutig mit ihren gelben Gesichtern unter den tief in die Stirn gezogenen schwarzen Schifferkappen und murmelten weiter und pafften weiter an ihren klebrigen Zigaretten. Welche Steuerleute sahen nicht so aus? Welche waren nicht mißmutig?

Frajo hatte gelernt, vieles zu durchschauen. Wenn er unter Deck in seiner Koje ruhte, zerschlagen von der Arbeit, und das ständige leichte Vorstoßen der einzigen Kurbelstange der uralten Tandemmaschine in Kopf und Magen spürte, ein unaufhörlich zuckendes Vorstoßen des ganzen Dampfers; wenn er an der Oberlichte die Schatten der gekreuzten

Schleppseile sah, wie sie abwechselnd leer hingen und sich strafften, je nachdem die Kurbel der Maschine ins Steigen oder Fallen kam und den Dampfer locker ließ oder mitriß: dann fühlte er sich wie ein Seekranker. Dazu das Schlingern und Stampfen der *Szob* bei Gura Jalomitza, wo die Donau breit wie ein See und wild war ... Und gelb wie das Chinesische Meer! sagte Kapitän Gantner.

Was Etel anging, so trafen sie einander einmal in der Woche in irgendeinem Hafen. Sie phantasierte von dem bessarabischen Venedig, aber es fügte sich nie, daß sie hinkamen. Meist fuhren sie deutend und winkend aneinander vorbei. Wasserzigeuner, Schicksal der Schiffsleute ... Hinunter fuhren sie mit Maschinen und Industrieartikeln, hinauf mit Getreide und russischem Öl in den Schleppen. Wo mochte Etel herumgondeln? Ja, sie war zur Schiffsköchin aufgestiegen. Auf der *Szob* war eine Greisin, zahnlos und mit Kinnbart, als Köchin angestellt, übrigens auch eine Ungarin, der man eine Art Ausgedinge gönnte.

Seine Gedanken verwirrten sich. Wenn Etel nicht da sein könnte, müßte man wenigstens einen Hund haben. Ja, einen Hund! Was ist ein Schiff ohne Hund? In Schweiß gebadet, mit Übelkeit im Magen von dem ewigen orientalischen Salat, wälzte er sich von einer Seite auf die andere. Und wenn er sich im Spiegel besah, erschrak er: sein Bärtchen hob sich von einem krankhaft gelb gewordenen Gesicht ab.

2

Zwei Welten

„Du kommst mir unergründlich vor", sagte Frajo. Er wendete sein Gesicht langsam Etel zu. Er sah mitten zwischen ihre Augen. Es war, als wollte er aus ihr etwas herausholen, das er erwartete und fürchtete, und doch sah er zugleich durch sie hindurch in eine Ferne, die ihm mehr gehörte als ihr. „Eigentlich, Etel, bist du mir immer geheimnisvoll erschienen. Von allem Anfang an. Nun sind wir genau fünfviertel Jahre zusammen, wenn man das ‚zusammen' nennen kann, aber ergründen konnte ich dich nicht."

„Glaubst du", sagte sie, „du erscheinst mir nicht auch so, du selbe?" (Sie sagte immer „selbe" statt „selber" oder „selbst", was ihr besonders gut stand.)

„Da bildet man sich ein, die Frauen zu kennen! Man bringt es vielleicht so weit, die Frauen halbwegs behandeln zu können. Das ist schon das Höchste."

„Frajo, Frajo!" drohte sie ernst. „Ich weiß, daß du spielst. Du solltest nicht spielen."

„Spielen? Pflichten habe ich, Pflichten dir gegenüber — und kann sie nicht erfüllen."

Sie saßen an einem der weißgedeckten Tischchen, die das Restaurant auf den kreisrunden Hauptplatz von Giurgiu in den Augustabend hinausgestellt hatte. Ein schwächlicher junger Mann in Hemdsärmeln, gelber Hose und gelben Schuhen strich die Geige; eine junge Frau in einem roten Kleid saß neben ihm und zog und drückte eine elfenbeinweiße Ziehharmonika. Durch einen kleinen Schalltrichter sang er deutsch, Wiener Lieder, wobei er den Text nur mit Mühe von den Notenblättern ablas. Bei „Dir bleib ich treu" blickte der Musiker in das Gesicht der Musikantin. Sie lächelte schwach, blaue Äderchen klopften an ihre Schläfe, die dünne, an die Wange geklebte Locke löste sich.

„Ich gehe mit dir durch dick und dünn, Frajo."

„Sag es nicht zu oft, Etel! Sonst glaube ich es nicht. Vielleicht hängst du an etwas anderem mehr als an mir."

Zeitungsjungen hetzten vorbei. Winzige negerhafte Schuhputzer, Knaben noch, liefen herum, fast verschwanden sie unter ihren riesigen Buffalohüten. Zwischen Ein- und Zweispännern, an deren Pferden Papierschmuck flatterte, eilten Männer mit frischen Feigen hin und her und boten sie ihnen an. Andere, deren schweißige Hemden bis auf die Erde schleiften, trugen über der Achsel dünne Baumstämme, daran hingen vorne und hinten wie Zöpfe kleine Zwiebeln herab. Dicke Männer mit träumenden Augen und roten Bauchbinden lehnten am Gitter des Parks inmitten des Platzes. Im Park, ebenfalls kreisrund, standen Fächerpalmen, weiß vom Staub. Sie waren natürlich und wirkten unnatürlich.

„Weit haben wir's gebracht", philosophierte Frajo. „Du bist Köchin auf einem Schleppdampfer. Dank mir! Statt daß ich —"

„Erstens wollen wir auf eine Personendampfer gar nicht sein, nicht wahr? Ja, ich fahre auf die untere Donau hin und her wie du... Und kaufe in allen Häfen gute Sachen ein, bereite sie für die andern zu und behalte das Beste. Im Orient sind meine Lieblingssachen im Überfluß: Weintrauben, Melonen, Paprika, Mais, Milch, Butter, Käse, Honig... Das esse ich dann mit dir, wenn wir irgendwo zusammenkommen."

„Du mit deiner Rohkost! Wenn! Ich habe es ja schließlich einsehen müssen, daß der Konsul nicht alle Wünsche erfüllen und uns nicht auch noch auf e i n e m Dampfer zusammenstecken konnte. Selten genug treffen wir in einem Hafen zusammen."

„Ich mache mir in meine Kalender jedesmal eine Stern, Frajo. Es ist heuer die neununddreißigste Mal."

„Das ist drei mal dreizehn", sagte er abergläubisch.

„Du bist ein Kind, Frajo, ein Kind!"

„Ja, das sagst du mir immer, Etel, weil du eins bist und ich dich so nenne!"

Rings um sie erhoben sich ockergelbe Häuser, einstöckig, mit Balkonen. Die Balkone waren voller Menschen. Männer mit geöltem Schwarzhaar, dick geschminkte Frauen starrten melancholisch herab, bewegten ihre Fächer oder ließen ihre Hände mit blutroten Fingernägeln lässig über die Brüstung hängen. Es dunkelte, die Häuser wurden tiefer gelb, der Himmel tiefer violett, die schwüle Luft träg wie ein Teig.

„Wir sind in einer rumänischen Donaustadt", sagte Frajo, „weit im Osten, aber das ist ja Süden, entfesselter Süden. Und Bulgarien, das südlich liegt, das ist der Osten, die slawische Ruhe, der türkische Fatalismus. Ich habe es gleich gespürt: zwei Welten. Zwei Welten wie in mir . . ."

„Weißt du, wie du mir vorkommst, Frajo? Zerrissen! Bist du in die Heimat, willst du in die Ferne, und bist du in die Ferne, willst du in die Heimat."

„Ich will in die Heimat? So schlecht kennst du mich? Was vielleicht in dir ist, vielleicht sage ich, das überträgst du auf mich? Um mich sozusagen freizusprechen?"

Etel schwieg. Sie senkte langsam die Lider. Groß lagen die Wimpern über ihren Augen. Diese Bewegung war eine ihrer schönsten, Frajo liebte sie. Sie war so echt, diese Bewegung, so erfüllt und zugleich so bewußt, daß es ihm vorkam, als wäre sie, ihrer Wirkung sicher, von einer gewissen Theatralik — ein Widerspruch in sich, der Etel erst recht reizvoll machte.

Die Tischchen wurden mehr und mehr besetzt. Männer mit schlecht rasierten Mephistogesichtern und schiefen Strohhüten. Sie waren entweder teilnahmslos oder voll heftiger Bewegung. Die Frauen waren hübsch, lockend, aber falsch, und kokettierten. Wer zu den „feinen" Leuten gehören wollte, trank das teure Bier, Wein war lächerlich billig. Man aß Kalbfleisch und Hühner, die mit grünen Bohnen, Tomaten und Reis zugedeckt waren. Armselige Frauen drückten sich in schmutzigen Fetzen vorbei und knicksten vor gemiederten, bemalten Offizierchen, die ein scharfes Moschusparfum hinterließen, in den Straßenstaub.

„Das ist schon ein Vorspiel des Jahrmarkts", sagte Frajo und machte Etel auf einen verhungert aussehenden Mann aufmerksam. Der irrte zwischen den Tischen herum, aus einer Rocktasche hatte er eine kurze Stange, aus der andern einen Ziegelstein gezogen. Er beugte sich zurück, steckte die Stange in die Nase, hängte den Ziegelstein mittels einer Schnur an die Stange; dann steckte er die Stange in den Rachen und hängte wieder den Ziegelstein daran. Nach beendeter Prozedur schaute er müde umher und ging absammelnd von Tisch zu Tisch.

Frajos und Etels Gespräche waren sprunghaft. Es wollte keine rechte Unterhaltung in Gang kommen. Es war etwas berührt worden, das zu dem Unausgesprochenen zwischen ihnen gehörte. Die Unruhe in Frajo war wie ein inneres Abbild des *Balci* — die Rumänen sprachen es Bultsch aus —, des Jahrmarktes, der zwei Wochen dauerte und heute, in der letzten Nacht, seinen Höhepunkt erreichen sollte. Er war außerhalb der Stadt, hinter dem Bahnhof, aufgebaut worden. Sie näherten sich ihm, das heißt, sie wurden im Dunkel der Nacht von einer trappelnden Menge dem Jahrmarkt zugeschoben.

Schüsse, verworrene Musik, Schüsse. Der Engpaß am Eingang zum Jahrmarkt war stockfinster, man stolperte über die im Sand hockenden Bettler; Frajo sagte:

„Man sieht seine eigene Person nicht, man kennt sich selber nicht..."

Eine kilometerlange Doppelzeile von Buden nahm sie auf. Schüsse. Verworrene Musik. Volk, Stoßen, Kreischen. In dem tollen Durcheinander sahen sie Jonica auftauchen und verschwinden, ein glühendes Mädchen im Arm. Er hatte eine Rose in seinem schwarzen Kraushaar wie die Zigeunerinnen. Viele Zigeuner und Zigeunerinnen trugen Rindshörner an den Seiten. Ein Horn hatte zu Frajos Schicksal beigetragen: im Gras war es gelegen, das Kuhhorn im Gras des fernen Örthel, und ihm war, als rieche er den sonnenheißen, fischelnden Netzgeruch der Heimat.

„Da sind wir ja alle beisammen!" hörte er zu seiner Überraschung die Stimme des Konsuls. Der Konsul stand brillenflammend vor ihnen, Alkibiades mit seinem weißen Gesicht und die drei Offiziere der *Szob*. Der schmerzlich lächelnde Kapitän Nedela, in zerdrücktem Anzug und nach Chemikalien riechend; Gantner, der Zweite, groß und blond, mit den schmißzerrissenen Wangen; der dicke Ölkäfer Maschinist Komposch mit seinem aufgedunsenen Fleischgesicht.

„Also in Wilkow wart ihr noch immer nicht", sagte der Konsul, „und Etel möchte so gerne hin."

„Den *Balci* in Giurgiu läßt sich niemand entgehen", sagte Alkibiades mit einer schlängelnden Armbewegung und wippte auf den Fußspitzen. Er fuhr fort: „Der Bauer kauft ein, und wir spielen. Kommen Sie, Etel, spielen wir Roulette. Was heißt? Was schrecken Sie zurück, wenn ich Sie als guter Freund unterm Arm nehme? ... Ich heiße René, nennen Sie mich so, das ist ein schöner Name."

„Bleiben Sie Künstler", sagte Frajo zwischen den Zähnen. „Bleiben Sie meinetwegen in Paris, aber schwingen Sie sich nicht zu unserem guten Freund auf, Herr Alkibiades Renè!"

Es war kein guter Tag für Frajo. Dreimal dreizehnte Zusammenkunft mit Etel in diesem Jahr. Was sollte aus ihr werden? Briefe, die sie an die Großtante gerichtet hatte, waren nicht beantwortet worden. Heimatlos, kein Wunder!

Sie standen vor einer Spielbude, einer Roulette mit den Zahlen eins bis neun. Auf den grünbespannten Tisch setzte man Bargeld, es wurde mit einem Rechen zusammengescharrt. Es gab auch Rouletten für Schokolade, Seife, Parfum; man konnte sie selber drehen, am Rand, rundherum, außen waren kleine Stangen mit Gänsefedern, die hemmend wirkten. Die Rouletten hatten den größten Zulauf, hier war das strahlendste Licht, hier betätigten sich die „Herren", unter ihnen ausländische Schiffsoffiziere in voller Gala, und das Volk gaffte mit offenem Mund.

Alkibiades gewann fortwährend. Alle gewonnenen Gegenstände drängte er Etel auf; Geld steckte er in die weiten Taschen seines Talars. Immer tiefer wurde die Nacht, Sterne, Tausende Sterne. Aufknatternde Feuerwerke verdeckten sie hie und da. Zwei Flötisten, ein Trommler und ein graubärtiger Alter mit der Guzla erzeugten eine wimmernde Katzenmusik, immer schneller, immer schriller. Schüsse, Geschrei. Menschenschatten fielen übereinander. Der Sand dröhnte.

Etel hatte sich große Ringe aus unechtem Gold in die Ohren gesteckt. Sie freute sich über die gläsernen Schuhe und gläsernen Blumensträuße, in denen rote Getränke schimmerten, und am meisten über die Pagoden. Pagoden, der Name stammte von Frajo. Männer schleppten sie auf dem Rücken, schöne geschweifte, messingglänzende Pagoden, sie überragten den Kopf des Trägers mit einem exotischen Knauf und reichten fast bis zu den Waden. In der Pagode war Limonade. Sie wurde in Gläser abgezapft, die der Mann an einem breiten Blechgürtel um die Hüften stecken hatte; er mußte seinen Oberkörper herumwinden und einen kleinen Pagodenhahn drehen. Rann das bunte Getränk heraus, lachte Etel entzückt auf, sie hatte begierig darauf gewartet. Es erinnerte sie an den Wasserhahn der Salonkajüte auf der *Iris*.

Frajo blieb zerstreut, auch als sie, wieder allein, durch die Stadt zurückgingen. Nach Mitternacht waren noch alle Läden geöffnet. Barbiere rasierten; Grammophonmusik krächzte, Betrunkene torkelten. Wieder erblickten sie kurz Jonica: er verschwand eben mit dem aufgelöst an ihm hängenden Mädchen in einem Haustor.

Katzen thronten, heilig wie Götzen, auf Postamenten. Für Hunde hatte man, wie überall im Orient, nur Fußtritte übrig. Frajo wurde erst ruhiger, als er mit Etel im Wagen saß und sie der Donau zufuhren. Durch die feucht atmenden Auwälder schnitt die weiße Straße schnurgerade dem Hafen zu. Es wurde ganz einsam. Auf einer Blöße wie bleiche Grabmale eines großen Friedhofs zahllose Baumstümpfe, morsch in der Nacht irisierend: das einzige, wovor er sich als Kind gefürchtet hatte.

Unbeschreibliche Wohlgerüche hauchten von den Tamariskeninseln herüber und von den wilden Schwertlilien; jeder Schiffsmann kannte die mannshohen Inseldickichte mit Blüten groß wie Körbe. Der Wagen hielt an der Donaulände. Der Sternenhimmel spiegelte sich im Strom. Sie waren in einem ungeheuren Sternennetz gefangen.

Etel mußte auf ihren Dampfer zurück, er hatte für vier Uhr früh Reiseorder. Vorher manövrierte er mehrere Schleppe nach Rustschuk hinüber; Frajo fuhr mit. Die *Szob* stand drüben und badete sich in den Gestirnen.

„Bessere dich!" rief ihm Etel zu, als der Dampfer mit ihr stromauf davonrauschte. Die *Szob* sollte erst am Nachmittag stromab. Frajo hatte reichlich Zeit zur Verfügung.

Er war in Bulgarien, und wie immer, wenn er von dem hastenden Rumänien kam, tat ihm die Ruhe wohl, die große Ruhe, die von den Menschen ausging und über dem bulgarischen Land lag. Er hatte sie nötig. Was ging in ihm eigentlich vor?

Es war längst taghell, als er durch freundliches Grün zwischen einzelstehenden Häusern langsam die schräge Straße auf den Steilabfall hinanstieg, auf dessen Höhe sich die locker ins Land gedehnte Stadt Rustschuk mit großen, unregelmäßigen Plätzen ausbreitete. Noch langsamer schlenderten blonde Soldaten dahin. Türkische Bäcker und Schuster — einer hatte das Gesicht geflickt wie seine Schürze — arbeiteten ruhig auf dem Gehsteig.

Frajo kehrte in dem Schiffsgasthaus ein. Wenn er nicht gespürt hätte, wie zärtlich ihn die Geschminkte an der Kassa beobachtete, wäre er sich wie in einem Armenasyl vorgekommen. Er sah zum Fenster hinaus. Türkinnen gingen in weiten langen Pluderhosen vorbei, Türkinnen barfuß, ganz schwarz vermummt. Einem langen Türken, einer breitschultrigen Prachtgestalt, folgte die Frau mit niedergeschlagenen Augen, demütig wie ein Knecht. Ein alter weißbärtiger Türke hielt mit seinem einspännigen Pferdefuhrwerk an. Ernst und würdig hantierte er am Zaumzeug. Dann ging er einige Male um sein Gefährt herum, den Kopf gesenkt. Er suchte einen Stein. Als er einen gefunden hatte, betrachtete er ihn lange, bevor er ihn aufhob und bedächtig in der Hand wog. Sorgsam trug er ihn zum Hinterrad, bückte sich und legte ihn darunter, die Lage des Steines mehrmals ändernd. Den Kopf bald links, bald rechts geneigt, kostete er jede Lage des Steins aus. Endlich war es in Ordnung.

Ruhe ... sagte sich Frajo, Ruhe und Zeit haben ... Schon Haslauer hatte das Beispiel gegeben. Zeit haben, Grundbedingung des Menschseins!

Zwei Welten! Zwei Welten, da lagen sie draußen, durch die Donau getrennt, und da lagen sie in ihm, durch die Donau verbunden. Ganz deutlich fühlte er, daß die Donau nicht nur der Wasserlauf zwischen den Ufern war, das war bloß ihr irdischer Schlangenkörper; sondern daß ihr Fließen die Luft über ihr mitnahm und die hügelige Erde, die Ufer und die Seelen, die an ihr wohnten.

Ein übermächtiges Strömen spürte Frajo in sich, ein Überströmen seines ganzen Körpers, als wäre er selbst der Strom.

3

Etels Geheimnis

Ein zweiter Winter verging im Orient, mild wie der erste. Wieder konnte die Schiffahrt aufrechterhalten werden. Freilich kam man um die Winterruhe — und Frajo und Etel um ein längeres Beisammensein. Er hatte von Kameraden gehört, daß Etel, wenn sie sich unbeobachtet glaubte, das Heimatlied sang:

„Ki a Tisza vizét issza —"

Auch erfuhr er, daß Etel eine Kirchgängerin geworden sei. Zu Hause war sie wohl keine gewesen, sie hatte ja nicht einmal gewußt, daß der Pfarrer Deutsch könne; und dann, als sie es wußte, hatte sie bei ihm fleißig Deutsch gelernt, das sie nun immer besser beherrschte: rührte ihr innigeres Verhältnis zur Kirche daher? Frajo bezweifelte es. Sie hatte zwei Jahre lang nichts davon gezeigt.

„Diese Kirchen", sagte Frajo, als sie einander zufällig trafen, zu ihr, „haben ebensoviel vom Flittertand eines Jahrmarktes wie von einem dumpfen bäuerlichen Aberglauben. Und du fliegst auf Schein, Etel, auf Glänzendes, auf die Glasperlen des Jahrmarktes, auf die falschen Ohrringe. Darin bist du wie eine Zigeunerin und doch irgendwie meiner Mutter gleich."

Wieder schlich sie, an ihn geschmiegt, wie eine Katze rund um ihn, mit niedergeschlagenen Augen. Er folgte dem langsamen, so reizvollen Sich-Senken ihrer Wimpern. Darin schien ihm mehr Ausdruck zu liegen als in ihren Augen selbst, die — ebenfalls eine neue Beobachtung Frajos — eine gewisse Starre angenommen hatten und seinen Blick auf die Dauer nicht ertragen konnten. Darüber erschrak er ernstlich.

„Du solltest nur dein Korallenkettchen tragen", tadelte er.

„Weißt du, Frajo, was mein Geheimnis ist?" sagte sie unvermittelt. „Meine Kirchengeheimnis, wie du sagst?"

„Nein, bei Gott nicht!"

„Ich bete um —"

„Nun?"

„— um ein Kind."

„Du —"

„Das ist es."

Frajo war stehengeblieben, Etel eilte mit gesenktem Kopf weiter. Dann hielt sie an, ohne sich umzuwenden, den Kopf noch tiefer gesenkt, wie ein Tier geduckt, das seine Züchtigung erwartet. Er erreichte sie, alles um ihn war versunken, er sagte stockend:

„Das ist deine Sehnsucht. Nicht die Heimat?"

„Wie soll ich mich in die Heimat zurücksehnen, Frajo? Was ich dort angerichtet habe... Vorher war ich schon nur geduldet, jetzt aber? Gib mir lieber — gib mir lieber —"

„Da kommen sie, unsere Wasserzigeuner, da kommen sie!" hörten sie, aufgeschreckt, die heisere Stimme des Ölkäfers Komposch. Er saß mit dem Zweiten Kapitän Gantner in einem Kaffeegarten und winkte sie mit einem Geldschein, den er in der erhobenen Hand hielt, herbei. Der blonde Gantner war auf Fliegenjagd begriffen. Der dicke Maschinist glänzte von Schweiß und fuhr sich mit dem Geldschein über die Glatze. Anzüglich lachend fuhr er fort:

„Denen geht's gut! Unsereins muß Geld in der Hand halten, damit die Weiber auf uns fliegen... Wir müssen uns geheime Mittel zuflüstern, damit wir außer dem Kinderkriegen eine gefürchtete Beigabe verhüten können... Und euch berührt das alles nicht, blind in eurem Glück. Aber euch werden auch einmal die Augen aufgehen. Da, Post für euch!" Er griff in die Brusttasche und überreichte Frajo einen Brief. Er bezog die Erregung in Frajos und Etels Gesicht auf die zu erwartenden Nachrichten; nur Gantners kritischer Blick hatte erfaßt, daß die beiden schon vorher von etwas ganz anderem aufgewühlt worden waren.

Der Brief kam von Fini; sie teilte Frajo mit — er überflog es geistesabwesend —, daß Alfa und die Lachtaube Zuze eingegangen waren; daß das Wirtshaus immer schlechter gehe, es sei nicht mehr interessant genug, da nichts mehr passiere, nur die Fischer seien Gäste geblieben; und Kott, „der schöne Kapitän von der Überfuhr", habe wieder Havarie mit seinem neumodischen Motorboot gehabt, wolle alles verkaufen und Vertreter einer Parfümeriefabrik werden, Seifenagent... Und Antschi, Tochter von Onkel Heinrich, längst verheiratet, habe ein Foto von ihren neugeborenen Zwillingen geschickt.

„Aber jetzt!" sagte Komposch bedeutungsvoll und zog einen zweiten Brief hervor. „An Etel von zu Hause!"

Etel erbleichte. Eine Nachricht, die erste Nachricht nach so langer Zeit! Nicht die längst erwartete von der Großtante, das sah man auf den ersten Blick, es war ein amtliches Schreiben mit dem Gemeindesiegel; ja, und die vielen Poststempel auf dem Kuvert zeigten an, daß er lange Umwege gemacht hatte, bevor er Etel über die Schiffahrtsgesellschaft und mehrere Agentien endlich erreichte.

Hastig riß sie den Brief auf, starrte wie blind hinein, und Frajo starrte auf sie. Etels Stirn fiel auf die Tischplatte. Frajo mußte sich erst fassen, ehe er versuchte, ihren Kopf zu heben. Er war es nicht imstande. Mit zuckenden Schultern drückte sie dagegen. Alle verblieben schweigend und ohne Bewegung. Gantner erwischte eine Fliege und zerquetschte sie.

Endlich hörte man Etel sagen, ohne daß sie den Kopf hob: „Die Groß-tante ist gestorben. Und längst begraben."

Frajo wußte nicht, was tun. Ungeschickt legte er die Hand auf ihren Scheitel. Die andern sahen einander betroffen an. Nur Komposchs Augen hefteten sich auf den Korso: Frauen mit französischen Parfums, bunt bemalt und nach Pariser Mode aufgemacht. Komposch, der noch immer den Geldschein in der Hand hielt, hob ihn hoch und zeigte ihn den Vor-beipromenierenden. Eine blieb ein paar Schritte weiter bei einem Schau-fenster stehen und tat, als studierte sie es. Komposch stand auf und trat zu ihr.

Frajo nahm Etels Brief an sich und las die kurze trockene Verständi-gung, die damit schloß, daß sie zwecks Übernahme des Erbes in ihr Hei-matdorf kommen solle.

Der amtlichen Aufforderung folgend, fuhr Etel nach langem Zögern in ihr Heimatdorf. Es war alles zuviel auf einmal. Frajo konnte nicht hin-dern, daß sie ihm im letzten Augenblick, als der Zug sich schon in Bewe-gung setzte, die Hand küßte. In aufgewühlter Stimmung blickte Frajo dem Zug nach.

Etel, die nicht Vater und Mutter kannte, hatte erleben müssen, daß Frajo, dem sie sich mit ganzer Inbrunst an den Hals geworfen, ihr nicht geben konnte, was, wie sie glaubte, die Tragik ihrer Herkunft mildern würde: in Etel hatte sich immer mehr die Vorstellung verdichtet, daß auch ihr Kind — einmal würde es doch kommen! — einen unbekannten Vater haben müsse.

Es war da ein Geheimnis oder eine Begriffsverwirrung in ihr, die der ewigen Wahrheit nahekam.

Denn mächtiger als ihr Verbundensein mit Frajo war eine andere, eine luziferische Macht in ihr. Gleich wie das Gute oder Böse nicht nur in den Menschen ist, sondern auch in der Luft, die man atmet, kann das Gute dem Bösen verfallen oder umgekehrt, wenn es in ein böses oder gutes

Schicksalszentrum gerät, das in der Atmosphäre gefangen liegt. So ist es auch mit der Empfängnis, die Gut und Böse ausgleicht: sie ist nicht nur an die Menschen gebunden, die sich vereinigen. Erzeuger und Empfangende ist nicht nur der eine Mann, die eine Frau; mit erzeugt das All, das, was Frajo einmal das Panische genannt hatte.

Von Etel kam keine Nachricht.

Auch andere Briefe kamen nicht, und als endlich einer kam, stürzte Frajo sich gierig auf ihn, aber schon an der Schrift auf dem Kuvert erkannte er, daß er von Fini kam. Wütend wollte er ihn ungelesen vernichten. Schließlich öffnete er ihn in der krankhaften Hoffnung, Etel habe ihm vielleicht nur über Fini zu schreiben gewagt. Verzweifelt mußte er lesen, der Vater verzeihe ihm, wenn er in goldbetreßter Uniform als Kapitän heimkomme.

Mit einem Fluch zerriß er den Brief.

Im Laufe der Zeit kamen ihm von den verschiedensten Seiten Gerüchte zu Ohren, die in Kleinigkeiten divergierten, im wesentlichen aber darin übereinstimmten, daß im Dorf Etels ein Gutshof verkauft worden war und die dazugehörige Fischerhütte am Theißufer von einer „wilden Schönen" bewohnt werde, die sich keinem versage.

4

Die Rache des Alkibiades

Frajo ging langsam durch den hügeligen Park des Kalimegdan, der ehemaligen Belgrader Türkenfestung, unter der die Save in die Donau mündet. Inzwischen zum Rechnungsbeamten ernannt, war er ausnahmsweise einmal die Donau so weit heraufgekommen. Der abendliche dunkle Park war voll verworrener Bewegung. Es roch nach Schweiß und heißen Rosen. Die Menschen auf den Bänken, Familien, Liebespaare waren nur zu ahnen. Leuchtkäfer schwirrten, und wie wahnsinnig zirpten die Grillen ihre Sommernachtsmusik.

Er setzte sich auf eine Bank. Undeutlich sah er unten zwischen dem Gezweig den weißen Schimmer eines Salondampfers. War es nicht jenes Sonderschiff, auf dem er vor Jahren Christophorus Galatz hatte verlassen sehen, Christophorus, der vorne am Bug wie eine Galionsfigur in die Heimat wies? Wäre nicht alles anders geworden, wenn er damals mit Etel seinem stummen Ruf gefolgt wäre, statt mit ihr auf dem Balkan zu bleiben? Er horchte auf das Knarren der Schorrbäume und sah die Positionslichter der Lokaldampfer wechseln. Ein türkischer Mond hing über dem Savebogen, weit hinauf schimmerte der Fluß von den unzähligen Stadtlichtern. Aber das ungarische Land am anderen Ufer lag finster da und schien endlos wie das Meer.

Als er unten die hohen und engmaschigen, grellgrün gestrichenen Holzgitter der Wirtsgärten sah, kam ihm eine undeutliche Erinnerung. Sie wurde deutlicher, als er in einem halbleeren Musikgarten einen alten Geck allein vor einer Flasche Wein hocken sah. Geil stierte der Alte auf die geputzten und geschminkten Mädchen, die auf dem Podium in einer Reihe zur Schau saßen.

Nun wußte er, wo er das gleiche gesehen hatte: in Budapest, als er auf der Floßreise zu Etel unterwegs war. Erschreckende Wiederholung! Und noch seltsamer war, daß er plötzlich einen bestimmten feinen Tabak roch, daß ihm nervöse tabakbraune Finger erschienen, die Zigaretten drehten und Spielkarten aus aller Taschen zauberten, und darüber schwebte in blauen Rauchwölkchen ein Gesicht, das zuckende Gesicht Onkel Heinrichs ... seinem Onkel Heinrich hatte er ja im Alter gleich werden wollen, so lebhaft und beliebt, ein abgründiger Tausendsassa; warum aber war ihm nun seine Erscheinung aus dem Lebegreis gestiegen, der da widerlicher Abenteuer harrte?

Schaute er in die Zukunft? Faulig roch die Save nach Tang und Fischen. Mit geweiteten, aber blicklosen Augen wandte er sich einem andern Garten zu. Waren da nicht viele lustige Leute beisammen? Er trat ein, setzte sich abseits. Die Musikanten machten gerade eine Pause. In Hemdsärmeln verzehrten sie ihr Nachtmahl rund um einen Tisch mitten auf dem Podium des Musikpavillons, sie aßen alle gierig. Die Beleuchtung blieb grell eingeschaltet. Sie aßen, wie sie musizierten, mit ähnlichen Bewegungen.

Zum erstenmal in seinem Leben begann Frajo zu trinken. Standen nicht vor den Zimmertüren der Balkanhotels die zum Putzen herausgestellten Damenschuhe mit den Spitzen zimmerwärts gerichtet, was nach einem ungeschriebenen Gesetz zum Eintreten aufforderte? Er sah den bunten Korso in Galatz vor sich: Rumäninnen, nach der letzten Pariser Mode gekleidet, aber zu Hause bei Mammaliga hungernd; so allzu offen die Rumäninnen sich gaben, waren die Bulgarinnen wieder allzu verschlossen, immer in wachsamer Begleitung ihrer hochmütigen Brüder, aber lockend auch sie.

Er trank weiter, er kannte sie alle.

Nach Galatz zurückgekehrt, hockte er hoffnungslos in einer Hafenschenke und trällerte so etwas wie eine eigene Dichtung:

>„Fahre auf der Donau 'rum,
>Kassabeamter, nicht mehr Nautiker,
>alles vertan, alles verloren.
>Genug Wein, genug Rum.
>Sie hat's gegeben, die Donau,
>sie hat's genommen..."

Er strich sich das nicht mehr gepflegte Schnurrbärtchen, trank und summte weiter:

>„Die Donau hat's genommen,
>sie hat genommen den Menschen,
>den einen Menschen, die eine..."

„Meinen Sie den oder d a s Mensch?" Es war die Stimme des Alkibiades, er stand plötzlich mit zusammengekniffenen Augen vor ihm.

Frajo, fassungslos, erhob sich schwer. Er sah Alkibiades an, er öffnete den Mund, ohne ein Wort hervorzubringen. Er ging auf ihn zu, Alkibiades schlängelte sich rücklings von ihm weg. Seine Haltung drückte Anmaßung und Angst aus.

Frajo folgte ihm wankend. Obwohl er nur verschwommen sehen konnte, bemühte er sich, Alkibiades mitten zwischen die Augen zu blicken. Auf einmal, er wußte selbst nicht wie, fuhr in einem blitzschnellen Stoß seine rechte Faust vor, wie er es seinerzeit von Jonica gelernt hatte. Am Kinn getroffen, flog Alkibiades in einem Bogen durch die Luft. Er sauste über die Theke und verschwand dahinter.

Maßlos überrascht, wie ihm gelungen war, was er in den Übungen mit Jonica nie zustande gebracht hatte, ja entsetzt starrte er auf den hingeschleuderten Alkibiades. Der rappelte sich allmählich auf. Frajo murmelte fast entschuldigend: „Einmal ist keinmal..."

Wenige Gäste hatten die Szene bemerkt. „Der rächt sich heimtükkisch", hörte er jemanden sagen.

„Das mußte ich tun", sagte Frajo. „Wie ein Räuber muß man werden, um wieder Mensch sein zu können."

Alkibiades faßte — etwa zwei Stunden später — die Mädchen an der Eingangstür der Schenke unter und flüsterte ihnen etwas zu. Sie zogen sich in den dunklen Hintergrund zurück. Dort wisperten sie weiter.

Frajo sah einmal kurz hin. Alkibiades' durchscheinendes Gesicht schimmerte wie morsches Holz in der Nacht. Frajo leerte wieder ein Glas. Die Mädchen schauten von Zeit zu Zeit auf ihn. Dann steckten sie wieder die Köpfe zusammen. Die Zeit verging.

Alkibiades näherte sich mit einer großen schlanken Blondine, die vorher nicht dagewesen war. Ihre Haltung hatte das Starre und leicht schräg nach hinten Geneigte eines Mastbaums. Der so auf langen Venusbeinen vorgeschobene Unterkörper betonte eine herausfordernde Schamlosigkeit, zu der ihr alles verachtender Blick unter den blaugrün gefurchten Lidern in aufreizendem Gegensatz stand. Das allein hätte Frajo kaum an Antonia erinnert, wenn sie nicht den gleichen herben Duft nach Weizenähren verbreitet hätte, intensiv genug, um ihm die Vergessene deutlich in Erinnerung zu bringen. Sie zog sich wieder zurück. Sie war zweifellos eine eigenartig verderbte Schönheit und einer besseren Umgebung würdig.

Frajo drehte sich nach ihr um. Sie maß ihn kurz mit einem kalten Blick und zündete sich eine Zigarette an. Gelangweilt, beachtete sie ihn nicht weiter. Hinter ihr bewegten sich die Falten des dunkelroten Samtvorhanges.

Frajo winkte den Wirt herbei und sagte ihm etwas. Der bucklige Wirt schien mit einem Auge die herumsummende Fliege zu verfolgen, mit dem andern, dem linken, schielte er in seine rechte Westentasche. Er ging wieder an sein Geschäft. Dann trat er auf die Blondine zu. Nach einem kurzen Gespräch mit ihr machte er sich wieder an der Theke zu schaffen. Endlich kam er zu Frajo zurück. Er sagte salbungsvoll:

„Die Dame bedauert."

„So", sagte Frajo.

„Vielleicht würde sie nicht bedauern...", setzte der Wirt lauernd hinzu.

„Zahlen", sagte Frajo.

„Aber, aber —", versuchte der Wirt zu vermitteln.

„Zahlen." Frajo warf Geld auf den Tisch. Er stand auf und schritt wankend hinaus. Draußen kam ihm der Hafenplatz wie eine Ruinenstätte vor.

Verblüfft schielte ihm der Wirt nach. Er schoß auf die Blondine zu. Sie hatte plötzlich einen verstörten Ausdruck. Hinter dem Samtvorhang tauchte Alkibiades auf. Beide redeten auf sie ein. Sie schien sich zu wehren. Sie beschaute sich im Spiegel ihrer aufgeklappten Handtasche. Sie zuckte trotzig die Achseln, bevor sie in Frajos Kielwasser hinaussegelte, fahrig und widerwillig. Die Gäste verfolgten sie mit gierigen Blicken, man hörte anerkennende Bemerkungen.

Hinter den Docks hing eine riesige Staubwolke brandrot in der Abendsonne. Frajo fühlte im Hals eine sonderbar angenehme, nicht trockene Reibung, wie zu erwarten gewesen wäre, eher erdfeucht, durchtränkt von einem bitteren Geruch wie — ja, da war er wieder, der Ährengeruch des heimatlichen Marchfeldes und der durchdringende Geruch des überreifen Bessarabien, nach dessen Venedig zu kommen ihm und Etel nie geglückt war, obwohl sie es sich ständig gewünscht hatte; und es war natürlich der Geruch Antonias und auch der . . . Kein Wunder, die brandrote Wolke war Getreidestaub, geradezu eine drohende Windhose über Brailas Getreidehafen.

„Ich bin da", hörte er plötzlich eine Stimme neben sich, und der betäubende Geruch war nun so stark, daß er nicht widerstehen konnte und der Blondine an seiner Seite derb — wie um sich zu wehren — sagte:

„Warum haben Sie nicht wollen, Donausirene?"

„Ich habe meine Gründe", sprach sie in einem fremdartig rauhen, russisch akzentuierten Deutsch. „Aber wer mich unbedingt zwingt —"

Frajo sah sie zum erstenmal voll an. Ihr Blick senkte sich unter den getuschten Lidern. Er ergriff ihren Oberarm knapp unter der Achsel fest wie ein Seil. Sie schrie verhalten auf. Wie ein Trunkener mußte er sich an ihr festhalten.

Ohne weitere Worte zu verlieren, gingen sie wieder in die Schenke zurück. Der Samtvorhang schloß sich hinter ihnen.

Frajo wog die einander gleichenden Briefe in der Hand, die Fini ihm nachgeschickt hatte, weil, wie sie schrieb, seit längerer Zeit fast alle Monate welche kommen und vielleicht doch was drin steht . . . Schon am Parfum der Kuverts erkannte er, daß sie von Antonia sein mußten. Dabei erinnerte er sich, daß ihm schon viel früher Briefe mit der gleichen Schrift nachgeschickt worden waren, die er aber gar nicht geöffnet hatte — wohl darum, weil sie damals nicht so parfümiert gewesen waren. Aber jetzt, das war was anderes! Er hieb sich an die Stirn: welch ein Gesetz der Serie, ja, das gibt es!

Eilig öffnete er die Umschläge und entnahm dem Inhalt, daß Antonia Witwe geworden sei. Sie hatte kurz nach der Rückkehr vom Örthel — damals vor Jahren, als sie bei seiner Mutter Begräbnis einer der vielen Gäste gewesen war — in ihrer Innheimat geheiratet, das heißt, heiraten müssen, wozu sie die sogenannte Moral des allzu schwarzen Landes zwang. Der Tod ihres Mannes nach fünfjähriger Ehe, der ein Ereignis vorausgegangen war, welches man besser mündlich mitteilen könne (sie sei sicher, ihn einmal auf der bayrischen Donau wiederzusehen), habe sie, die kinderlose Witwe, wieder frei gemacht. Keinerlei Anbiederung war herauszulesen, nichts von Nostalgie, geschweige denn von jener einen und letzten Nacht im Örthel, die eine andere als Antonia — so empfand Frajo beim Lesen — wohl sentimental angedeutet hätte.

Das machte ihm ihre Briefe sympathisch, diese ruhige Sachlichkeit, in der nur die Stelle von dem besser mündlich zu berichtenden Ereignis etwas dunkel blieb. Er machte sich weiter keine Gedanken, auch nicht darüber, daß sie manchmal „die kinderlose Witwe" unterstrich. In den letzten Briefen erwähnte sie, daß sie ins Blaue hinein schreibe, weil er nicht antworte. An „Briefe, die ihn nicht erreichten" wolle sie nicht glauben, um so weniger, als ihr die Haushälterin Fini auf offener Karte kurz mitgeteilt hatte, sie schicke ihm die Briefe nach.

Was für ein Gesetz der Serie! wiederholte Frajo bei sich. Von einer warmen Welle getragen, ähnlich wie in jener Nacht im Örthel, antwortete er Antonia, ohne viel von sich mitzuteilen. Er werde bestimmt einmal auf der bayrischen Donau eingeteilt werden und sie gerne wiedersehen.

Kaum hatte er den Brief zur Post gegeben, überfiel ihn ein undefinierbares Schuldgefühl. Verzweifelt versuchte er es noch einmal mit einem letzten Brief an Etel, in dem er sie zum letztenmal bat, ihm wenigstens kurz zu antworten, wie es ihr gehe.

Ein paar Tage später, als Frajo auf dem Weg zum Hafen an der Schenke vorbeikam, standen der Wirt und Alkibiades in der Eingangstür. Der Wirt trat auf Frajo zu, stammelte allerhand Unverständliches, Alkibiades gesellte sich zu ihm und flüsterte Frajo zu:

„Alles vergessen... Nicht rachsüchtig... Alles vergessen... Die schöne Blonde?"

Frajos Gesicht verfinsterte sich. Alkibiades fuhr fort:

„Warum haben Sie sich nicht vorher an mich um Rat gewandt?"

„Ich verstehe Sie nicht."

„Nun, ich hätte Sie gewarnt."

„Drücken Sie sich klarer aus, Herr Alkibiades R. Zazakoner!"

„Großer Gott..."

„Zum Teufel! Sonst nenne ich Sie abgekürzt A. R. Z. und spreche es slawisch aus!"

„Nun, wenn eine hiesige Dame plötzlich verschwindet, so hat wohl der Amtsarzt —" Alkibiades brach ab und sah Frajo mit unverhohlener Gemeinheit an. Dann überstürzte er sich in einem gutturalen Wortschwall. Sein Körper schlängelte sich. Wie sehr bedauere er Frajos Unglück, aber da er es ja durch ihn vielleicht, ja gewiß noch rechtzeitig erfahren habe, werde es eventuell doch immerhin nicht ganz so unmöglich sein...

„Ich werde sie im Spital aufsuchen", sagte Frajo kurz und ging.

Als er dort bekannte, mit ihr zu tun gehabt zu haben, wurde ihm die schwere Erkrankung der Blondine bestätigt.

Phantasien und Besuche

Einige Wochen später lag Frajo in einem Budapester Spital. Gleich nach den bösen Brailaer Erfahrungen hatte er offen mit dem Konsul gesprochen. Des Konsuls Fürsprache hatte ihm eine Einteilung „nach Europa" verschaffen können.

So weit komme es ohne Etel, hatte der Konsul gesagt, so weit komme es! Jetzt, wo es fast zu spät sei, wolle er vernünftig werden, allerhöchste Zeit, Skorpion auf dem Tiefpunkt ... Wozu sei er Spezialist der Schütt-Insel-Strecke, wenn er immer in Halbasien herumgondle? Aber nach Wilkow wäre er mit Etel nie gekommen!

Gleichviel, der Konsul hatte ihm alle Unterstützung angedeihen lassen. Es hatte sich günstig gefügt, die *Szob* sollte längst einer allgemeinen Überholung bedürftig, in die O-Budaer Schiffswerft geschickt werden. So war Frajo mit alten Bekannten — nach wie vor küßte Kapitän Nedela das Sprachrohr — Mitte November nach Budapest gekommen und im Spital gelandet. Budapest, die ihm seinerzeit so breit und majestätisch erschienene Großstadt, kam ihm nach den freien Weiten des Ostens bedrückend eng vor, ein von der Zivilisationstechnik errichtetes Gefängnis ohne Atemluft.

„Sagen Sie, wo haben Sie sich das geholt?" fragte der Assistenzarzt, ein albinohafter, sehr kleiner Mann mit roten Augen, der den Krankensaal mit seinem scharfen Rauchergeruch erfüllte.

Er blickte, wie es seine Gewohnheit war, überall hin, nur nicht auf den Angesprochenen.

Frajo konnte den Blick nicht von des Assistenten winziger Nase wenden, die kaum größer war als das an seiner Unterlippe klebende Zigarettenstümpfchen.

„Die Blonde ...", phantasierte Frajo, in des Arztes Nasenlöcher starrend, „die blonde Donausirene von Galatz ..."

„Also einmal von Braila, einmal von Galatz. Was hat er nur mit der blonden Donausirene?" Der Assistenzarzt verschränkte seine weißen Finger, deren tabakbraune Spitzen hart wie Leder waren. „Lächerlich, die betreffenden Blutproben sind negativ. Mag die blonde Circe unheilbar angesteckt sein — er ist es nicht. Dagegen ist er gefeit. Aber nicht gegen" (er nannte einen unverständlichen lateinischen Namen), „so ein Phantast!"

Gantner und Komposch waren zu Besuch gekommen und sagten auch: „So ein Phantast!"

„Aus Schuldgefühl", setzte Gantner hinzu, „aus Schuldgefühl bildet er sich das ein, ja er w i l l es so haben. Denn im Grunde ist er ein großer Moralist!"

„Gebe Gott und die Medizin", sagte der Assistenzarzt, „daß wir den Narren auf gleich bringen! Hoffentlich haben wir in ein paar Tagen eine Lysis und keine Krisis. Kennen Sie die Eltern des Patienten?"

„Ja", sagte Komposch, „ich habe vor zehn Jahren einmal im Endlicher-Wirtshaus übernachten müssen, wegen einer Havarie. Die Mutter ist eine Prachtfrau gewesen, lebhaft, gesundes Bauernblut — wie hat man nur gesagt? — besuchslustig; der Vater war und ist seit ihrem Tod — sie ist in der Donau ertrunken, weil sie andern helfen wollte —, ja, also ihr Mann, der Vater des Kranken da, der ist wunderlich geworden, eigentlich auch so was wie ein Narr . . ."

„Interessant", rief der kleine Arzt lebhaft und zündete sich eine zweite Zigarette am Stümpfchen der ersten an.

„Frajo hat erzählt", schloß sich Gantner an, „daß die Mutter gern deklamiert und Theater gespielt hat. Und vielleicht interessiert Sie auch, Herr Assistent, daß unser Freund eine große Liebe hinter sich hat."

„Hinter sich hat er sie nicht", sagte Komposch. „Sie ist ihm nämlich durchgegangen."

„Na, na", beschwichtigte Kapitän Gantner, „das bringt unsere Wasserzigeunerei mit sich. Wichtig erscheint mir, daß er in ihr etwas von der Mutter gesehen hat. Eine matrimoniale Bindung. Übrigens soll er jetzt mit einer anderen korrespondieren."

„Ist der Herr Assistent da?" Zwei Schwestern standen in der Tür.

„Natürlich muß er da sein", sagte die andere. „Wenn man vor lauter Rauch nichts sieht, steckt er sicher mitten drin. Schnell, Herr Assistent, der Professor!"

Er dämpfte das Zigarettenstümpfchen, klopfte die Asche von seinem Kittel ab und schoß mit einem freundlichen Gruß hinaus.

Am andern Tag kamen drei tiefgebräunte Männer, die einen halb wilden, halb rührenden Eindruck machten, zu Besuch.

Sie blieben an der Tür des großen Krankensaales stehen und blickten von Bett zu Bett. Sie drehten ihre verbogenen Hüte in den Händen, nur der dritte, ein kleiner Graukopf mit speckiger Säulenhose, hatte vor Verlegenheit vergessen, seinen steifen Hut abzunehmen. Oder hinderten ihn die Astern daran, die er am Rücken verborgen hielt? Mit traurigen Augen musterte er Gesicht um Gesicht die Patienten, die da in die weißen Kissen gebettet waren.

„Da ist er", flüsterte der Jüngste, ein magerer, lebhaft blickender Schwarzkopf mit spitzer Nase. „Vater, nimm den Hut herunter."

Erschrocken folgte der Graukopf. Er legte die drei Astern sorgsam in den Hut. Sie waren halbverwelkt. Die Oberschwester, ein gefürchteter Spitalsfeldwebel mit Haaren im Gesicht und auf den Zähnen, nickte dem alten Mann freundlich zu: eine Gunst, die man an ihr noch nie beobachtet hatte.

„Wen suchen Sie denn?" fragte sie dröhnend und legte die Hände über den Leib.

„Wir haben ihn schon", flüsterte der Athletische mit dem aufgezwirbelten Schnurrbart und der Riesenglatze. „Wir sind die Flößer."

„So", sagte die Oberschwester unbewegt und lächelte wieder. „Das hab ich euch drei da nicht gefragt."

Es waren der Koch Stockert, sein Sohn Hannes und Onkel Schatzinger. Obwohl sie auf Zehenspitzen dahinschwankten, vollführten ihre genagelten Schuhe auf dem Steinboden einen Lärm, der vieler Patienten Aufmerksamkeit auf sich zog. Frajo blieb teilnahmslos. Hochrot glühte sein Kopf.

Aber er erkannte sie, als sie vor ihm standen. Er lächelte schwach. Er wollte sprechen. Alle drei hielten den Finger an den Mund. Der Koch legte die drei Astern ungeschickt auf Frajos Brust. Schatzingers Stirn schien noch faltiger als früher; unverändert lachten seine mächtigen gelben Zähne. Hannes ergriff Frajos Hände, noch trugen sie die Schrammen als Andenken an die Floßfahrt. Der Koch drückte den steifen Hut unter das Bett, dann versuchte er die Fiebertabelle zu Häupten Frajos zu studieren.

Frajo murmelte etwas.

„Red nix", sagte Hannes. „Ich red. Wir wissen alles von dir. Du wirst bald Steuermann. Red nix, Frajo! Und zu Haus, wir sind ein paarmal zu Haus bei dir vorbei, zu Haus ist alles in Ordnung. Nur daß sie auf dich warten. Weißt, sie warten auf dich im Örthel. Wirst ja bald nach Haus kommen."

Frajo machte eine Handbewegung. Er sagte: „Ich dank euch. Wo ist Christophorus?"

„Wer?" sagten die drei wie aus einem Mund.

„Christophorus."

Die drei sahen einander fragend an.

„Setzt euch . . ."

„Red nix, Frajo!"

„Christophorus", beharrte Frajo. „Der blonde Hüne . . . Er hat mich geführt . . . der junge Athlet. Ich hab ihn zum zweitenmal gesehen."

Sie kannten keinen Christophorus. Er fuhr fort:

„Im Juni vor vier Jahren, bald nachdem ich von euch weg bin, ist das weiße Sonderschiff vom Schwarzen Meer nach Wien zurück... Er hat den Mastbaum aufgestellt... Das war damals zum zweitenmal..."

„Werde mich erkundigen, werde mich erkundigen", beruhigte ihn Hannes und sah auf Schatzinger, der hinter Frajo Zeichen machte.

„Vielleicht ist es Haslauer."

„Der alte Haslauer?" sagten der Koch und Hannes überrascht.

„Christophorus und Haslauer sind eins..." Frajo legte den Kopf auf die Seite.

Wieder blickten sie einander besorgt an. „Der Alte und der Junge?" flüsterten sie.

„Wir fahren heut abend nach Österreich zurück", sagte Hannes Frajo ins Ohr. „Dann flößen wir wieder herunter. Soll ich im Örthel etwas ausrichten?" Keine Antwort. Bevor sie gingen, ordnete der Koch noch einmal die drei Astern auf Frajos Bettdecke.

„Wann kommt ihr wieder?" fragte die Oberschwester an der Tür und lächelte sie abermals an.

„So in acht oder zehn Tagen."

„Na, hoffentlich!" sagte sie seufzend mit einem Blick auf den Kranken.

Frajos Atem ging schwer. Völlig teilnahmslos lag er in hohem Fieber da, es sei denn, daß er ein paarmal nach Antonia rief. Das war am Vormittag. Kurz nach Mittag begann er wieder zu phantasieren. Er rief nach Etel. Man verstand aus dem zusammenhanglosen Zeug, das er redete, daß nur die Hirtenheilige ihn gesund machen könne.

Am Abend geschah etwas, was den ganzen Saal in Aufruhr versetzte. Der Professor kam, begleitet von dem winzigen Assistenten, einer Schar Ärzte und Schwestern, zu Frajo. Der Professor kam ein zweites Mal am Tag, am Abend kam er, das war noch nie dagewesen... Wer sich im Bett halbwegs aufrichten konnte, tat es. Stille herrschte im Saal. Hie und da klirrte ein abgelegtes Instrument.

Gesichter im Nebel sah Frajo, viele Gesichter im Nebel. Waren es Hallo-Rufer vom andern Ufer? Man hob ihn. Er schwebte. Plötzlich war ihm, als durchbohrte man ihn mit einer Lanze. Er fiel in einen Abgrund, er fiel, die Tiefe nahm kein Ende.

6

Der Adler triumphiert über die Schlange

Etwa zwei Wochen später lautes Hallo im Krankensaal: die drei Flößer kamen wieder zu Besuch, sogar angeführt von der resoluten Oberschwester, die ihr so seltenes freundliches Gesicht machte.

Hannes, der Koch und Schatzinger konnten Frajo zweifach gratulieren: zur baldigen Genesung und zum Steuermann. Sie hatten ihm Wein mitgebracht, er machte einen Schluck und sagte, um irgend etwas zu sagen, mit lauter Stimme:

„Onkel Schatzinger, produzier dich mit Adler und Schlange!"

„Adler und Schlange?" hörte man die Patienten fragen. Eine erwartungsvolle Stille entstand. Offenbar glaubte man, er werde aus seinem Bündel einen wirklichen Adler und eine wirkliche Schlange hervorzaubern. Der Onkel begann sich den Rock auszuziehen und das Hemd.

„Mehr nicht!" drohte die Oberschwester.

„Warum nicht", entgegnete Schatzinger, „das muß man doch im Spital", ließ es aber dabei bewenden.

Man sah schon genug: seine sehenswerten Tätowierungen, all die Tierkreiszeichen an seinem Körper. Er schien wie mit einem engmaschigen violetten Leibchen überzogen.

Frajo bemerkte zum erstenmal auch eine Spinne darunter. Der Onkel hob, seiner Wirkung sicher, den rechten Arm, wo auf der Innenseite die Schlange zusammengerollt ruhte und der Adler ausspähend in seinem Horst hockte. Langsam begann er seine zuckenden Armbewegungen. Die Schlange dehnte sich und schnellte in Wellenbewegungen auf den Adler zu. Aber der Adler war auf der Hut, er breitete die Flügel und erhob sich. Noch einmal züngelte die Schlange hoch, dann sank sie zusammen. Der Adler schwebte über ihr.

Frajo hatte der Vorführung anfänglich mit dem Interesse eines Mannes zugeschaut, der sie wohl schätzt, aber längst kennt. Da ging eine Verwandlung mit ihm vor. Seine Augen weiteten sich, und er verfolgte, sitzend vorgebeugt, das bewegte Sinnbild mit einer Erwartung, die die der andern weit übertraf. So deutlich er alles unterschied, so sah er doch entrückt in sich hinein.

Er erinnerte sich der Fieberphantasien, die ihm vorgegaukelt hatten, das Opfer einer anderen Krankheit geworden zu sein. Nun hatte er diese Krankheit in der Schlange verkörpert gesehen, in den Schlangenbewegungen des Alkibiades ... Alkibiades hatte die blonde Russin auf ihn gehetzt: das war seine Rache gewesen.

In dem Saal herrschte ein lustiges Durcheinander. Der Onkel ging geduldig von Bett zu Bett, um alle des Schauspiels teilhaftig werden zu lassen. Der Koch begleitete ihn und ließ es nicht an Belehrungen über die Tierkreiszeichen fehlen.

„Ich hab mein Glück gemacht", sagte Hannes zu Frajo. „Weißt, damals in Budapest und Mohács, da war ich todtraurig. Aber du hast es nicht bemerkt. Da ist's mir mit ihr nicht zusammengegangen ... Der Teufel hat sie geritten. Hast mir's nicht angesehen, wie? Aber da hab ich deine Lehren beherzigt und sie so zu behandeln begonnen ... Und da hat sie umgesteckt. Zu Hause werd ich sie dir zeigen, die Mariedl. Dir dank ich's, Frajo!" Er fuhr fort: „Ein Matrose, wie du mir beschrieben hast, so ein blonder Riese mit langen Beinen, soll als Bootsmann oder als Zweiter Steuermann auf der obersten Donau fahren. Das habe ich herauskriegt. Vielleicht ist er es. Und dann bin ich im Örthel gewesen", Hannes begann leicht zu stottern. „Dein Vater hat mich nicht verstanden."

„Wie sieht er aus, Hannes?"

„Eigentlich ganz gut. Schöner weißer Vollbart. Und noch immer fängt er die meisten Fische. Der Glaube, weißt, der Glaube hält ihn aufrecht. Er glaubt fest, du wirst einmal wiederkommen. Einmal als Kapitän — hat er stolz gesagt."

Und er erzählte von Fini, sie habe geschimpft und geweint, als sie von seiner Krankheit hörte, und habe ihm die Schokolade da mitgeschickt und ein paar Briefe. Und dann habe sie wieder geschimpft. Karl, der neue junge Knecht, und die Magd Mizzi seien ein Liebespaar geworden. Dem mageren roten Klepar hänge das Wort an: „Und nun, liebe Endlicherin, leb wohl und bleib gesund ..." Klepar und Schramm ließen ihn schön grüßen. Es sei Zeit, daß er heimkomme. Auch der alte Haslauer habe das gleiche gesagt.

„Auch Haslauer?" rief Frajo.

„Ja. Haslauer. Der alte Haslauer an seiner Quelle."

7

Jenseits von Gut und Böse

Im Februar verließ Frajo das Spital. Man hatte ihn länger als nötig behalten. In der letzten Zeit hatte er die Patienten des Saales mit seiner Zeichenkunst unterhalten, auch den Professor, den Assistenten und die Schwestern, sogar die Besucher: jeder bekam ein Porträt, in wenigen

Minuten mit der übertriebenen Ähnlichkeit der Karikatur hingeworfen, und es gefiel allgemein.

Nach der Entlassung konnte er seine Rekonvaleszenz auf der Szent-Endre-Insel, wo die Budapester Gentry ihre Villen hatte, im Landhaus des Konsuls verbringen. Dieser hatte ihm darin ein Zimmer zur Verfügung gestellt. In den benzinfeuchten Fingern die zur Markensammlung nötige Lupe, welche seine Augen erst recht ins drohende Riesenhafte vergrößerte, sagte der Konsul:

„Alle haben wir der Diebshölle Halbasiens entfliehen können. Meine Familie ist in die Zivilisation gerettet. Ich kann mich ganz meinem Steckenpferd widmen, und Sie haben nichts anderes zu tun, als sich Ihrer Genesung zu widmen, verstanden? Der Skorpion ist jetzt in der Aufwärtsbewegung!"

Frajo trat ans Fenster und schaute über die beschneiten Bäume des Vorgartens auf den Donauarm hinaus. Das Wasser führte Eisschollen. Sie begannen schon zu schmelzen, die freiwerdenden Teile der Donau glänzten schwarz im Sonnenglast. Da sah er eine Gestalt durch den Schnee stapfen. Er erkannte Kapitän Gantner und sagte es dem Konsul.

„Der Elegante wird Sie auf andere Gedanken bringen!" rief der Konsul aus.

„Hab ich dringend nötig", sagte Frajo.

Gantner behauptete, körperliche Übungen seien das beste für Frajos Zustand. Beide gingen in die Kegelbahn hinunter.

„Die gedeckte Kegelbahn ist ein idealer Sprungboden", sagte Gantner. „Fordert sie nicht sportliche Konkurrenz heraus? Ich will mit wetteifern, Frajo, nicht mir, sondern dir zuliebe. Das wird uns irgendwie befreien, davon bin ich überzeugt."

Gantner blieb beim Weitspringen hinter Frajo zurück, obwohl er größer war und längere Beine hatte. Er nahm zwar einen rasanten Anlauf, als wolle er zumindest die Donau überspringen, er verzerrte das Gesicht so energisch, daß es nur noch aus seinen Schmissen zu bestehen schien, aber gerade im entscheidenden Moment des Absprungs, wo er seine ganze Schnellkraft gebraucht hätte, überfiel ihn eine sichtbare Hemmung: er zögerte, er blieb Zweiter. (Übrigens war er auch noch immer Zweiter Kapitän.)

Gantner gab seine Hemmungen zu. Er biß sich die Lippen und sagte, er sei nicht imstande, sich ihrer zu entledigen. Ja, nicht einmal Selbsterkenntnis helfe ihm, und mit solch enervierenden Eigenschaften bringe er es auch der Weiblichkeit gegenüber zu nichts. Seine Frau habe sich von ihm scheiden lassen, weil ... Deshalb müsse er die Häuser mit der roten Laterne aufsuchen. Da sei Frajo ein ganz anderer Mensch, dem alle zufliegen, ein beneidenswerter.

„Glaubst du? Ich bin es nicht", sagte Frajo abweisend. „Ich habe gewisse Briefe nicht beantwortet und wurde damit gestraft, daß mir eigene Briefe nicht beantwortet worden sind... Ich habe Etel wieder einmal geschrieben, wieder ohne Antwort von ihr zu bekommen — allerdings doch eine, aber von der Post, und die hat mir meinen letzten Brief an Etel zurückgeschickt mit dem amtlichen Vermerk: Adressatin unbekannt wohin verzogen... Nun wird es wohl unmöglich sein, sie zu eruieren."

Frajo schwieg und sah in sich hinein. Auch Gantner schwieg verwirrt. Endlich brach Frajo das lastende Schweigen und sagte überzeugt:

„Was man auch gegen sie vorbringen mag: ich weiß, sie ist jenseits von Gut und Böse."

Einige Zeit später brachten die ungarischen Zeitungen wörtlich übereinstimmend eine kurze offizielle Notiz, daß die aus T. stammende Etel N., eine fünfundzwanzigjährige alleinstehende Waise, bekannt wegen ihrer Schönheit und Abenteuerlust, seit längerem als verschwunden galt. Zuletzt habe man sie in der Theiß schwimmen gesehen, und es bleibe ungewiß, ob sie irgendwo flußab an Land gegangen oder ertrunken sei oder selbst den nassen Tod gesucht habe.

Nur die einzige deutsche Tageszeitung Budapests, der *Pester Lloyd*, die sich auf Originalberichterstattung viel zugute hielt, wußte in einem Artikel mehr mitzuteilen. Nach übereinstimmenden Aussagen mehrerer männlicher Zeugen, die zu ihren Besuchern gehört hatten, sei der gewissen Etel N. Lieblingslied „Wer vom Wasser der Theiß erst trank..." gewesen. Sie dürfe nicht als Abenteurerin angesehen werden, die sich im üblichen Sinne hergab, sondern sich gerade im Gegenteil ausschließlich zu dem Zweck hingab, ein Kind zu bekommen. Da ihr das nicht gelang, mußte sie erkennen, daß ihr das höchste Glück der Frau versagt bleiben werde, und es nicht an den Männern, sondern an ihr selbst lag. Das konnte und wollte das naive Naturkind nicht überleben. Im übrigen habe sie sich nicht von einer Lederrolle getrennt, in der ihr gezeichnetes Porträt, signiert Fr., aufbewahrt war. Die Überschrift des Artikels lautete etwas pathetisch: Jenseits von Gut und Böse.

Vor Frajos Augen verschwammen die Zeilen.

8

Ein Wiedersehen

Als Zweiter Steuermann kam Frajo vorläufig über Mittel- und Nieder-
ungarn nicht hinaus. Von allen Anlegeorten sagte ihm Novisad-Neusatz
am ehesten zu: weniger als Stadt, sondern dank der freundlichen Mischung von Städtischem und Ländlichem. Schiffe und Kirchtürme im
Sonnenstaub; braune und grüne Straßenbahnen fuhren klingelnd an
ungeschlachten Bauernfuhrwerken vorbei. Ein Geschnatter schon am
frühen Morgen: die ganze Stadt schnatterte von fetten Hühnern und
Riesengänsen, die Frauen aus endlosen Marktzeilen in Strohkörben heim-
schleppten.

In seiner neuen Eigenschaft wußte Frajo, daß derjenige Steuermann
der beste ist, bei dem man das große Doppelrad so wenig wie möglich
surren hört. Je steter man das Schiff am Kurs hielt, um so weniger
brauchte man das Ruder zu drehen. Aber man hielt ja nicht das Schiff
— das Schiff hielt einen selbst. Wer behauptet, daß der Steuermann
steuert? Das Schiff steuert sich selbst: eigenwillig nimmt es seinen
Weg, es hört nicht auf, vom Kurs abzuweichen, es fällt bald links, bald
rechts aus. Man merkt das geringste Abweichen sofort, wenn man die
Fahnenstange vorn am Bug im Auge behält, ihr hin und her pendeln-
des Verhältnis zur Umgebung. Solange einer Steuermann ist, starrt er
die Fahnenstange an. Weniger das Wasser, weniger das Ufer, nicht den
Horizont, auf den Flüssen nicht, auf den Seen nicht, auf dem Meere
nicht, nein, die Fahnenstange am Bug starrt er an. Nach ihr richtet er
sich, um das dauernd unruhige, dauernd im Wechsel ausbrechende
Schiff zu bändigen: eine Art Beschwörung des Schiffes, um nicht zu
sagen des Schicksals.

In diesem Anstarren erschien ihm oft als Vision das asiatisch-gelbe
Gesicht Etels, ins Riesige vergrößert und mit einem unheimlich tragischen
Lächeln, daß es einem kalt über den Rücken lief. Assoziationen drängten
sich auf, und nicht unähnlich dem sentimentalen Theißkapitän von damals, als er mit Etel geflüchtet war, empfand er, daß die Steuerung
eines Schiffes ein Vorbild — nein, ein Nachbild des Kampfes ums Leben
war.

Und in diesem Sommer fügte es sich, daß Frajo zum erstenmal die
Heimat wiedersehen konnte. Er fuhr am Vaterhaus vorbei, wie er im
Laufe der Jahre an zahllosen Orten vorbeigefahren war. An der linken
Seite des Steuerrades stand der Erste Steuermann, an der rechten Seite
er selber, um den Dampfer *Mars*, halb Fracht-, halb Personenschiff, im

Kurs zu halten. Der Erste Steuermann war ein stämmiger, grauhaariger Bayer, der Bierflaschen und Zigarrenkistchen neben sich hatte, ein trinkender und rauchender Kumpan, in dessen Schnurrbart sich Alkohol und Tabak verfing. Seit undenklichen Zeiten Steuermann, führe er den Spitznamen Steuer-Seppl. Seine behaarten Hände waren durch das ewige Steuergreifen Tatzen geworden, seine Arme hatten sich überlang gedehnt — „aber leider nicht lang genug", pflegte er zu sagen, „um die Schleppsteuerleute da hinter uns ohrfeigen zu können". Nun, diesmal hatte man keinen Schlepp.

Diesen Mann an der Seite und den jungen Kommandanten Helff von Helffburg vor sich auf der Brücke, sah Frajo nach Jahren die Heimat wieder.

Kapitän Helff von Helffburg war zwar auch kein Herrgott, aber immerhin ein „Helfgott", wie ihn die Mannschaft schwärmerisch nannte; er kam Frajos eingewurzelter Vorstellung von etwas Allmächtigem am nächsten. Vielleicht auch deshalb, weil er ihm ähnlich sah und sich dadurch geschmeichelt fühlte. Es sah aus, als ginge ein älterer Bruder Frajos auf der Kommandobrücke hin und her: fast die gleiche Gestalt, nur etwas voller, der gleiche Gang, wenn auch ein wenig schwerer, das gebräunte Gesicht mit dem schwarzen, halb forschen, halb gutmütigen Schnurrbärtchen — ein Mann, der einen ruhigen Eindruck machte, seiner Wirkung sicher, aber gar nicht eingebildet war und dessen bescheidener Stolz alle für ihn einnahm. Sein dichtes schwarzes Haar hatte an den Schläfen silberweiße Fäden, was zu seinem blühenden Jägergesicht einen anziehenden Gegensatz bildete.

Dadurch unterschied er sich von Frajo. Übrigens war er wirklich ein leidenschaftlicher Jäger, der jede freie Stunde seiner Passion widmete. An allen Stehtagen verschwand er und kam erst im letzten Augenblick vor der Abfahrt wieder an Bord, in graugrüner Jägerkleidung, und zeigte der erwartungsvollen Besatzung seine Beutestücke: kleine Geweihe, Krickel, an denen noch das frische Blut klebte.

Da war der alte Lotse, der in Ermangelung des Zweiten Kapitäns mitfuhr, das genaue Gegenteil: er ging Tag und Nacht nicht vom Schiff herunter. Ja, der Lotse, breit in seinen Röhrenstiefeln dastehend, wortkarg, im wetterharten Gesicht die Spur eines halb blonden, halb ergrauten Schnurrbarts, wasserhelle Augen unter dem tiefschattenden Schild der Kappe — der Lotse ging vom Kommando nicht einmal herunter, wenn er außer Dienst war. Er überließ dem Kommandanten natürlich die Brücke, er ging bescheiden auf dem linken Radkasten hin und her, noch schweigsamer als sonst, aber immer vorausspähend.

„Mein Gott, ich laß ihn gewähren", sagte „Helfgott". „Er weiß mit sich nichts anzufangen. Am Stehtag, wenn die andern erst zu leben beginnen, schläft er. Solche Leute braucht das Unternehmen!" (Diese Aussprüche des Kommandanten verrieten allerdings, daß er nicht mit Leib und Seele Schiffsmann oder gar Donaumensch war wie Frajo.)

Die Heimat: Zuerst erschienen die übergrünten Felshorste Hainburgs. Die *Mars*, von Budapest nach Regensburg beordert, mußte auf dieser Fahrt dem tarifmäßigen Postschiff bis nach Wien aushelfen. Man hatte Waren und Reisende übernommen, die auf jenem keinen Platz mehr gefunden hatten. Die schwarze, langsamere *Mars* sollte dem weißen, schnelleren Postdampfer hinterdrein fahren; da der Postdampfer aber, laut Fahrplan, überall halten mußte, während die *Mars*, entsprechend der verhältnismäßig geringen Menge der überzähligen Reisenden, nur dort zu landen brauchte, wo jemand aussteigen wollte, kam es zu einem wechselseitigen Überholen, was die Reisenden mit Hallo und Winken begrüßten.

Am späten Abend hatte man Budapest verlassen; im Morgengrauen, als alles noch schlief und Frajo Steuerdienst hatte, passierte man die schwierige Strecke, wo sie auf dem Floß den Wasserkampf in Schlangenlinien bestanden hatten. Es war Frajos nach der Regulierungskarte „auswendig studierte" Lieblingsstrecke.

Verkehrt zog alles vorbei: die Kirchturmspitze von Szap, die einsame Stelle, wo sie gestrandet waren, wo Raaber verschwunden war und sein Verbrechen begangen hatte, und alle die Waberln und Stauden... Aber dieser Wassermarken hätte er bei dem gegenwärtigen Wasserstand gar nicht bedurft. Es war Niederwasser, jede Sandbank sichtbar, die Fahrrinne ein gewundenes, dürftiges Rinnsal zwischen weißbleckenden Inseln, schmal innerhalb der trockengelegten Breite des gewaltigen Bettes — nicht mehr wiederzuerkennen.

Es war ein stiller, von Sonnendunst erfüllter Julimittag, als Frajo wieder die einsamen Dünen erblickte, wo er mit Haslauer hatte umkehren müssen, wo die Hochfluten jenes blendende Feuer-Wasser-Bild erzeugt hatten, das ihm den Ausruf entlockte: „Heil dem Wasser! Heil dem Feuer! Heil dem seltenen Abenteuer!"

Steuer-Seppl brummte etwas, er spürte Frajos Unruhe, sie übertrug sich auf das Steuerrad.

Da war Haslauers Fischkran und sein Dachhüttchen unmittelbar am Wasser... Und auf dem Drahtseil, das über die Rolle zum versenkbaren Netz lief, hatten sich Schwalben niedergelassen wie damals. Obwohl der Dampfer knapp vorbeirauschte, blieben sie ruhig sitzen und putzten sich sorglos weiter, sie fühlten sich in Haslauers Schutz geborgen.

Aber wo war Haslauer selber? An den Zweigen hing der Schöpflöffel, die Pfanne, der alte Strohhut. Es wachten die Königskerzen vor
der Quelle. Und da war der dichte Strauch mit den dottergelben
Blüten ...

„Wohin denn? In den gelben Strauch hinein?" Steuer-Seppl drehte das
Rad um ein paar Speichen zu sich. So etwas war man von Frajo, dem
vorzüglichen Steuerer, nicht gewohnt.

Frajo mußte sich gewaltig zusammennehmen. Schon erschien die
lange, lockere Reihe der Fischerhütten. Netze hingen zum Trocknen.
Kinder spielten im Gras, Kinder, die er nicht kannte. Sonst war alles
altbekannt, nichts hatte sich geändert: die Zillen und Fischkalter schaukelten leicht. Da trat der bleiche, massige Schramm aus seiner Hütte
und hielt den Bootshaken in seine Zille, es kamen die Duftstöße der
Kamille und Minze.

Gerade als vor ihnen der weiße Postdampfer um die obere Biegung
verschwand — er hatte im Örthel angelegt gehabt, während die *Mars*
vorbeifahren sollte —, erschien die gelbe Fassade mit den grünen Fensterläden des Vaterhauses. Was ihm als erstes auffiel, war das dunkle
Gelb des Anstriches. Er hatte das Haus viel lichter in Erinnerung gehabt.
War es möglich, daß sich eine Farbe so verdunkeln konnte? Als nächstes
fiel ihm auf, daß die Fenster und Läden seines Zimmers dicht geschlossen waren. Da ging sicher auch die alte Kuckucksuhr nicht mehr, der
Sand war aus den Gewichten geronnen ... Kapitän „Helfgott", der
Frajos abenteuerliche Geschichte kannte und selber nach jahrelanger Ab-
wesenheit seiner Vaterstadt Wien zufuhr, warf prüfende Blicke auf ihn.

Der Silberpappelhain hielt das Vaterhaus in sanfter Umarmung. An
Stelle des großen, lebensvollen Gastgartens, den eine weite Laube über-
spannt hatte, dehnte sich ein leerer Platz. Nur zwei grauweiße Tische
standen da, ihre Farbe war abgeblättert, ein paar Sessel lagen umge-
stürzt im sonnenverbrannten Gras. Und nur vier Zillen statt sechs. Die
Haftketten klirrten. Aber warum war das Vaterhaus gar so dunkelgelb?

Plötzlich sah er etwas Fremdes: ein Jungwäldchen hinter dem Haus.
Ach, das war ja seine Baumschule, die in den Jahren so aufgeschossen
war ... Sie mußte wohl sorgsam gepflegt worden sein. An der obersten, einzelstehenden Fischerhütte, der seines Vaters, stieg das Netz
hoch: voller Fische wie immer. Weiße Tauben flatterten um den Nußbaum im Hof. Er sah den Ziehbrunnen, an dem sich eben Mizzi, die
Magd, bückte, er sah Hühner aufgescheucht herumlaufen.

Da öffnete sich die Tür der Fischerhütte, und der Vater trat heraus.
Er war leicht gebeugt. Sein Bart war lang und weiß. Er hob die Hand
an die Augen und sah auf die Kommandobrücke herauf.

Frajo drückte sich im Schatten des Steuerhäuschens die Kappe tief in die Stirn. Er wollte von niemandem erkannt werden. Kapitän „Helfgott" stand an der Steuerbordnock der Kommandobrücke. Bald schielte er auf Frajo, bald sah er freundlich auf den Greis hinunter.

Da geschah etwas. Der alte Endlicher hob den Bart, er visierte über den Bart auf den Kapitän, die Augen unter den buschigen Brauen zusammengekniffen. Er öffnete den Mund, und wie ein Pfeil schoß der Schrei heraus:

„Frajo!"

Kapitän „Helfgott" deutete auf seinen Zweiten Steuermann. Aber es nützte nichts. Der alte Endlicher sah in Kapitän „Helfgott" seinen verlorenen Sohn. Frajo murmelte:

„Lassen Sie ihn dabei, Kommandant."

Kapitän „Helfgott" winkte freundlich hinaus.

„Frajo!! Frajo! Frajo . . .", rief der Greis, aber immer schwächer. Es überwältigte ihn. Er fuchtelte bald auf die Kommandobrücke hinauf, bald auf das Haus zurück.

Mizzi ließ den Wassereimer fallen und blieb mit offenem Mund stehen. Fini und der junge Knecht kamen herbeigelaufen. Der alte Endlicher, das kleine Stangennetz in der Hand, womit er die Fische aus dem großen Netz zu heben pflegte, eilte ein paar Schritte mit dem Dampfer stromauf. Er wankte, er griff in die Luft. Dann sackte er zusammen. Er blieb im Ufersand liegen.

Erschrocken mühten sich Fini und der Knecht um ihn.

Kapitän „Helfgott" klingelte an und rief ins Sprachrohr: „H-a-lt! Sofort halten!"

Bis die *Mars* außer Fahrt kam und, heftig tutend, mit der Strömung abrann, dem Landungsponton zutreibend, hatte man den alten Endlicher gehoben, zur Agentie getragen und auf die Bank davor gebettet. Der Vorstand kam hinzu, der alte Stegmann und die aufgescheuchte Schar der Fischer. Im Hintergrund hielt sich Mizzi, den Finger im Mund. Man hatte die Manöver sofort verstanden: es sollte der alte Endlicher auf dem schnellsten und kürzesten Weg nach Wien mitgenommen werden.

„Das ist doch selbstverständlich", sagte „Helfgott" zu Frajo. „Schließlich bin ich daran nicht so unschuldig . . ."

Unter denen an Land hatte es einige gegeben, die sich ebenfalls von der Ähnlichkeit des Kapitäns mit Frajo hatten täuschen lassen. Als sie ihren Irrtum erkannten, andere aber plötzlich behaupteten, Frajo sei dennoch auf dem Schiff, wenn auch nicht als Kapitän, sondern als Steuermann — da, er springe eben auf den Ponton! —, war die Verwirrung am größten. Vielen war zumute, als wüßten sie nicht mehr, wer sie selber seien. Frajo als Kapitän: eine Täuschung; Frajo als Steuermann; zwei Frajo auf einmal, wo sie so viele Jahre keinen gehabt hatten: das war zuviel.

Besonnene, unter ihnen Frajo, trugen den alten Endlicher an Bord. Ein paar kurze Kommandos des Kapitäns, und die *Mars* drehte ab, hastig gegen Wien schaufelnd. Alles hatte sich so schnell abgespielt, daß mancher von den Zurückbleibenden es noch immer nicht fassen konnte.

Frajo bemühte sich um den Vater. Der Mund des Greises klaffte, seine Augen waren geschlossen. Frajo bog ihm den Bart hinunter. Er ließ den Blick nicht von ihm. Er merkte nicht, daß ihm „Helfgott" die Steuermannskappe abgenommen und die goldbebortete Kapitänskappe aufgesetzt hatte. „Helfgott" stand mit seinem Jägergesicht und dem graumelierten Haar barhaupt auf der Kommandobrücke.

Der Vater schlug die Augen auf. Er starrte auf seinen wiedergefundenen Sohn. „Gold . . .", lallte er. Er schaute auf Frajos Kappe.

Frajo bemerkte überrascht, daß er die Kapitänskappe trug. Verwirrt blickte er zu „Helfgott" hinauf. Der nickte zustimmend herunter.

Wie ein Leuchtfeuer flammte die Kuppel der Rotunde über den Aubäumen des Praters. Ganz ähnlich hatte er die Mutter heraufgebracht. Sie war während der Fahrt gestorben. Aber der Vater lebte, er lebte.

Als sie die Stadt im Rettungswagen durchfuhren, sah Frajo nichts von ihr. Nur einmal, als sie mit schrillen Pfiffen durch die Praterstraße rasten, sah er hoch über den Häusern breit das Dach des Stephansdomes. So brachte man den Vater ins Krankenhaus.

„Den bringen wir über den Berg", sagte die Oberschwester, eine nach Kampfer riechende Nonne, mit deren Hilfe er den Vater entkleidete.

Und so war es auch. Schon am nächsten Tag war der Vater in besserer Verfassung. Er konnte zwar nur unverständlich sprechen, aber die einseitige Lähmung schien Frajo schwächer als am Vortag, und das Gesicht war nicht mehr so verändert, auch erkannte der Vater Betha und Fini. Zu dritt saßen sie um das Bett.

Ohne gefragt worden zu sein, entschuldigte Betha, wortreich ihre Verlegenheit bemäntelnd, das Fernbleiben ihres Mannes, er habe so irrsinnig viel zu tun. Frajo spürte einen heimlichen Fußtritt Finis . . . Betha neigte zu einer ihr nicht übel passenden Fülle, die sie noch pikanter machte. Ja, ja, die Männer! sagte sich Frajo, ihr französisches Parfum riechend, da hat der eine nichts zu reden. Recht geschieht ihm, dem Br. Dr.-Ing.! Aber schön war sie, die Schwester.

„Und die Baumschule?" wandte er sich unvermittelt an Fini. „Wem muß ich für die Pflege danken?"

„Karl!" stieß sie böse heraus. Sie beugte sich vor, ihre Arme hingen auf den Fußboden.

„Karl?"

„Na ja, der junge Roßknecht, Sie haben ihn ja selber aufgenommen! Die Mizzi hat er, die Mizzi!"

„Richtig, richtig. Aber wer ist für den Gastgarten verantwortlich, hm, hm?"

„Verantwortlich?" schrie Fini. „Zuerst einmal Sie, so fangt es sich an, verstanden? Ich bin ja nur eine Bettlerin vor der Kirchen! Keine Gäste mehr! Freilich, jetzt'n, wenn Sie wieder da sind, wird das Geschäft losgehen!"

„Ich bin nicht wieder da, Fini", sagte er der Verdutzten ins Ohr. „Heut noch geht es nach Bayern."

9

Einmal ist keinmal

Vierundzwanzigmal den Rauchfang umlegen: die zwölf Brücken und zweiunddreißig Seilfähren der Stromstrecke Passau–Regensburg zwingen dazu. Den Mastbaum stellte man natürlich gar nicht erst auf. Was für ein Gegensatz zur unteren Donau! Dort fuhr man eine ganze Woche und länger ohne eine Seilfähre zu sehen, und es gab dort bloß eine einzige Brücke, die Eisenbahnbrücke von Czernavoda, und die war so hoch, daß man sie gar nicht zu berücksichtigen brauchte und sogar mit aufgestelltem Mastbaum durchkam.

Hier aber war die Kulturlandschaft Deutschlands. Als sie oberhalb von Passau in die Bayerische Hochebene kamen, spähte der alte Lotse — „Helfgott" war schlafen gegangen — nach vorn und brummte etwas von einem Rauch. Es war kein Rauch zu sehen. Etwa zwei Gehstunden im Land drinnen lag Osterhofen im Sonnenglast.

„Der Rauch", brummte der Lotse mißmutig. Osterhofen schob sich links ab.

In Passau, an der deutschen Grenze, hatte Frajo Christophorus wiedergesehen ... Als sie am Rathausplatz angelegt hatten, war die weiße Leda, auf der Christophorus Steuermann war, abgestoßen, zurück ins Österreichische. Sie hatten sich von Steuerstand zu Steuerstand in der Gebärdensprache der Schiffer verständigt, Frajo: Schleppdienst Regensburg–Passau, und Christophorus: Lokaldienst Wien–Preßburg.

Zum dritten Male hatte er Christophorus gesehen. Wieder hatte er in die Heimat gedeutet, und nun sollte er sogar auf Frajos engster Heimatstrecke hin und her fahren: zweimal am Tag würde Christophorus im Örthel anlegen.

„Der Rauch", sagte der Lotse. Es war kein Rauch zu sehen. Osterhofen kam wieder vorn in Sicht. Dann wanderte es rechts ab. Alsbald schob sich Osterhofen nach links.

„Der Rauch", brummte der Lotse, unverwandt ausspähend. Es war kein Rauch zu sehen. Osterhofen drehte sich nach hinten. Es war eine Irrfahrt.

Diese Schlangenkrümmungen der Donau mit der starken Gegenströmung verlängerten die Fahrtdauer gegenüber der Eisenbahn allzu ungünstig. Während der Schnellzug die Strecke Passau—Regensburg in kaum zwei Stunden zurücklegte, brauchte der Schleppzug bis zu dreißig Stunden.

„Der Rauch", sagte der Lotse. Frajo versuchte wegen des stets gleichbleibenden Geredes mit Steuer-Seppl Blicke zu wechseln. Aber der ging nicht darauf ein.

Frajo begann, von einer merkwürdigen Scheu befangen, nach dem blonden Riesensteuermann der *Leda* zu fragen. Niemand wußte was Genaues. Eigentlich wohne er nirgends... und überall. Aber der Rauch...

Wo lag Osterhofen? Zur Abwechslung wieder einmal vorne. Rechts in der Ferne stieg über den Auen dünner Rauch hoch.

„Aha!" sagte der Lotse befriedigt.

Als sie endlich auf der Höhe von Osterhofen waren, es blieb links ein wenig landeinwärts, waren eindreiviertel Stunden vergangen, seit sie es zum erstenmal erblickt hatten. Aber das Drehspiel Osterhofen war noch lange nicht aus. Es kam hinten, es kam rechts hinten, das Wasser leuchtete schwarz, der Himmel hell.

„Diese stundenlange Vervielfachung eines Ortes", sagte Frajo, „hätte Bayern gar nicht nötig. Es wimmelt ohnehin von Dörfern, Märkten, Kirchtürmen in der Runde. Mir wird ganz schwindlig."

„Straubing weiter oben benimmt sich genauso", sagte der Lotse, und dann wieder: „Der Rauch." Auch der Rauch drehte sich. Er war jetzt ganz links, später vorne, gerade über dem Strom. Es war der erwartete Gegendampfer, er schaufelte der *Mars* entgegen, der Serbe *Makedonija*, mit zwei Schleppen rauschte er vorbei. Damit war das Thema Rauch erschöpft.

Osterhofen lag genau hinten. Vielfach sah man die roten Aussteckfahnen und Steinplätten der Regulierung. Als Osterhofen endlich verschwand, lag es links hinten, schattenhaft in Regengüsse gehüllt.

Als sie am übernächsten Tag — drei Schleppe im Tau — nach Passau zurückkehrten, sah Frajo schon von weitem einen blonden Kopf am Landungsplatz.

War es Christophorus? Es war Antonia.

Es war Antonia, und die Begrüßung war so selbstverständlich, der Händedruck so vertraut, als hätten sie einander nicht vor fünf Jahren, sondern gestern zum letztenmal gesehen, und sofort war der unwiderstehliche Weizenduft da. In das Rasseln der Ankerketten mischte sich Orgelmusik aus dem Dom.

„Warum hast du mir nicht geschrieben, daß du nach Passau kommst?" fragte Antonia. Sie bückten sich in der Tür des alten Schiffergasthofes „Zur Hundsreibe".

„Ich wußte nicht, daß euer Inndorf bei Passau liegt", sagte er befangen.

„Durch einen Zufall hab ich es erfahren müssen", sagte Antonia.

Sie setzten sich in eine Fensternische unter geschwärzten Schwibbogen mit Geweihen. In der Mitte des Gastzimmers eine dicke Säule, die Wände braun getäfelt. Sie sprachen von ihrem Briefwechsel, der erst seit einem Jahr zu einem Wechsel der Briefe geworden war, und sie lachten. Und nun mache er endlich in der Heimat Dienst und kehre doch nicht heim? Nicht einmal besuchen wolle er das Örthel?

Sie wußte nichts von der Erkrankung des Vaters. Sie war bestürzt. Um so eher solle er ... Er unterbrach sie:

„Jede freie Zeit gilt ihm. In Wien ist er der erste. Das Örthel werde ich aufsuchen, gewiß, und allmählich nach dem Rechten sehen. Dort ist viel zu tun. Ich kann es ja auch aus der Ferne lenken. Übernachten werde ich im Örthel erst, bis ich —"

„Bis du Kapitän bist", ergänzte sie. „Und was wird mit eurem Gasthof? Sogar dieses eine kurze Mal, als ihr den Vater auf dem Schiff mitnahmt, bist du unfreiwillig, nur gezwungen, im Örthel ausgestiegen, du eingebildeter, ekelhafter Dickkopf!"

„Einmal ist keinmal!" sagte er mit wütendem Lächeln und ballte beide Fäuste. Dann biß er in das hinein, was die Speisekarte als „Geschwollene mit" bezeichnete.

„So, so. Einmal ist keinmal." Ihre grauen Augen sahen in die Ferne. Das ausdrucksvolle, gesunde Gesicht unter dem Blondhaar, diese anziehende Verhaltenheit!

Da zog er die Augenbrauen zusammen: er erinnerte sich jener einen Nacht; mißverstand sie am Ende sein „Einmal ist keinmal"? Er tat einen tiefen Atemzug und sagte, indem er seine Hand auf ihre legte:

„Erst bis mich das Schicksal ein zweites Mal an den heimatlichen

Strand wirft, gilt es. In diesem Sinne ist das ‚Einmal ist keinmal' zu verstehen. Sozusagen rechtlich. Der Spruch ist juristisch entstanden. Ganz gewiß! ‚Eines Mannes Rede ist keines Mannes Rede, man soll sie billig hören beede.' Noch besser ist es mit einem Feldweg zu erklären."

„Mit einem Feldweg?" sagte sie, sah ihn kurz an und blickte wieder in die Ferne.

„Ja, mit einem Feldweg. Mit einem noch nicht vorhandenen. Jemand hat einen Acker. Auf einmal sieht er Fußspuren; es ist jemand quer durch sein Feld gegangen. Damit ist natürlich noch kein Weg geschaffen. Aber wenn mehrere diesen Weg nehmen, weil er sich als nützliche Abkürzung erweist, wenn die Gemeinschaft daraus eine Gewohnheit macht, dann entsteht, kraft der Wiederholung und ständigen Übung, ein Recht, etwas Gesetztes, ein Gewohnheitsrecht, wonach erst zweimal einmal und mehrmals eben das Gültige ist."

„Hättest Advokat werden sollen, Frajo."

„Advokat?" Er hob das Steinkrügel und machte einen tüchtigen Zug. „Kein Talent dazu. Nicht einmal im Zusammenhang mit der Donau."

Das Wirtstöchterchen, zugleich Kellnerin, saß in der schweren, hochlehnigen Kassa, die mit ihren dunklen Schnitzereien und Verschnörkelungen einem alten Kirchenstuhl glich. Silberne Lichtflecke: vor den Fenstern flatterten große Tauben. An der Straßenkreuzung draußen konnte Frajo außer „Hundsreibe" noch „Roßtränke" und „Bratfischwinkel" lesen.

„Ein Feldweg", sagte Antonia. „Solltest unsere Felder und Wege sehen."

„Laß ich mir nicht zweimal sagen."

Sie freute sich über seine Bereitwilligkeit, fragte ihn, wann er wieder nach Passau komme und frei sei, sie werde ihn mit zwei Pferden abholen, er könne doch reiten; heute fahre sie mit der Bahn heim.

„Pferde...", sagte er, bestimmte einen Tag, begleitete sie zum Zug, kehrte in den Gasthof zurück und horchte, als er sich in dem dunklen Patrizierzimmer mit dem Deckenstucko auskleidete, auf das Knarren der Möbel und das Tuten der Dampfer.

Als sie wieder nach Regensburg kamen, erkrankte der Erste Steuermann, ein anderer sollte beordert werden. Da durch eine Verkettung verschiedener Umstände in der Eile keiner aufzutreiben war und Kapitän „Helfgott", wie immer während der Freizeit auf der Jagd, erst im letzten Augenblick mit Jägerhut und Rucksack erschien, gab es einige Verwirrung.

„Helfgott" löste das Problem nach kurzem Besinnen durch einen ruhigen Entschluß: der Zweite Steuermann Endlicher könne ohne weiteres für den fehlenden einspringen, er vertraue ihm seine *Mars* an, er übernehme die Verantwortung. In Passau oder in absehbarer Zeit werde sich schon wieder ein Erster Steuermann finden.

Frajo hatte Gelegenheit, noch dazu auf einer Strecke, die er erst wenig gefahren war, sein Können zu beweisen. Rasch ging es stromab, hinten drei Schleppe mit gekreuzten Auflegseilen nebeneinander gekoppelt. In der Geislinger Biege fuhr er scharf über die Höh, wegen der Schleppe, die rechts fielen. „Helfgott" nickte dem Lotsen zu. Er konnte es wiederholen, denn an allen heiklen Stellen benahm sich Frajo wie einer, der die Donau auch hier wie seine eigene Tasche kennt.

Und war es nicht so? Kannte er doch den — nach der Wolga — größten Strom Europas nun vom Schwarzen Meer herauf bis nach Regensburg, wo er an der Steinernen Brücke bei der Kilometertafel 2379 die Großschiffahrt endet. Er vergegenwärtigte sich die bedeutsame Kilometertafel 2379, wie sie im Schatten zweier Pappeln stand.

In Passau war fast keine Strömung. Der Inn staute sein Hochwasser herauf. Ganz schmal zog die Donau durch die Stadt. Links hingen senkrecht die Felsen von Oberhaus mit ihren bewaldeten Serpentinenwegen herab, rechts vor der von Kirchtürmen dicht besetzten Stadt schwang sich der Kai mit Magazinen, Kränen, Schiffen. Sie stellten die Schleppe dazu.

Frajo sah Antonias blonden Kopf am Landungsplatz. Einen Augenblick lang hatte er wieder die Vision des Christophorus. „Helfgott" sagte: „Endlicher, alle Achtung! Wie auf dem Teller haben wir uns gedreht! Ich gebe Sie zum Ersten Steuermann ein. Sie wissen, wenn Sie das einmal geworden sind, ist der Weg zur Kapitänsprüfung frei."

Am Rathausturm vorbeikommend, an dem die Hochwassermarken bis in das Jahr 1501 zurück- und bis in den ersten Stock hinaufreichten, blickten sich Frajo und Antonia in der steil ansteigenden, überschmalen Gasse nach der Donau um, die wie ein waagrecht erstarrter Blitz die dunkle Enge abschloß; aber kaum war hinter ihnen das Wasser verschwunden, tauchte vor ihnen, durch das nun wieder sich senkende Gäßchen sichtbar werdend, ein anderer Wasserblitz auf, gletschergrün, hochwasserschwer dahinrasend: der Inn. So schmal war die Landzunge, auf der Passau erbaut war, verwinkelt und stiegenreich, finster mit geschwärzten Schwibbogen; trocknende Wäsche war von Haus zu Haus gespannt . . .

„Ich ertrüge das nicht", sagte Frajo und ergriff Antonias Arm, „wenn nicht die beiden Wasserläufe wären. Gott sei Dank ist hier, wo noch ein dritter Fluß dazukommt, drüben die moorbraune Ilz, alles vom Wasser bestimmt. Das Wasser hat den Grund und Aufriß der Stadt, ja der Häuser mitgeformt, ihre ganze Bauart. Passau ist selbst ein Schiff, weißt du, die schlanken Türme sind Masten, die bunten Dächer schimmern wie Wimpel ..."

„Und die weiße Riesenwolke dort", fiel Antonia in sein Phantasieren ein, „bauscht sich wie ein Segel darüber."

„Schön", sagte Frajo und blieb stehen.

Ein altdeutscher Stadtteil lag hinter ihnen, ein italienischer vor ihnen am Innkai. Da schoß der Inn strombreit dahin, viel breiter als die Donau, die durch ihn erst zum Strom wurde: am Inn lag ein Stadtbild, das nur italienische Baumeister geschaffen haben konnten. Balkone, flache Dächer, ein Turm wie ein Campanile, schlanke Pappeln; wilder Wein über dem Wehrgemäuer des Ufers, wucherndes Grün auf den heißen Steinplatten, über die in violetten Trauben die Glyzinien herabhingen.

Schweigend schritten sie über die Innbrücke, holten die Pferde aus dem großen Stall des Einkehrgasthofes, wo es nach Bier und Heu roch. Schweigend ritten sie die Innstadt aufwärts. Unten lag die wasserumrauschte Stadt, im Abendblau die ersten Lichter ansteckend, vor ihnen, noch voll Sonne, die große Feldweite.

„Heimat, Antonia, Heimat", sagte Frajo. „Deine Augen haben die Farbe des Inns. Und nun riecht die ganze Landschaft so wie du ..."

In diesem Sommer und Herbst benützte Frajo seine freien Tage entweder zu Eisenbahnreisen nach Wien, um den Vater zu besuchen; dem ging es besser, glücklich blickte er auf seinen Sohn, dessen Steuermannskappe er für eine Kapitänskappe hielt — oder aber zu Besuchen bei Antonia.

Der große Bauernhof nahm ihn auf, reich und doch schlicht, ein weicher, erdiger Innenhof, reingefegt, in den Ecken lehnten stets griffbereit die Rutenbesen, eine glattgescheuerte Diele. Als Antonias Mutter, der Typ einer feinen Städterin (so sagte sie), gestorben war, hatte ihr Vater, ein harter Bauerntyp mit wildem Blut, ein zweitesmal geheiratet und kam bald darauf durch einen Unglücksfall mit der Dreschmaschine ums Leben.

Antonias Stiefmutter brauchte sich nicht mehr die Hände vor den Mund zu halten: er war voller Goldzähne. Die Augen irrten noch herum, wohl peinlich auf Reinlichkeit bedacht, sie spähten in alle Winkel nach nichtvorhandenem Staub. Zwei erwachsene Brüder waren da, der jüngere blond, pfiffig, mit ernstem Gesicht, auf Schabernack erpicht, der ältere brünett, sinnierend, beide arbeitsam.

Die ganze Familie, die Knechte und Mägde waren dabei, die Ernte einzubringen, und Frajo half mit. An den stillen Abenden, wenn sie allein waren, wußte Antonia eine Liebesstimmung zu vermeiden. Wenn Frajo von der Heimat sprach, die wiederzufinden er im Begriffe sei, sah sie ihn halb lockend, halb abwehrend an und sagte mit leichtem Spott, er gehe wie die Katze um den heißen Brei.

Je weniger Frajo aus ihr klug wurde, um so begehrenswerter erschien sie ihm. War sie berechnend? Oder gehörte sie zu den eigenwilligen Frauen, die sich nur einmal hingaben, ohne Überlegung, ohne Hemmung? Konnte man sie nicht umwerben? Aber warum dann ihre vielen Briefe im Laufe der Jahre?

Sie saßen auf einer Bank im Freien, sie sahen, wie das Land vom Mond in ein tiefes Licht getaucht wurde. Alles hob sich sichtbar: die Erlenbüsche, die Holzstege, die Bildstöcke, die Fuhrwerksgasthöfe, die Kapellen an den Kreuzwegen. Keine prächtige Landschaft, sondern eine frauliche, empfand er: verwirrend, labyrinthisch. Wie einen Halt suchend, wollte er sie umarmen, aber sie löste sich sanft. Sie sagte: „Einmal ist keinmal, Frajo."

„Knock out", murmelte er.

Herbst und Winter näherten sich. Zwischen Passau und Regensburg hin und her fahrend, kam er zu jeder freien Zeit zu Antonia, ohne daß er von seiner Ungewißheit befreit wurde. Er hatte die Quelle der Donau besucht, oben in Donaueschingen, im hochfeudalen Schloßpark derer von Fürstenberg, jener reichen deutschen Fürsten, die sich eine künstliche Donauquelle in Form eines vielbesuchten Kulturdenkmals hatten leisten können. Bei allen anderen Strömen Europas war es anders: ihre Quellen lagen in unnahbaren Einsamkeiten, unzugänglich in Hochgebirgen oder Walddickichten, und ihre Mündungen endeten in übertechnisierten Welthäfen.

Als er wieder im Dienst war und in den Regenschauern der Novemberstürme gleich den andern in triefendem Ölzeug fröstelte, dachte er darüber nach, daß in ihrem Verhältnis ohne „Verhältnis" alles verkehrt, das Ende an den Anfang gesetzt sei. Sein nutzloses Grübeln artete — nicht verwunderlich inmitten der derben Witzeleien der Schiffsleute — in den männlichen Zynismus aus, daß ihr Verkehr ohne jenen Verkehr war, mit dem sie damals im Örthel begonnen ...

Ein gewisser Hanbit wurde ihm als Zweiter Steuermann zugeteilt, ein Spaßvogel, der seinen Mißmut lockerte. Ein schwarzer Kerl mit wulstigen Lippen, der leidenschaftlich fotografierte; er hielt nur von seinen

Aufnahmen etwas, sonst von nichts, von gar nichts, auch nicht von den Menschen. Wegwerfende Handbewegungen und gebücktes Abwenden: das war sein Verhältnis zur Umwelt. Nichts und niemand schien ihm wert, angeschaut zu werden. Ja, so müßte man sein, empfand Frajo, einzig richtige Weltanschauung! Aber konnte man in den Rock nicht hinein, weil die Ärmel zusammengenäht waren, stolperte man in den Pantoffeln, weil sie angenagelt waren, fand man in der Kappe einen Hirschkäfer oder im Bett einen nassen Schwamm, dann steckte sicher Hanbit, der Zweite Steuermann, dahinter.

Infolge des Eistreibens und der starken Kälte kam der Befehl: „Einräumen!" Wieder durfte Frajo selbständig Manöver ausführen — besonders die schwierigen vor der Linzer Brücke —, und „Helfgott" hob auch deren Gelingen in der Führungsliste besonders hervor.

Sie hatten Auftrag, alle Schleppe der obersten Strecke in Linz zu bergen, was angesichts der drängenden Zeit aussichtslos schien, aber dank der rastlosen Geschicklichkeit Frajos glückte. Sie teufelten nur so nach Oberösterreich hinein! Kurze Sicht, fortwährende Pfeifsignale. Frajo mußte es bis Weihnachten geschafft haben, um Antonias Einladung folgen zu können.

„Weit und breit keine Bahn", sagte Hanbit und duckte sich mit bauernschlauem Blick. „Im Winter auch kein Schiff. Dann sind die Dörfer auf den Höhen drinnen — ich bin von dort — von der Welt abgeschnitten. Dann ißt man die Hauswurzen, die hat man im Herbst in den Rauchfang gehängt. Das ist das Geselchte, schwarz wie Ruß ist es, fett, beißend wie Rauch, hart wie Stein. Man kann einen erschlagen damit. Und die Toten, die können sie nicht einmal begraben. Der Boden ist viel zu hart gefroren."

„Er übertreibt wieder einmal", hörte Frajo „Helfgotts" Stimme, der abermals die Dampfpfeife lange trat, und lange Echos hallten von den Bergen zurück.

„Auch eine Weltanschauung", sagte Frajo.

Von der Weihnachtstanne, geschmückt mit Zuckerwerk und vergoldeten Nüssen, tropften die brennenden Kerzen ihr Wachs auf das Unterlageblech. Es klang wie das Echo vom Gekrach der Eisschollen des Inns, der unter den Fenstern vorbeifloß. Es war Frajo geglückt, die Weihnachtsferien im Gutshof Antonias zu verbringen.

Die andern hatten sich zurückgezogen. Frajo und Antonia blieben allein, schweigend. Endlich brach Antonia das Schweigen, und bald ihn voll ansehend, bald in sich hineinschauend, begann sie zu sprechen:

„Du hast mich nie gefragt, Frajo, warum ich dir die vielen Briefe geschrieben habe. Regelmäßig habe ich dir geschrieben. Du hast nie geantwortet. Jahrelang nicht. Laß mich ausreden, Frajo. Zuerst habe ich darunter gelitten, dann hat es mich geärgert, später nahm ich es hin, und endlich hat es mich auf einmal gefreut, daß es so war. Ja, ob du es glaubst oder nicht, es hat mich gefreut, mein Vertrauen in die endlose Ferne. Auf einmal bist du darauf eingegangen. Ich habe gewußt, es wird so kommen. Zuletzt standen wir in einem unverbindlichen Briefwechsel, bis wir uns in Passau wiedersahen . . . Und du hast mich nie in deinen Briefen und auch bis heute nicht persönlich gefragt, warum ich dir eigentlich immer geschrieben habe. Wieder hat es mich zuerst geschmerzt und dann gefreut. Ja, es war schön von dir, Frajo, und es ist schön von dir, daß du mich nicht fragst. Ich hatte diese Lehre nötig . . ."

Da er verwirrt schwieg, fuhr sie fort: „Wenn du gefragt hättest, in mich gedrungen wärst, würde ich es dir vielleicht nie gesagt haben. Aber jetzt sage ich es dir. Ich habe es mir für den Heiligen Abend aufgehoben, dir zu bekennen, was nur mündlich zu sagen ist . . . mündlich . . ."

Sie machte eine Pause. Er schaute auf ihren Mund, der war nun ganz nahe. An ihren Lippen hängend, sah und hörte er sie sagen: „Ein Kind, dein Kind, Frajo — bleib ruhig, laß mich ausreden . . . Unser Kind ist in mir gewachsen . . . Es wäre heute fünf Jahre alt."

Er starrte noch immer auf ihren Mund. Seine Augen vergrößerten sich so sehr, daß er nichts mehr sehen konnte. Antonia verflüchtigte sich, ihr Gesicht zog sich zurück und verschwand in nebelhafter Ferne. Nur noch ein mattes Blond war da, ein Schein, aus dem das gelbe Gesicht Etels auftauchte, sich aus den Wirbeln der Ferne rasend nähernd. Aus einer Frau war eine andere geworden, und plötzlich waren zwei Frauen da, Etels und Antonias Gesichter. Und vereinten sie sich nicht zu einem dritten, zu dem seiner Mutter? So verschieden sie waren, es waren Müttergesichter, und war nicht von Müttern die Rede?

„Mutter" hörte er, undeutlich hörte er, während das visionäre Bild sich auflöste, undeutlich sah er Antonia wieder vor sich, und noch immer starrte er auf ihren Mund.

„Meine Mutter", sagte sie, „hätte das nie getan, was meine Stiefmutter . . . Komm zu dir, Frajo . . . Meine Stiefmutter hatte meinen Zustand erkannt, sie hat meinen Durst bei der Feldarbeit ausgenützt, ich habe unwissentlich in mich hineingeschüttet, was sie heimlich in den Mosttrunk gemischt hatte. Ein Hausmittel, ein Hexenmittel . . . Es ist zu heftigen Krämpfen und zu heftigen Auseinandersetzungen gekommen . . . Sie zwang mich, rasch jemand zu heiraten, der längst um mich warb und dem außerdem alles verheimlicht werden mußte ... Nun, er ist tot, er konnte mir in viereinhalbjähriger Ehe nichts geben, und das ist gut so, lassen wir ihn ruhen ... Frajo, man zwang mich zu verlieren, was du mir geschenkt hast ..."

Es war ganz dunkel geworden, die Kerzen herabgebrannt. In der Stille hörte man nur das Klirren der Eisschollen. Frajo schloß die Augen, Finsternis, nichts als Finsternis. Dann war es, als ob zwei Sterne darin aufflackerten, die ein überirdisches Aroma verbreiteten, das sich bald als das sehr irdische Antonias herausstellte.

Die Augen öffnend, sah er die Antonias, graugrün, ganz knapp vor den seinen, riesengroß strahlen, unwiderstehlich, und beide sanken in einem hilflosen Schmerz, in einem hilflosen Glück ineinander.

10

Christoph und Christophorus

Frajo blickte auf die Leiche nieder. Der neue Totengräber, ein junger, pfeifenrauchender Mann mit schlauen Augen, sagte:

„Auch sie hat es in der Kehre angetrieben."

Frajo sah die Stumpfnase, die Sommersprossen, das rote Haar. Eine Bewegung zum Strumpfband hin und Kotts Kichern stiegen aus der Vergangenheit vor ihm auf.

„Das ist die Hafen-Fanny", sagte Frajo.

„Aber die andern sagen alle, so schönes rotes Haar hat sie nicht gehabt", widersprach der Totengräber.

„Das Wasser, das Wasser! ... Es verändert, das Wasser, Totengräber, es verändert."

Er verließ die Totenkammer, die weißgekalkt in der grünen Umzäunung lehnte, und betrat den Friedhof der Namenlosen. Langsam ging er die Reihen der Kreuze entlang. Sie hatten sich vermehrt.

Haslauer ruhte in einer Ecke — nichts als das eine Wort „Haslauer" stand auf dem Kreuz des frischen Grabes. Man hatte ihn kürzlich in seiner winzigen dachartigen Hütte wie schlafend gefunden, das Auge mit der Narbe geschlossen, das andere groß geöffnet und zur Mitte verschoben, gleich dem einäugigen Urmenschen.

Und zwei neue namenlose Kreuze standen da: „Dem Unglück verfallen ..." Die gleiche Inschrift, vielleicht noch „H.-F.", würde auch auf das Holzkreuz über dem Grab der jüngsten Wasserleiche gesetzt werden. Auf einem Kreuz stand so etwas wie von Glück zu lesen:

Möchtest du noch so fern von uns fort sein,
Darum kommen wir doch zu dir,
Zufrieden, wenn es nur einmal im Jahr ist,
Doch deine kleine Heimat ist so schön.

Am Elterngrab verrichtete er ein kurzes Gebet. Vor einem halben Jahr war der Vater der Mutter gefolgt, im März war er gestorben. Nach seinem Willen hatte es ein unauffälliges Leichenbegängnis gegeben. Die letzten Wochen hatte er zu Hause verbracht, von Antonia betreut. Sie war seit Februar im Örthel, seit jener Zeit, da sie ihrer Empfängnis sicher geworden war. Vaters Testament hatte Frajo als Haupterben bestimmt; Betha wurde ein Gewinnanteil zugesprochen.

So ereignisreich hatte das Jahr begonnen, aber mit der „zweiten Landung", wie Frajo sie nannte, die das „Einmal-ist-keinmal" aufheben und ihn der Heimat wiedergeben sollte, hatte das Schicksal bis in den Hochsommer hinein gezögert ... Die Erwartung, um nicht zu sagen die Spannung, die dadurch auf ihm gelastet, der Tod des Vaters und vor allem das keimende Leben in Antonia, all das hatte Frajos vom Vater vererbte mystische Neigungen bestärkt.

Er ruderte die Zille nach dem Örthel zurück. Der weiße Postdampfer überholte ihn. Es war ein strahlender Herbstmorgen. Die Auwälder vertieften sich in das Land hinein und funkelten vor Tau. Die Sonne, wie ein Diskus emporgeschleudert, eröffnete einen großen Tag.

Es war ein großer Tag, dieser letzte Septembersonntag im zweiunddreißigsten Lebensjahr des Zweiten Kapitäns Franz Joseph Endlicher. Sein Sohn sollte getauft werden. Auf den Namen Christoph sollte er getauft werden, und Christophorus war als Taufpate zu erwarten.

Mit Christophorus als Steuermann, den er in Preßburg überraschenderweise zugeteilt erhalten hatte, war Frajos Dampfer vor mehreren Wochen gezwungen worden, im Örthel zu landen ... Tarifmäßig hätten sie, von Ungarn heraufkommend, Wien ohneweiters noch vor Dunkelwerden erreichen müssen; aber eine Radhavarie oberhalb Hainburgs zwang sie, im Strom zu ankern und dadurch zwei Stunden zu verlieren. Bei der Weiterfahrt fiel eine stockfinstere Nacht ein, man sah kaum die Hand vor den Augen, geschweige denn das Vorschiff. Unter diesen Umständen mußte auch Frajos Stromkenntnis, obwohl er sich auf seiner engsten Heimatstrecke befand, versagen. Wieder hieß es ankern; Frajo fuhr in der Zille, von Christophorus gerudert, an das unsichtbare Land, um sich zu orientieren. In der Finsternis mit hochgehobener Laterne tappend, stießen sie auf Haslauers leere Heimstätte ...

Jetzt ging Frajo durch den Obstgarten. Die Gäste, die von weither angereisten Verwandten, schliefen noch in ihren Zimmern. Die schlangenkrummen Obstbäume hatten gestützt werden müssen. Unter ihnen stockte die Luft schwül wie in einem Glashaus. Auch Antonia schlief noch. In der Wiege schlief das Söhnchen. Hie und da ein Trommeln der fallenden Früchte. Der Most rann von den Bäumen.

Frajo stand vor den Ställen der Pferde und Rinder. All das hatte Antonia in den Monaten ihres Hierseins eingerichtet, in der Hauptsache während der Zeit, da sie noch allein gewesen, ohne ihn, bloß unterstützt von der Haushälterin Fini, dem jungen Knecht Karl, der Magd Mizzi und einem alten Knecht, den Antonia aus ihrer Innheimat mitgebracht hatte; er war der treueste Diener ihrer verstorbenen Eltern gewesen und wollte sie nicht verlassen. Wie es oft Außenstehende besser vermögen als Eingesessene, hatte sie erkannt, daß die Zeit der Pferdeschiffszüge dem Ende nahe war und damit auch die Zeit für einen Schiffergasthof. Gewiß, das Endlicher-Wirtshaus sollte als solches bestehen bleiben, wenn es auch mehr und mehr den Charakter einer Ausflugsstätte annahm.

Frajo kam am Brunnen unter dem breitästigen Nußbaum vorbei, er trat an den farbenflimmernden Blumengarten. Er sah den Bienen und Hummeln zu. Sie waren zu honigschwer, um fliegen zu können. Im stolzen Prunk schlug der Herbst sein buntes Pfauenrad auf.

Er betrat das Haus. Wenn man Fini nicht lärmen hörte — er lächelte: ohne das ging es bei ihr nicht! —, war sie wohl gegangen, etwas zu besorgen, eine Überraschung vielleicht, wie sie es liebte. Durch den blankgescheuerten Flur kam er in das Treppenhaus, in den Stock hinauf. Auf Zehenspitzen, um niemand zu wecken, gelangte er in das Elternzimmer. Seit des Vaters Fortgang lag es unberührt da. Er öffnete den altmodischen, nach Lavendel duftenden Schrank, sein Blick streifte die in schwarzglänzendes Leder gebundene Bibel, das Hirschenglas, das behütete Erbstück der Mutter, mit seinem durchscheinenden Waldgetier.

Zuletzt betrat er, indem er das ehemalige Zimmer der Schwester, wo Antonia nun zu Hause war, umging, sein Zimmer. Sogleich wurde er vom goldgrünen Widerschein des Donauspiegels, den Lichtwellen, die an den Wänden und an der Decke entlangliefen, überschüttet. Das ganze Zimmer rieselte lautlos, wahrhaftig ein Wasserzimmer. Er blickte auf den vergilbten Schloßturm der Kuckucksuhr, deren hölzernes Räderwerk er wieder in Gang gesetzt hatte. Zeitlos durch die Zeit stiegen und sanken ihre mit Donausand gefüllten Gewichte. Und seit eh und je hörte man da unten die Zillen, wie sie sich aneinanderrieben, mit ihren Haftketten klirrend. Und hier, die Tür, sie hatte sich eines Abends geöffnet, und Antonia war zu ihm gekommen...

Man darf dem Glück nicht nachlaufen. Es fällt einem in den Schoß.

Bratengerüche füllten das Endlicher-Haus, die große Küche wallte wie ein Dampfbad, Aushilfsmägde liefen hin und her. Es war wie damals und doch anders. Daß es wie damals beim Leichenschmaus nach dem Tod der Mutter war, ja daß er an diesem Festtag des neuen Lebens zu einer Wasserleiche gerufen worden war, machte ihn kurz nachdenklich.

Nun einmal vergleichend, überblickte er die vielen Gesichter der Gäste und rechnete nach, wer fehlte. Zuerst der Vater, dann die andern: Etel, die von Antonia äußerlich so verschieden und ihr innerlich doch so gleich war, unwahrscheinlich gleich; es fehlten die Großtante mit dem Kuhhorndaumen, Haslauer, Raaber, der spuckende Flößer mit dem Wolfsgeruch. Es fehlte sein Schwager Dr.-Ing. Zischka, von dem sich Betha, die lebenslustige Schwester — ihr Lachen klang herüber — hatte scheiden lassen, und es fehlte Antonias Stiefmutter und deren Verwandtschaft. Sie fehlte, weil sie mit dem heutigen Ereignis und allem, was diesem vorangegangen, nicht einverstanden war. Aber gerade der Grund, warum sie fehlte, war der Antrieb für die meisten andern gewesen, zu kommen.

Sie wären nicht so zahlreich gekommen, wenn es eine gewöhnliche Taufe gewesen wäre. Es war eine außergewöhnliche. Sicher hatten die Tanten Lisi und Lori schlaflose Nächte verbracht und einander zugeschworen, dieser Taufe auf keinen Fall beizuwohnen, sie zu schneiden, es diesem Frajo und seiner schamlosen Geliebten zu zeigen; aber nun waren sie natürlich doch gekommen, die weite Reise nicht scheuend, nun lächelten sie süß und sauer und augenverdrehend und schwatzend.

Kurz und gut, es war eine Taufe ohne vorangegangene Hochzeit. Es war eine durch und durch unmoralische Taufe. Gewiß, die katholische Kirche hatte die Taufe nicht versagt, sie hatte am Vormittag in Orth drinnen stattgefunden, der neue Mensch hatte den Namen Christoph bekommen. Dem Glauben ward Genüge getan und der Form. Aber der Pfarrer war nicht als Gast mitgekommen. Auch das war Form. Dennoch liebte Frajo die Form über alles, die Form ... Allein seine Zeichenkunst bewies, wie sehr er ihr verfallen war. So hatte er diesen Taufschmaus halb widerwillig, halb beispielgebend inszeniert.

Er erhob sich. Man wurde aufmerksam. Er stand ernst da, schmal in seiner Galauniform mit den goldenen Armborten und Ankern auf den Achselklappen, alles der Form zuliebe. Er hatte die ebenfalls mit einem Anker goldbestickte Kapitänsmütze abgenommen. Äußerlich ruhig, innerlich von einer anmutigen Unruhe bewegt, blickte er von Antonia, die blaß an seinem Tisch saß, auf den Täufling in der Wiege zwischen ihnen.

Er überblickte die fünfundzwanzig Tische im Quadrat, je fünf Reihen zu fünf Tischen, die Platz für hundert Gäste boten; nur zwei Tische waren unbesetzt, von allen andern sah man erwartungsvoll auf ihn. Die Kopfreihe, deren Mitte sein Tisch mit Antonia, dem kleinen Christoph und Etelka, der zarten Tochter des Konsuls, einnahm, war planmäßig besetzt worden: am Tisch rechts von ihm der brillenflammende Konsul als väterlicher Freund und Chef der Budapester Verkehrsdirektion. Der Konsul flüsterte seiner Tochter zu: „Jetzt ist er am Höhepunkt seines Lebens. Ein echter Skorpion... Hoffentlich geht es nicht so bald wieder abwärts..."

Dann ein Vertreter der Wiener Generaldirektion mit seiner grauhaarigen Dame, die Frajo lorgnettierte; dann der Tisch mit den Chargen der *Mars:* Hanbit und der aufgeblasene Maschinist, ihnen hatte man zwei geschmeichelt lächelnde Fischermädchen zugesellt; am Tisch links von Frajo die kokettierende Betha, der unverwüstliche Onkel Heinrich mit der leicht nach Schweiß riechenden Antschi und ihrem Mann, einem nichtssagenden Männchen, das Antschis an Frajo hängende Blicke mit Argwohn verfolgte; schließlich der Tisch mit dem nickenden Onkel Franz, den miederkrachenden Tanten Lisi und Lori und einem hochaufgeschossenen rothaarigen Jüngling von schlechter Haltung, dem Sohn einer von beiden.

Alle anderen Tische waren zwanglos besetzt worden. Frajo sah Fini, die heute zu den Gästen gehörte und sich selbstgefällig bedienen ließ; die Flößer und ihren struppigen alten Koch, seinen Liebling Hannes und Onkel Schatzinger; er sah sein eigenes Abbild Helff von Helffburg, diesen lässigen Kapitän „Helfgott", und ihm gegenüber Gantner, der ungeachtet seiner Schmisse und des Goldkettchens am Handgelenk noch immer Zweiter Kapitän war... Und Frajo sah die Fischer, ihren dürren rothaarigen Obmann Klepar mit den zwei einzelstehenden gelben Zähnen, den bleichen, stillen Riesen Schramm, Antonitsch... Er sah Bekannte und Wirtshausgäste, er sah fast hundert Gesichter und mehr, wenn man das zahlreiche Gesinde mitzählte, das nun, im Hintergrund gereiht, des Kommenden harrte.

Es geschah nicht, was man sich erwartet hatte: Frajo hielt keine Rede; es geschah etwas Unerwartetes. Plötzlich war wie eine Erscheinung Christophorus da. Christophorus ergriff den winzigen, gleichwohl reichlich schweren Christoph, und schon schritten sie zu dritt, Vater und Mutter an den Seiten, dem Strom zu. Überrascht erhoben sich alle. Man drängte ihnen nach, man säumte in ihrem Gefolge das Ufer. Da floß die Donau, da floß das Wasser, es floß vorbei.

Christophorus entledigte sich der Schuhe und Strümpfe, er krempelte sich die Hosen bis über die Knie, er nahm den nackten Christoph auf die Achsel, er schritt mit ihm in die Wellen hinein; mit ein paar langen Schritten teilte er das Wasser.

Mit leichtem Griff nahm er das Kind von seiner Achsel und tauchte es schnell unter die Wasseroberfläche. Dabei murmelte er etwas, was niemand verstand. Sogleich hob er es heraus, es glänzte und troff in der Mittagssonne, er schwang es auf seine Achsel und kam an das Ufer zurück.

„Er lacht!" rief Antonia glückselig. „Frajo, er lacht zum erstenmal."

Frajo beugte sich über seinen Sohn, versenkte sich in dessen Züge und meinte:

„Na, Lachen ist das nicht. Er verzieht das Gesicht."

„Aber wenn er sonst das Gesicht verzogen hat, hat er geweint." Antonia blieb dabei, dies sei sein erstes Lachen, alles drängte herzu und gab seine Meinung kund. Dann umringte man den Tisch des jungen Paares.

„Das hängt alles mit seinen Bücheln zusammen", flüsterte Fini, die sich hinten neugierig auf den Zehenspitzen hielt und mit offenem Mund gelauscht hatte, Hanbit zu.

Da knallte es ganz fürchterlich unter ihr; mit kreischenden Schreien fuhren die Tanten hoch, man drehte sich erschrocken nach ihr um. Auf dem Boden lagen zwei Knallerbsen zerdrückt.

„Natürlich Hanbit", sagte Frajo.

Onkel Heinrich, längst darauf erpicht, auch seine Zutat einzumischen, sagte in Zigarettenrauch gehüllt:

„In Anlehnung an einen gewissen Weimarer Geheimrat Johann Wolfgang von und so weiter erlaube ich mir, unseren Hausherrn anzudichten:

,Vom Vater hat er die Klausur,
Des Lebens biblisch Führen.
Vom Mütterchen die Frohnatur,
Die Lust zu komödieren ...'"

Seine folgenden Worte gingen in einem zuerst zögernden, dann allgemeinen Beifallslachen unter. Alles geriet wieder in Bewegung, man gratulierte ihm und Frajo und der jungen Mutter.

„Da ist ja heute zweimal getauft worden?" sagte Gantner fragenden Blickes.

Muhen, Autogetöff: ein neuer Knalleffekt. Aller Augen wandten sich dem sonderbaren Lärm zu, den ein Gefährt, eben anrumpelnd, verursachte. Zwei Ochsen schleppten ein Auto herbei. Und in dem Auto saß,

Frajo traute seinen Augen kaum, in aufgeregter Haltung zwei verspätet hergebetene Gäste, Kott und seine Frau.

Die beiden Neuankömmlinge, sichtlich eingebildet auf ihre Seifenfirma, machten einander Vorwürfe ob der Panne. Schließlich ging auch dieses Ereignis in der Bewegtheit des fortschreitenden Nachmittags unter. Und wieder mußte Frajo den Onkel Heinrich bewundern: der Tausendsassa hatte Marken bei sich, die sogar dem Konsul imponierten: mit zusammengesteckten Köpfen schienen sie in ein lebhaftes Tauschgeschäft verwickelt.

Die Stimmung erreichte einen neuen Höhepunkt, als Hanbit eine eben vollzogene Verlobung verkündete: Onkel Franz und Fini hatten sich verlobt. Kurze Zeit wendete sich aller Aufmerksamkeit den beiden zu; sie nahmen die vielen Wünsche halb stolz, halb verlegen entgegen. Der kleine Onkel Franz, seit einem Jahr Witwer, dieser schüchterne, überhöfliche, verliebte Mann hing wie ein Tautropfen an dem langen Strohhalm Fini, und je ungehobelter sie mit ihm verfuhr, um so untertäniger benahm er sich ihr gegenüber; er küßte ihr in einem fort die Hände.

Hannes fand nun erst Gelegenheit, Frajo seine junge Frau vorzustellen, die etwas trotzig dreinblickende Mariedl. Hannes fragte Frajo ganz heimlich: warum er denn Antonia, aber bitte nicht böse sein, warum er denn Antonia nicht eheliche?

„Hannes, dich müßte ich immer um mich haben", sagte Frajo und erhob sich unter allgemeiner Stille. Er sprach:

„Ich habe einmal gesagt, man muß ein Räuber werden, um wieder Mensch sein zu können. Man muß dort lösen, wo zuviel ist, und das Gelöste dort binden, wo zuwenig ist. Diesem Gesetz sollten wir alle folgen, wie das Wasser, das ein ebenso räuberisch Liebendes ist. Die Donau nimmt oben weg, wo zuviel ist, und schwemmt es unten an, wo zuwenig ist. Ihr könnt es drehen und wenden, wie ihr wollt: das Wasser ist alles."

„Das hat er alles aus seinen Bücheln", wiederholte Fini an Hanbits Ohr.

„Und nun zum Schluß", fuhr Frajo fort. „Ihr wollt mir das Persönliche nicht ersparen. Die Taufe, das Ins-Leben-Tauchen eines neuen Menschen, ist eine Sache der Gemeinschaft. Man hat sich mit ihr auseinanderzusetzen, und sie mit uns. Darum habe ich die Gemeinschaft gerufen. Hier ist sie. Aber die Ehe" — und nun wurde die Stille wirklich atemlos —, „die Ehe ist eine Sache, die zwei Menschen allein angeht. Das Leben hat mich gelehrt, daß der Sinn der Ehe das Kind ist. Erst bis das Kind da ist, hat die wahre Ehe in Erscheinung zu treten. Ich habe eine

Frau gekannt, die erst dann heiraten wollte, bis ihr Kind da sein würde. Aber sie hat nie ein Kind bekommen können. Darum ist sie so geheimnisvoll verschwunden, wie sie aufgetaucht ist. Ja, mir scheint, auch Christophorus ist verschwunden."

Alle sahen sich nach Christophorus um. Er war nicht mehr da. Frajo machte eine Pause. Dann endigte er:

„Ja, so ist es... Ich hatte das Vermächtnis jener Frau zu erfüllen. Aber ob es heute oder morgen oder erst in einem Jahr oder überhaupt sein wird, daß wir heiraten, das ist Antonias und meine Sache ganz allein. Dazu wird niemand eingeladen. Hochzeitsreise werden wir machen, solange wir leben. Reisen gehört zum Leben wie das Wasser zur Erde. Und auch ich werde wieder fahren."

Von Beifall überschüttet, setzte sich Frajo. Der Vertreter der Generaldirektion beglückwünschte ihn und, fügte er mit verbindlichem Lächeln hinzu, sich selber: denn nun wisse man aus Kapitän Endlichers eigenem Munde, daß ihn die Schiffahrt wieder in die Ferne schicken könne. Und zwar als Ersten Kapitän, das Ernennungsdekret hier habe er mitgebracht. Nun erreichte der Jubel den Höhepunkt. Man werde ihm den in Bau befindlichen Expreßdampfer, das größte und schönste Schiff der Donau, für den Verkehr zwischen Wien und dem Balkan bestimmt, anvertrauen.

„Habe ich nicht schon zuviel gesagt?" entgegnete Frajo. „Das ist ein weißer Dampfer, der blasierte Nichtstuer spazierenführen soll. Sie wissen, ein Schiff ist für mich kein schwimmendes Luxushotel für Gelangweilte, sondern ein abenteuerliches dunkles Fahrzeug, das Handel und Wandel vermittelt. Wenn ich ein Romantiker bin, so einer der Tat!"

Er legte den Arm um Antonia. Er roch ihren blonden Ährenduft.

Bitte beachten Sie
die folgenden Seiten:

Richard Bach

Meine Welt
ist der Himmel

Ullstein Buch 3255

Der Autor des Weltbestsellers
»Die Möwe Jonathan« singt
hier das Hohelied des
Fliegens. Kernstück seines
Buches ist die Schilderung
eines Fluges mit einem
F-84-F-Thunderstreak-Jagd-
bomber. Der Flug wird für
den jungen Piloten zumDuell
mit dem Tode, als in einem
aufkommenden Gewitter die
Instrumente versagen und
er mit seinem Flugzeug zum
willenlosen Spielball des
Unwetters wird.

ein Ullstein Buch

Thor
Heyerdahl

Kon-Tiki

Ullstein Buch 3276

Viele tausend Kilometer
Ozean liegen zwischen Peru
und Polynesien. Thor Heyer-
dahl wagt auf dem Floß
Kon-Tiki die abenteuerliche
Fahrt in die Südsee. Diese
Expedition erfordert den
ganzen Einsatz seiner
Persönlichkeit. Gelingt ihm
der Beweis für seine
unorthodoxe Idee, daß die
Kultur Polynesiens aus
Südamerika stammt?

ein Ullstein Buch

Erich Maria Remarque

ein Ullstein Buch